浙江历史人文读本

主　编　张伟斌
执行主编　陈　野

启智开物

郑绩　周静　俞强　著

浙江古籍出版社
浙江出版联合集团

《浙江历史人文读本》编辑委员会

序　言

中共浙江省委书记
浙江省人大常委会主任　夏宝龙

浙江是中国古代文明的发祥地之一，素有“文物之邦”之称，历史悠久，文化灿烂。数千年绵延不绝的历史积淀，构筑起悠久厚重的历史文化传统，汇聚成我们今天取之不尽、用之不竭的智慧宝库。浙江人民传续至今的爱国情怀、求真理念、务实本质、开拓精神、顽强意志、勤勉品性，是中华民族优秀品质的有机因子；浙江社会曾经承受的自然灾祸、战火硝烟、内忧外患，是中国人民沧桑磨难的共同记忆；浙江大地不屈不挠的卓绝抗争、革故鼎新、砥砺奋进，是民族伟业不朽华章的璀璨篇幅。

读史可以明智，知古方能鉴今。历史是一个民族和一个国家形成、发展及其盛衰兴亡的真实记录，是前人各种知识、经验和智慧的总汇。读一点历史，汲取人类积淀的思想精华，可以帮助我们清心明智；学一点历史，掌握社会发展的基本规律，可以帮助我们明辨方向；用一点历史，回顾中华文明的灿烂辉煌，可以激发我们共筑共圆中华民族伟大复兴“中国梦”的豪情壮志。对领导干部来说，读历史、用历史显得尤为重要。前贤先烈的品德情操、多难兴邦的执著奋斗、治国理政的经验教训，值得我们认真学习、深入思索，以之为镜、资治辅政。正因如此，习近平总书记多次强调领导干部要读点历史。他指出：“领导干部不管处在哪个层次和岗位，都应该读点历史，通过学习历史不断深化对人类社会发展规律、社会主义建设规律和共产党执政规律的认识，不断丰富自己的历史知识，这样才能使自己的眼界和胸襟大为开阔，认识能力和精神境界大为提高，使自己的领导工作水平不断得以提升。”

历史文化只有走近今天、走向大众，才能更好地传承和弘扬。浙江省社会科学院作为我省从事哲学社会科学研究的综合机构，组织编写“浙江历史人文读本”丛书，是推动浙江历史大众化、普及化的探索和创新，是建设文化强省的实际举措。该丛书八个分册，系统梳理、精心选取了浙江历史上有重大意义、重要成就、突出影响、鲜明特色的精华材质，内容翔实丰富，具生动性又不失真实性，具通俗性又不失学术性，是活化浙江历史的精品力作，是了解浙江人文的“百科全书”。希望大家抽出时间来看一看这套丛书，爱历史、学历史、知历史、用历史，在共筑共圆“中国梦”的征程中，留下我们无愧于先人、造福于后世的浓墨重彩。

2013 年 4 月 2 日于杭州

导言：构建公众视野中的历史世界

历史是曾经鲜活的生命、已然过往的生活、陶炼积淀的业绩，是纷繁的思绪、驳杂的心境、丰富的情感。它们随时间的流逝，翻落进文明的深处，累生而成一个我们谓之为“传统”的世界。在那里，思想的绿树常青，智慧如繁花盛开，气象万千，人文璀璨，厚重而灿烂。

然而，对于这样一个已成往昔的世界，如果我们不回首，便不得见。因为它在我们匆匆前行的身影后面，绚烂之极，归于平淡；它在远离我们当下人生的时间彼岸，兀自静默，莫能与语。

回望历史，是一种人性的光辉，因为它是对先人的礼敬；是一种博大的胸怀，因为它是对文化的包容；是一种理性的力量，因为它是对规律的揭示；是一种勇敢的担当，因为我们探究来路的目的，是为了更加坚定地走向未来。

因此，我们愿意站在今天的浙江，做一个历史的眺望者，穿梭万年的时空，打量这块土地上连绵不绝、波澜壮阔的前尘往事；做一个历史的梳理者，秉持理性的烛火，将沉落于往昔世界的影像重投于时间的光影之墙；做一个历史的思考者，博学审问、慎思明辨，探寻其与当下社会的关联；更重要的是，做一个历史的传播者，让历史走出尘封的书海和学者的案头，走向社会大众，让来自历史的智慧，充实心灵的世界，照亮今天的生活。

一、浙江大地承载着深厚的历史传统和光辉的文化精神

2006 年，时任中共浙江省委书记习近平在为《浙江文化研究工程成果文库》所作总序中指出："千百年来，浙江人民积淀和传承了一个底蕴深厚的文化传统。这种文化传统的独特性，正在于它令人惊叹的富于创造力的智慧和力量。"浙江历史的变迁和文化传统的形成，并非同一文化要素的简单累加和重复，而是在其精进图强的历史步伐中，通过开拓创新的创造活动得以实现，并因此自然地生发出十分鲜明的勇于开新造大、敢为天下先的文化价值取向，且已成为浙江文化传统中最具地域特色的精义。如果我们深入地去探究，可以看到如下种种鲜明的文化特征。

1. 在浙江的文化精神中，充溢着捍卫主权、反抗侵略的爱国主题

"夫越乃报仇雪耻之乡。"在浙江历史上，爱国主义是浙江文化的生命线，捍卫主权、反抗侵略、抵御外侮是浙江人民的优秀传统。在爱国主义价值观的哺育下，爱国英雄们在国族危难、大厦将倾之时，有的挺身而出，最终以身殉国；有的在重重困难之中，不放弃信念和理想，知其不可而为之。陆游"位卑未敢忘忧国"；于谦为了力挽狂澜于既倒，不惜牺牲一己的仕途乃至生命；抗倭名将戚继光在浙江招募和训练"戚家军"，在台州九战九捷，平定倭患。近代浙江人民在反封建反侵略斗争中前赴后继，可歌可泣。鸦片战争中壮烈

殉国的“定海三总兵”彪炳千秋；“鉴湖女侠”秋瑾“夜夜龙泉壁上鸣”的诗句，激励了无数中华儿女以天下兴亡为己任；嘉兴南湖上的红船，刘英、张秋人、俞秀松、宣中华等革命烈士的舍生取义，更彰显了在中国共产党领导中国人民开展的谋取民族独立、国家解放、人民幸福的革命斗争中浙江儿女的光辉业绩。这些浙江先贤刚健有为、坚贞不屈的崇高气节，谱写了中华民族爱国主义正气歌中的华彩乐章。

2. 在浙江的文化精神中，蕴含着求真务实、经世致用的本质内核

求真务实是浙江文化的本质内核，它贯穿于浙江历史发展的每一个时期，深刻影响着当代浙江人的行为模式和思维方式。求真务实蕴涵着科学求真。越王剑、通济堰、捍海塘、秘色瓷、印刷术、钱江桥，都是浙江科技史上的光辉成就；毕昇、杨辉、李之藻、李善兰、茅以升，都是浙江科技史上的著名人物。其中，最为人所称道的，当推北宋沈括及其《梦溪笔谈》。英国学者李约瑟将沈括称为“中国整部科学史中最卓越的人物”，《梦溪笔谈》则是中国科学史的里程碑。求真务实蕴涵着思想求真。东汉王充对当时散布虚妄迷信的谶纬之学、虚论惑众的经学之风的严厉批判和抨击，明代王阳明对理性自由和人性解放的要求，晚清章太炎“学所以经世，固非空言著述”的主张，无一不是浙江文化精神中“追求真理”“实事求是”本质内核的体现。

经世意识在浙江文化中有突出的表现。例如以陈亮为代表的永康学派，反对朱陆空谈义理和心性，提出修实政、行实德、建实功、改革社会、变弱致强的主张；近代佛学大师太虚、印顺回溯佛法本源，积极推进佛教革新。

这种独特的一脉相承的经世致用思想，体现了传统知识分子以思想、学术、知识认识改造世界的不懈努力和价值关怀，是浙江对中国文化的独特贡献。

3. 在浙江的文化精神中，聚合着义利双行、达观通变的商业伦理

义利文化观是浙江历史文化精神的一大特色。宋代以叶适为代表的永嘉事功学派倡导“义利双行”，用道德伦理引导对现实功利的追求，用现实功利检验主体对价值观、道德信仰理解的有效性。“义”与“利”由此成为辩证统一的有机体。在这种“义”“利”文化观的熏陶下，浙江人及其商业活动，用经营生产造福社会；同时又以“道义”规范经营生产行为，保持了悠久的“讲信修睦”的传统，哺育出许多誉满海内的老字号、老品牌。

“义利双行”的商业伦理观念，给浙江人带来了达观通变的经济发展理念和市场行为。宋元以后盛行浙地的长途贩运，使浙江成为当时全国客商趋之若鹜的货物集散地，增进了区域之间的经济交流，扩大了商品流通，促进了商人货币资本的大规模积累。明代中叶以后，雇用大量工人的手工作坊与手工工厂在浙江普遍出现，促进了市镇自由劳动力市场的形成。它们虽不足以定论为资本主义的萌芽，但无疑是对传统生产关系的变革，是对我国长期处于封闭状态的传统自然经济具有历史意义的重大突破。

4. 在浙江的文化精神中，闪烁着批判自觉、创新开拓的理性智慧

浙江是历史上盛产具有创新精神的思想大师之地。我们可以毫不夸张地说，浙江文化的思想创新，多次起到了“导夫先路”的先锋作用。陈亮、叶适的事功之学，王阳明的心学，黄宗羲的政治学说，章学诚的“六经皆史”之论，龚自珍的变革启蒙思想等等，都是浙江文化富于创新性的表现。被誉为“清初三大思想家”之一的黄宗羲，猛烈批判和否定整个封建君主专制制度，破天荒地喊出了“为天下之大害者，君而已矣”的口号，提出了用“天下之法”代替君主“一家之法”的法律平等思想、“人各得自私自利”“贵不在朝廷，贱不在草莽”的人权平等原则以及近似近代议会民主的政治理想。在明清之际的中国，可谓空谷足音。其大无畏的批判精神和创造性的思想贡献，成为清末维新志士的思想法宝，也是现代革命者用以反对、批判封建专制制度的精神武器，启迪和影响了浙江的近代化进程。

作为新文学运动的奠基人和五四新文化运动的主将，鲁迅敢于直面惨淡的人生，对吃人的封建礼教和制度作猛烈地揭露和批判，进行不屈不挠的斗争；勇于以社会批评和文明批评为己任，以一生精力和独立人格进行充满韧性的奋斗和努力，为浙江文化传统增添不屈的风骨、独立的人格、批判的精神和自辟新路的理念与勇气。他不仅为中国文化开拓了新路，也为家乡人民留下了一份创新进取的宝贵思想财富。

5. 在浙江的文化精神中，融铸着兼容并蓄、自强自立的个性品格

凭借濒临大海的地理优势，浙江文化在持续的中外文化交流中逐渐成熟，培养出兼容并蓄的海洋个性。我国古代早期对外交流以贸易为主，浙江生产的茶叶、丝绸、青瓷等物品成为文化向外输出的物质载体，进而带动人与文化的交流，既引导了外部世界对中国文化的认知，也是浙江文化自我更新、自我丰富的重要途径。马可·波罗、利马窦、卫匡国、马戛尔尼等西人纷纷来到浙江，天台山佛教文化、径山茶文化、温州华侨、留日学生群体等等，都是浙江文化走出去的典型。

兼容并蓄并不意味着主体性的缺失，自强自立同样是浙江的品格。自然资源稀缺的压力，让浙江人具有强烈的危机意识，肯定个体的独立、欲望与利益，崇拜竞争拼搏、不等不靠、自我奋斗的精神。发轫于南宋、鼎盛于清乾隆年间的“龙游商帮”，凭借不畏艰难、自强自立的精神，“多向天涯海角，远行商贾”，人称“无远弗届，遍地龙游”，为浙西南的经济崛起作出了巨大贡献。这种“虽千万人吾往矣”的“拼劲”、一往无前的“冲劲”、无孔不入的“钻劲”，与中国传统文化的个体“义务”本位、儒家文化的“温良恭俭让”、老庄哲学的“夫唯不争，是以不去”等等主流思想，有着极大的区别，是对中国文化传统的一种很好的补充与丰富。

6．在浙江的文化精神中，体现着澄怀观道、现实关切的审美情操

浙江是一块洋溢着文学才情、艺术灵性的土地，王羲之、骆宾王、赵孟頫、黄公望、徐渭、吴昌硕、郁达夫等等，都是在中国文学艺术史上具有熠熠光彩的著名人物。他们在诗词、书法、绘画、小说、戏剧、建筑、工艺、文艺理论等各个领域，都撰有开一代新风的里程碑式作品，百代标程，至今传颂。

中国文艺传统讲究“文以载道”。综合起来看，这个“道”，既有儒家美学讲求的仁、爱、礼、义，“善美一体”的伦理德性之道，也有道家追求虚

静简远的任顺自然之道、玄学任性率真的个性放逸之道，还有现实生活层面对时代潮流、社会变革、世道人心、国计民生的人文关切之道。浙江的文学艺术很好地体现了中国文艺独特之“道”的各个方面。王羲之等魏晋士人洒脱旷达的艺术境界，黄公望等文人画家的山水情怀，龚自珍《己亥杂诗》对制度的批判、国运的担忧、思想的启蒙，抗战文艺的蓬勃兴旺，兰溪诸葛八卦村、浦江郑氏义门、俞源太极星象村等古村落的建筑形制，都向我们展示了浙江文化艺术的深厚内涵。她既在哲学思辨的境界里升华，澄怀观道，为中国文艺传统提炼和奉献了众多具有中国特色的美学概念、范式、结构形式、表现手法，又在现实生活的沃土中扎根，观照现实，直面人生。

7. 在浙江的文化精神中，孕育着天人合一、人我共生的人文情怀

浙江文化既能够“登山则情满于山，观海则意溢于海”，与和风细雨的大自然和谐相处；同时也极善回应来自大自然的挑战，在变动的自然环境中成长。浙江漫长的海岸线及其潮汐侵蚀之下的变化、破坏性热带风暴的侵袭，都是大自然发出的挑战。对此，浙江人同样以“天人合一,万物一体”的整体关怀，通过各种努力与方式，追求人与自然的和谐。

为了降伏不羁的大自然，浙江人民修建了庞大、复杂的水利系统，孕育了发达的水利文化。如果说大禹疏导治水是追求与自然和谐意识的萌动与最初实践，西湖的开发则是浙江人民在发展中改造自然、在改造中保护自然的典范。西湖经钱镠、李泌、苏轼、白居易、杨孟瑛、阮元等人的疏浚治理，呈现出旖旎秀丽的韵致，以其精致和谐的人文风情，构筑成人间天堂的特色。

河姆渡原始艺术中精美神秘的“鸟日同体”纹饰，良渚文化中繁缛威严的神人兽面纹，都体现了浙江人热爱自然、赞美自然和融入自然的美好情愫。

8. 在浙江的文化精神中，彰显着知行合一、事上磨炼的哲学思维

思想学术丰富深刻的浙江，必然具有自己独特的哲学思维。这就是王阳明的哲学观点。“知行合一”强调知即是行、行即是知。人不仅要对自己的行动负责，而且要为自己的思维活动负责。正确认知的最终确立，须得以付诸实践检验为终点。“致良知”认为个体的“知”只有通过与社会事物的复杂关系的展开，体验情绪的冲击、思维的跳跃，通过实践检验其“致良知”的进展与效果，也即“事上磨炼”，才是真“良知”。由此，方能从道德范畴的“修身”出发，逐步实现“齐家、治国、平天下”的社会理想。

“知行合一”是浙江文化在哲学层面上的思考，因此也是最高、最抽象、最具有概括力的思考。浙江文化的其他内涵，都与“知行合一”这个核心命题存在着密切的逻辑联系。

二、浙江人民具有鲜明的历史意识和高度的文化自觉

中国疆域辽阔，在长久的历史岁月和特定的地域范围里，形成了众多具有地域特色的文化小传统，以别具一格的文化样态、特征和成就，为包罗万象、气度恢弘的中华文明奉献着日新月异的源头活水。因此，从区域历史文化入手，梳理文化现象、提炼文化精神、反思文化弊端、传承文化基因，可以清晰地把握到中华民族精神历史运动的脉搏。浙江文化具有丰富的表达形

式、鲜明的思维层次、完整的逻辑结构，是具体而微的中国文化。我们梳理浙江的历史传统和文化精神，正是深入了解中国文化、研究中国文化、发展中国文化、创新中国文化的有效途径。

从 1999 年至今，在全省范围组织开展的关于浙江历史文化和精神的梳理提炼，一直贯穿于浙江人民的文化生活中。

1999 年，经过 20 余年的改革开放，浙江社会经济迅猛发展，总量和人均产值均列全国第四位。浙江并未满足于取得的发展成就，而是积极探索取得这种成就的深层原因，总结出“走遍千山万水，吃尽千辛万苦，说尽千言万语，想尽千方百计”的创业精神。2000 年，时任中共浙江省委书记张德江提出“研究浙江现象，总结浙江经验，提炼浙江精神”的要求。省委认真总结经验，认为浙江快速发展的原因，就在于其悠久的历史和灿烂的文化及其与当今时代发展的有机结合，提炼出了“自强不息、坚韧不拔、勇于创新、讲求实效”的浙江精神。这是 20 世纪八九十年代浙江人民精神面貌的生动体现、浙江经济发展的真实写照和浙江经验的高度概括。

2005 年，省委高度重视总结提炼新时期的浙江精神。根据时任省委书记习近平关于“深入研究浙江现象、充实完善浙江经验、丰富发展浙江精神”的指示精神，经过“与时俱进的浙江精神”的调查研究，正式公布了新时期浙江精神内涵的具体表述——“求真务实、诚信和谐、开放图强”。习近平同志发表了署名文章《与时俱进的浙江精神》，高度评价了改革开放以来浙江创造的宝贵精神财富，肯定了“自强不息、坚韧不拔、勇于创新、讲求实效”

的浙江精神，同时着眼未来，立足发展，对“与时俱进的浙江精神”做了深刻阐述。“求真务实、诚信和谐、开放图强”的浙江精神，既是对历史的总结与传承，更是对现实发展的鞭策、对未来发展的引领，也是对浙江人民的智慧、活力和创造精神的鼓励和激发。

2011 年 10 月，时任省委书记赵洪祝指出，浙江经济社会持续健康发展背后的“文化密码”“文化基因”，就是“与时俱进的浙江精神”，因此要大力弘扬和提升以“创业创新”为核心的“浙江精神”，为全面建设小康社会提供重要支撑。2012 年 2 月，浙江省开展“我们的价值观”大讨论，提炼出“务实”“守信”“崇学”“向善”四个核心词，确定为当代浙江人共同价值观的表述语，写进了浙江省第十三次党代会报告。这既是对“与时俱进的浙江精神”的继承和坚守，也在新形势和新挑战下赋予其全新含义，更是为构建面向未来的共同价值观所作的前瞻性布局。

习近平同志指出：“具有历史文化素养，最重要的是要具有历史意识和文化自觉，即想问题、作决策要有历史眼光，能够从以往的历史中汲取经验和智慧，自觉按照历史规律和历史发展的辩证法办事。”（习近平同志在中央党校 2011 年秋季学期开学典礼上的讲话：《领导干部要读点历史》，2011 年 9 月 1 日新华网）自 1999 年以来，浙江对历史传统的分析反思、对浙江精神的探寻深化，既是浙江人民历史实践和理论智慧的结晶，更体现了浙江人民高度的历史意识和文化自觉。

三、浙江学者勇于承担传播优秀历史文化传统的崇高职责

习近平同志《领导干部要读点历史》的讲话，既是对领导干部的要求，也向我们人文社会科学工作者，特别是历史学研究者提出了期望，指明了历史学服务社会、与现实生活相结合的方向。这就是：承担起传播优秀历史文化传统的崇高职责，构建一个公众视野中的历史世界。《浙江历史人文读本》（以下简称《读本》）就是我们按照《领导干部要读点历史》的要求，经过一年精心筹划、反复研讨、认真撰写而得的研究成果。通过编写《读本》，我们对优秀历史文化传统的当代大众传播，有了一些实践体会和理性思考。

1．构建公众视野中的历史世界，需要认识面向大众传播历史文化的重要意义

清代浙江籍著名学者龚自珍曾经说过："欲知大道，必先为史。灭人之国，必先去其史；隳人之枋，败人之纲纪，必先去其史；绝人之材，湮塞人之教，必先去其史；夷人之祖宗，必先去其史。"（《古史钩沉论》）简明深刻地点明了历史具有终极意义的价值。

专家学者为普通读者撰写通俗读本，在西方学术界是一个传统。比如英国哲学家、社会学理论家杰瑞米·史坦葛仑博士主持的"小书大思想"丛书，包括《话说哲学》《哲学家的想法》和《伟大的思想家 A–Z》等系统普及读物；英国 DK 图书公司出版的"目击者文化指南"丛书，由牛津大学、伦敦大学等学校的专家执笔，对哲学、艺术、音乐等进行了大众化传播；英国皇家哲

学研究所开办有面向大众的期刊《思考》，等等。

近年来，逐渐兴起于美国的公共历史学，更是对史学大众化的学理探究和提升。在中国，历史知识的公共传播，一直得到提倡和实践。著名学者钱穆有“不知一国之史则不配作一国之国民”之论，当代学者黄仁宇则欲以历史书写树国民之历史性格。就浙江而言，“社科普及周”“人文大讲堂”，都是影响面大、成效显著的行动。但总体来说，史学大众化尚未成为学者内在的自觉行为，尚未形成蓬勃的气象和畅达的工作格局。求专、求精、求高深的学术观念和学术评价体制，一定程度上制约了人文社会科学的大众化。

人文社会科学研究的根本目的在于推动社会进步。因此，参与社会实践，是发展人文社会科学研究的源头活水；关注现实问题，是深化人文社会科学研究的重要途径。作为从事历史研究的学者，我们都有一种虔敬的“古典情怀”，大多究心于历史文化方面的研究，较少关注当代发展。在《读本》编写过程中，我们通过对领导干部、社会大众、网络媒体和社会生活的访问座谈、沟通交流、查阅学习、观察思考，深切地感受到了浙江大地上生气勃勃、创意无限的现实创造，她是社会不断向前发展的根本动力、文化传统生生不息的源头活水、人类美好生活愿望的实现途径；深切地感受到了社会、大众十分迫切的对精神文化生活的需求、对丰富精神世界的渴望，由此深感面向时代、关注社会、推动进步，同样是我们的职责所在。我们不但要做传统的学问，同样也要心怀敬意地为浙江的当代文化发展做一些实事，以此向生我养我的浙江大地和浙江人民，致以我们深深的敬意，落实我们无比的热爱，奉献我们绵薄的心力。

浙江优秀的历史文化传统丰厚精深、魅力无穷，她是我们深以为傲的文化资本，是我们取之不竭的文化宝库，是我们当代建设的文化资源，是我们屹立于世的文化底蕴。面向大众，从底蕴深厚、资源丰富、优势明显的浙江优秀历史文化传统里搜珍集宝、拾贝掇英，汇聚奉献，正是我们作为人文社会科学工作者必须担当的社会责任。

2．构建公众视野中的历史世界，需要做好古今文字的通达转换

随着历史的物移景迁，文化的变动发展，特别是五四新文化运动倡导白话文以来，作为中国历史文化传统重要载体的语言表达体系，发生了全新的变化，这成为我们今天继承、弘扬优秀文化传统最为直接的一大障碍。因此，在严谨、规范、准确的学术研究基础上，以清丽简明、深入浅出、短小精悍、雅俗共赏的文字，梳理浙江历史传统、把握浙江历史发展脉络、揭示浙江历史发展规律、汇聚浙江历史知识和智慧，是让历史走向大众的首要工作。

本书中，我们对浙江历史上有鲜明特色、重大意义、突出影响、重要成就的人、事、物进行选择和研究，用清新通达的现代汉语进行重新写作的方式，对或佶屈聱牙，或深奥艰涩，或典丽文雅的历史文献做了现代文字的转换和传达。由此，我国第一部关于海港和海上交通的著作《临海水土异物志》中的久远记述，天台山高僧大德们深奥的佛教思想，充满哲学思辨的南宋朱熹与陈亮的“王霸义利”之辩，影响深远而文字玄奥的王阳明“心学”，等等，得到了浅显明达的表述，让文字不再成为阅读理解的障碍。书中更不乏练达、清丽、蕴藉、深情、知性、洒脱、典雅等等多样化的优美文风，让人读来而起兴会之思、有共鸣之感。

3．构建公众视野中的历史世界，需要做好陶炼融会的释读阐发

南朝齐梁时的绘画理论家谢赫曾说："师心独见，鄙于综采。"（《古画品录》）意思是说，独具匠心、不拘成法的才是好作品，综合杂凑他人之作的，应受到鄙视。此言甚是！作为反映浙江人文历史的书，切不可成为历史资料的简单汇编、他人研究成果的综合罗列。在写作中，我们根据自己的认识、理解、分析和研究，对重大事件、重要人物及其主要成就做了系统梳理，在择优选取、汇聚、表现历史精华材质的基础上，对古代知识、传统理念、经验教训、智慧感悟、哲学思想等等，做了陶炼思考、融会贯通的释读阐发。比如浙江历史从远古走到今天的文化源流与精神演变，浙江农民是全国最辛苦的农民之一的自然原因，人口要素对科技进步产生深刻影响的历史背景，作为中国传统艺术主流的文人画和水墨山水与浙江的深切关联，"越为诗巢"与中国文学的发生渊源，浙江佳山秀水中"人，诗意地栖居在大地上"的终极理想，四明山抗日根据地的越剧演出对后来越剧改革带来的重大影响，等等，都是我们在浩如烟海的文献资料中披沙拣金、把握精神实质的历史释读。

4．构建公众视野中的历史世界，需要做好独具新见的研究升华

在社会大众尤其是领导干部的学历教育水平、文化知识修养、阅读鉴赏能力、精神文化需求都日趋提高的今天，陈旧的史料汇编、学术观点、故事

叙述、心得体会、情感表达，都不足以引起社会大众的阅读兴趣，不足以达到弘扬优秀传统文化的目的，更不是我们作为历史文化专业研究者的工作职责和目标。充分依托我们已有的研究基础、心得和成果，用新的视野打量历史、深化探究，做出新的独立研究，是我们所有作者遵行的原则和方法，也是《读本》截然不同于其他普及读本之处。比如，我们从人类学的角度解读了千古孝女曹娥身后的越地巫术文化氛围，指出了浙江“丝绸之府”历史美誉的技术成因，揭示了王羲之作为中国“书圣”而超越孟子所谓“君子之泽，五世而斩”这一历史现象足以泽被千秋的文化力量。其间，有对现象的观照，有对原因的分析，有对规律的揭示，有对理论的提炼，有以小见大的深刻领悟，有纵历千年的本质把握，可谓自出机杼，异彩纷呈，尽心竭虑地奉献给各位读者。

5. 构建公众视野中的历史世界，需要做好融会时需的现实关联

如果没有与当下社会和生活恰切而紧密的关联，那么历史只是历史，永远走不出“传统”的范围，只能在时间长河的彼岸，寂寞起舞，乘风而去，与我们渐行渐远。即使形可见，无奈神相离。为此，历史需要走进今天的社会和生活，与今人同声共气，心神交会。只有这样，历史才是有生命的、有意义的、有价值的。

在书中，我们着力发掘笔下历史与眼前现实的关联点，并力图加以自然、准确的表达。比如，“天下第一清廉”陆陇其“清操饮冰，爱民如子”的政治情操，革命者张秋人明知“我的头要砍在杭州了”而临危受命、慷慨赴难的大义凛然，众多施茶会、水龙会、育婴堂、舍材会、路会、义学等民间乡风美德中生发出的无处不在的善行义举，等等，都是我们民族崇高精神、高尚品格、优秀品质、道德情操的生动体现，是我们今天建设社会主义核心价值体系、实现精神富有的思想养料。另如，从东吴政权“亲贤贵士，纳奇录异”中，可以吸取以人才立国的经验；从湖州商帮衰亡中，可以获得今天正确引导民间资本投资领域的启示；从宁波本帮裁缝到红帮裁缝的转变中，可以发掘产业转型升级的经验；龙游商帮“无远弗届，遍地龙游”的精神，为今天浙西南尤其是封闭山区对外开放、转型发展提供了参照；吴昌硕成为艺术领袖的历练之路，为今天文化人才培养提供了借鉴；等等。所有这些都是足可为今天的社会建设、经济建设、文化建设参考借鉴的历史经验。

6. 构建公众视野中的历史世界，我们殷切希望实现的美好愿望和价值旨归

我们殷切地希望，通过一年多来紧张忙碌、全力投入所做的这些与文化强省建设现实需求相结合的系统梳理、存精择优、现实转化、深入浅出等学术研究和大众传播工作，能构建起一座浙江历史文化资源的宝库，从以下这些方面，发挥《读本》的作用，实现让历史走向大众的美好愿望和价值旨归。

一是向社会大众和广大领导干部展示优秀的浙江地域文化传统、光辉的浙江地域文化精神和灿烂的文化创造成就，激发作为浙江人的自豪感，增加责任感。

二是为我省的文化强省建设激活历史信息，提供人文样本，构筑文化底色，丰富文化内涵，为各地开展当代文化建设提供历史资源、内容素材、创意源泉、创作灵感、思想启迪、多彩智慧，实现历史传统从文化资源向当代文化建设资本的成功转换。

三是用浓缩的历史人文精华丰富社会大众的文化知识、充实社会大众的精神世界，提升领导干部和文化从业人员的人文修养，培育开展现实文化建设所需之职业素质。

四是以权威、准确的内容和精致、典雅的形式，供相关部门作对外文化交流。

五是作为供查阅相关史料、事件、人物、数据的案头书，起到浙江历史文化词典的作用。

六是在分册书名、专题名、篇章名以及文内相关篇幅中，精选或化用浙江历代名人格言箴语、诗文名句，以供读者题辞、创作书画作品时参考借鉴。

张伟斌　陈　野

2013 年 3 月

目　录

书香盈室

巧思妙技（周静　等）

斯文传家

浙江是传统教育基础
十分深厚的地区，
作为文化之邦，
曾涌现一大批杰出的教育家，
不囿于儒家经学的束缚，
提倡经史实学、
导学以致用的学风。
藏书刻书，
更是繁盛，辉煌几世。

引　言

浙江是我国传统教育基础十分深厚的地区。早在东汉初年，上虞私人所办的蒙学机构已颇具规模；两晋时期，平阳、永嘉两地建有官学，世家大族对家学的注重蔚然成风。

浙江自隋唐起教育渐兴，但真正达到兴盛始自北宋。据统计，当时两浙路所辖14州中，属今浙江境内的11个州已遍设州学，65个县也大多设有县学。南宋定都临安之后，浙江成为全国文化教育中心地区，太学、宗学、武学、医学、画学等中央官学陆续建立，各地所设书院多达190余所。元、明、清三代，浙江教育经久不衰，不仅府、州、县学普遍设立，并且社学、义塾、私塾等蒙学机构自城镇开始向乡村发展，山林僻静之处则有为数众多的书院，讲学之风极盛。

作为文化之邦，浙江涌现出一大批杰出的教育家，如王充、吕祖谦、陈亮、叶适、程端礼、金履祥、许谦、王守仁、刘宗周、黄宗羲、朱之瑜、陈确等。他们大多不囿于儒家经学的束缚，提倡经史实学、导学以致用的学风。尤其在批判传统教育弊端的过程中所表现出来的敢于批判、勇于创新的精神，是后人学习和仿效的榜样。

鸦片战争以后，浙江是我国较早接触西方文明的区域之一。随着宁波、温州等地先后开放，外来势力大举进入的同时也引入了新观念，注入了新的生机。在中西方文化的碰撞下，新式学堂纷纷建立。浙江清末的兴学与他省相比，更具有自觉性的特点。

五四新文化运动的浪潮使浙江教育进一步向前推进，欧美留学生纷纷回国，使西方现代教育思想的传播更为直接与广泛。1922 年新学制颁布后，短时间内浙江小学教育即得到较大发展，学前教育得到重视，并将中学、师范合办成综合性中学。

1927 至 1937 年，政局相对稳定，各级各类学校有章可循，近代教育进入了较为成熟的发展期。加强了高等教育的发展，新增了不少师资训练机构，推行义务教育，广泛开展民众教育。

日军入侵，浙江坚持办学，不少学校进行了战略大转移，教育依然得到了一定发展。

浙江兴办教育，同时亦藏书刻书。印刷术源自吾国，杭城又以版刻精盛之地而著称。据推论，宋时毕昇当为杭州刻工，因其业精于勤，有所创新，发明活字印刷。雕版印刷自隋唐间开始，历晚唐而至宋，浙江尤其擅长，技艺精进。南宋之后，太学在浙，刻书更是闻名天下。到了元代，朝廷官府修史，仍不辞千里，南下杭州路印造。明清浙江刻书，更是繁盛。

浙江藏书之业亦十分兴盛。二千余年来，无论官府、书院、寺观藏书都洋洋大观。刻书业与藏书业息息相关，互相推进。而藏书传统又直接影响、推进着地方学术文化。如明代方志纂修的盛行对天一阁收藏所起的积极作用，清代浙东学派与藏书楼发达之间的互动关系，陈思刻印收藏宋人诗集对江湖诗派传播所起的作用，等等。具有全国影响的浙江藏书家不在少数，杭州、嘉兴、宁波、湖州的私人藏书大家层出不穷、辉煌几世。

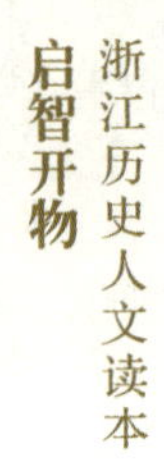

世族家学的兴起

“家学渊源”在现代汉语中是常用语汇，通常指家族内部的学术传递。事实上，在现代教育兴起并完善之后，学术分类越来越细，越来越专业化，基础教育的规模则越来越庞大。真正意义上的家学已经难以为继，只能是进行某些方面的指导，完全靠家庭内部传授来完成教育，很难实现。

然而中国古代的世家大族，确乎可以在家族内部完成全套教育。儒学、经学、文艺、治学方法、伦理道德等都在其内。

东汉末年，浙江世家大族势力强大，拥有大片土地，装备私家武装，把持各级权力，当然也占据文化上的优势。为了培养子孙，拥有大量资源的世家，在乱世官学衰废状态下，家族办学。可以说，家学不仅是文化教育的一种，而且担负、维系着家庭传续的功能。浙江由此形成诸多有家学渊源的世家大族。

浙江的儒学传统，很大程度上就由家学来传承。浙江有诸多的儒学世家，如余姚虞氏，山阴贺氏、谢氏、孔氏，武康沈氏，盐官顾氏，钱塘范氏、杜氏、朱氏，太末徐氏等，都是知名于世的大家。

除了儒学之外，文学、书法、艺术等也有家学传承。著名

阅读链接：

王伊同：《五朝门第》，香港中文大学出版社，1978 年版。

陈寅恪：《唐代政治史述论稿》，上海古籍出版社，1982 年版。

余英时：《士与中国文化》，上海人民出版社，1987 年版。

山水诗人谢灵运，出生于会稽始宁。谢氏家族文风极盛，其祖为谢玄。谢家之内，谢灵运与谢惠连、谢朓并称“三谢”。此外，沈约、丘迟、吴均等吴兴文学名士也均出身名门世家。

著名的“二王”，即王羲之与王献之父子，亦是家学繁荣的极好体现。王羲之自幼受其叔父书法的影响，后为一代书圣。他对王氏家族的书画艺术教育功不可没，7 个儿子 5 个善书，王献之更是与父齐名，并称“二王”。

我国佛像雕塑始于东晋，与戴逵父子的贡献密不可分，此亦家学。在剡溪江畔隐居有“雕圣”之称的戴逵，精于雕塑技艺，尤善于佛像的塑造。他与儿子戴颙一起为山阴灵宝寺创作了一丈六尺高的无量寿佛及旁侍的两尊木雕菩萨像，首创了与印度风格迥异的民族化的佛像，戴逵也因此被称为嵊州泥塑和雕刻工艺的祖师爷。

又如据有学者研究，在六朝时期的江东世族中，吴郡陆氏崇尚“忠义”、重经术，好文学，恪守儒家道德规范，两晋后又习玄信佛，与当时的主流文化相通；顾氏则以“厚道”著称，尤重礼法，以经术为本，族中教育以儒学启蒙；张氏重性灵，尚文采，讲仪容，人物多具名士气息；吴兴沈氏汉晋之间曾为“武力强宗”，刘宋以降则完成了向崇文的嬗变；会稽孔氏则精擅法律典制，倡导“会同佛道”。

世族家学在教育上所起的作用巨大。六朝时期，时局动荡，浙江境内的官学基本一片空白，世家大族作为政治、经济和文化的强权者，自然接过了教育的使命。由此，文化的传统寄托于世家大族之中，每一个家学都是学术传递的重镇。家族中的学有所成者不但继承了前辈的学问，也推动家学继续前行，形成良性循环。

世族衰落之后，各种办学方式异彩纷呈，家学虽然不再成为教育的主要阵地，却仍然发挥着重要作用。直至今天，学术世家仍然屡见不鲜。

南宋太学与太学生

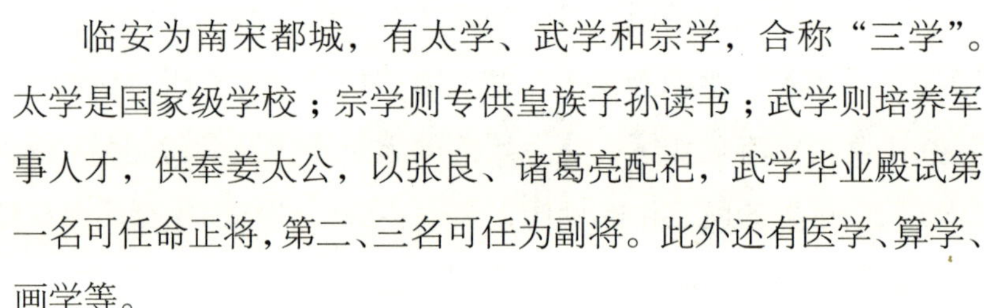

临安为南宋都城，有太学、武学和宗学，合称“三学”。太学是国家级学校；宗学则专供皇族子孙读书；武学则培养军事人才，供奉姜太公，以张良、诸葛亮配祀，武学毕业殿试第一名可任命正将，第二、三名可任为副将。此外还有医学、算学、画学等。

临安太学由岳飞的故宅扩建而成，分教学区、祭孔区、斋舍区三部分。太学除了教学之外，还是春秋两季对孔子行释奠礼的地方。太学生所攻读基本是《易》《尚书》《诗》《春秋》《论语》《孟子》《中庸》等。南宋皇帝经常亲临巡视，宋理宗为其讲堂亲书“崇化堂”牌匾。除了读书，太学生还要进行体育锻炼，主要形式是射箭。因此食宿区域前还设有射圃，让太学生早晚练习射箭。太学的管理设祭酒 1 人主管校务，司业 1 人协助课试、教导、斥黜等事务。教学由博士、学正、学录、学谕分别掌理。

太学招生采用统一考试、择优录取的办法。考试名额按各地人口多寡进行分配，考生最多时达到 10 万余人，纷纷从各地赴京应试，将多个寺庙借为贡院才能容纳。考试分三场，第一场考经义，第二场考诗赋，第三场考时务，以首场最为重要。

阅读链接：

顾宏义：《教育政策与宋代两浙教育》，湖北教育出版社，2003 年版。

王凤贤、丁国顺：《浙东学派研究》，浙江人民出版社，1993 年版。

沈冬梅、范立舟：《浙江通史·宋代卷》，浙江人民出版社，2005 年版。

入学后对学生的考核也不放松，考试分私试和公试，行艺并重。私试每月举行，公试每年一试，亦称“岁试”。按成绩分为上、中、下三等。上等荐于中书省授官，最多 2 人。中等免礼部试，身份与进士同，限额 5 名。下等可免乡试，直接参加进士考试，最多 10 名。太学考试非常严格，能按时升级、如期毕业者仅是少数，一般要学上 7、8 年，有的甚至要 15 年。太学生毕业，国子监颁发证书，时称“监牒”，上印赞词，以资勉励。获得此牒后，太学生即跻身地方士绅行列，享有较高的社会地位和一定特权。如北宋时可免差役，南宋时允许募人充役。

太学生更具影响力之处在于其参政议政的热情，往往形成颇具声势的学生风潮。我国太学生的政治风潮始于东汉，有着悠久的历史传统。而两宋内忧外患，政治动荡，太学生表现十分活跃，往往采用伏阙上书的形式表达意见，不少学生因此招致杀身之祸。

北宋陈东率太学生伏阙上书，殿外遇到下朝的李邦彦，陈东一跃而起，拦住其去路，手指口斥，历数其罪。太学生们也纷纷谩骂，更有的挽袖抡拳，欲殴打国贼。李邦彦吓得魂飞魄散，以袍袖护头，向宫中逃去，慌乱中乌纱帽滚落，连靴子也掉了一只。

南宋中叶以后，太学生伏阙上书，乃至罢课事件也时有发生。庆元元年（1195），6 名太学生率众反对韩侂胄专权，要求起复赵汝愚，结果这 6 人被遣送至 500 里外编管，时称“六君子”。权相丁大全在学校中立碑，让诸生不准妄议国政。

但是与北宋末年、南宋初年相比，南宋中叶以后的学生运动，无论影响力还是号召力，都小了不少。因朝廷惧怕学子们每每造成的轰动效应，多方打压限制。秦桧主定学令，“以讪谤朝廷为第一等罚之首”，且以小利市恩，致使士子献颂拜表，靡然成风。贾似道的威胁利诱手段更为高明，对太学生的待遇大大加厚，于是“诸生啖其利而畏其威，目击似道之罪，而噤不敢发一语”。

中国的学生运动源远流长，从东林议事、太学生伏阙、公车上书，直至民国时期风起云涌的学生运动，故传统耳！

兴盛的书院传统

书院在中国是极为重要的教育机构，但是它却不被列入国家学制。许多书院由私人所创立，然而也有不少是官府所立。唐朝的书院只是藏书、修书，到了北宋，书院才开始在教育体系中占有一席之地，并且越来越重要。南宋书院发展迅速，元代则遍及各路、州、府，明清增长益盛。直到清光绪年间，改名学堂。书院制度，在我国存在了近千年。

浙江书院之兴旺，举国闻名。不但数量众多，而且许多知名度极高，吸引天下学子负笈前来。南宋时全国共有书院442所，浙江就有82所。元代全国有书院406所，浙江则有58所。书院作为学校教育的补充，会聚了许多大儒前来研习讲学，浙江书院在讲学中形成的学派极负盛名。

唐宋时期，官办的府学、州学与县学都选在中心城市，比如府城、州城与县城的中心位置。但是书院的选址却专择山间湖畔，山清水秀之地，天地灵气所钟之所。浙江风景清幽，正好幽处读书，于是有了余杭的龟山书院、淳安的石峡书院、宁波的南山书院、绍兴的稽山书院、新昌的鼓山书院、衢州的柯山书院、青田的石门书院等，观其名即可想其所。

书院除了最早的藏书刻书功能之外，后来又添了教学功能。古代文所，多有祭祀功能，书院也不例外。因此一般的书院格局，多设计有藏书楼、讲堂、祭殿。另外，学生往来住读，还有斋舍与其他生活设施。书院所祭祀的非佛非仙，而是儒家先圣，比如孔子、孟子等，往往还附祭理学大师或本地圣贤宗师，能够被书院祭祀亦可说明其学术地位，朱熹、吕祖谦等都是被祭祀的先贤。与庙观不同，祭祀对象不立塑像，而是卷轴挂像，以为学问道德模范，大家行礼如仪，敬慕榜样。

书院的讲堂，除了本书院的教师传道授业之外，还用作学术交流。书院之间经常举办联讲活动，叫做“联讲会”，各地书院里的学者互相拜访，到对方书院开堂讲课。不仅书院间互访，还会邀请本地或者外地的名贤前来讲座。讲座之前，往往在当眼处贴出通告，写明时间、地点、主讲人与讲课内容，广而告之。

和学校相比，书院的教育更为开明，而且授课灵活，学术气氛开放，可谓百家争鸣。而且书院对于道德教育十分注重，要求学生刻苦努力、孜孜以求，在治学上要态度扎实，既要精通所学又要博采众长，尤其注重文献资料功底，因此书院所培养的人才是比较优秀的，尤其是一些闻名全国的书院，在讲究出身的古代学界，是

缙云独峰书院

一个相当好的教育资历。

岁月更替，教育制度随着现代化进程发生了根本的变化，书院少有能留到今天的，有的话也是一些遗址了。杭州的万松书院就是难得一例。万松书院始建于明弘治十一年（1498），因白居易《夜归》之“万株松树青山上，十里沙堤明月中”句意而得名。清康、乾两帝屡次御驾亲临，政治地位颇高，位居杭城四大书院之首。原院舍修缮后作为古迹加以保存。传说，梁山伯与祝英台到杭城读书，同窗三载就在万松书院。因而杭城百姓对万松书院还有着一种特殊的情结。

此外，杭州紫阳小学原址为紫阳书院；杭州蚕学馆的一部分曾是诂经精舍；黄龙洞旁有初阳书院旧址；崇文书院旧址位于跨虹桥畔；衢州书院中学建于清献书院旧址之上；缙云独峰书院其迹犹存；温州大若岩景区内，有永嘉书院旧址。基本上，浙江好山好水之地，都曾有书院开设。游人学子，访山问水之余，亦可礼敬先贤。

阅读链接：

陈谷嘉、邓洪波：《中国书院史资料》，浙江教育出版社，1998 年版。

章柳泉：《中国书院史话：宋元明清书院的演变及其内容》，教育科学出版社，1981 年版。

陈元晖等：《中国古代的书院制度》，上海教育出版社，1981 年版。

兼容并包话丽泽

公元 12 世纪中后期，吕祖谦在金华开设了丽泽书院，在此开科授课，传道授业，发扬学术。这座小小的书院，设在吕祖谦自己的家中，可是它对于婺州的士子来说，却是学术圣地，也是著名的金华学派发源之所。金华所出宰相不多，乔行简是其中一个，他就是丽泽书院的学生。

早在南朝，刘峻和刘孝标就在金华山间的讲堂洞讲学，是金华地区书院的雏形。但是，真正意义上的书院，还数丽泽书院。吕祖谦是南宋人，其家为宋朝望族，吕氏一族之内出过 4 个宰相。吕祖谦与朱熹、张栻合称“东南三贤”，他不仅是思想家、史学家、文学家，亦是伟大的教育家。丽泽书院绵延 400 余年，吕祖谦之后，他的门人子弟继续以此为平台从事教育和研究工作，而且大量藏书、刻书，传播文化。因此，金华学派也有丽泽学派的别称。

“丽泽书院”四个大字，乃宋理宗亲笔。它与朱熹主讲的江西庐山白鹿洞书院、张栻的湖南长沙岳麓书院、陆九渊的江西贵溪象山书院并称当世四大书院。与齐名的另外三个书院相比，丽泽书院设在吕祖谦家中，因此规模不可能太大，收学生也不可能太多。但丽泽书院在择徒上一直严格要求，择优录取，能够获得丽泽书院的入学通知书，本身就是一种很大的荣耀。

吕祖谦为人心平气和，绝不孤僻，他所手创的丽泽书院也不走孤芳自赏的路线。丽泽书院不仅是学术中心，还是当时学术交流的平台。吕祖谦绝不固步自封，他经常邀请当时的知名学者，如陈亮、叶适、朱熹等人，来丽泽书院讲学、交流、探讨思想。因此，丽泽书院的学生大多眼界开阔。其办学风格可谓“兼容并包、兼收并蓄、不立崖异”。在这里，学生既可以学到格物致知的朱学，也能接受到明心的陆学，还能领会浙东学派的经世致用、强调事功。这些学派在学术观点上大异其趣，在思想路径上南辕北辙，有的地方甚至发展到水火不容的地步，门人子弟攻讦不绝，可是在丽泽书院，它们却在争鸣中一起发展。

金华号称“小邹鲁”，只因人们认为它可以与孔子的故乡鲁和孟子的故乡邹相提并论，此可谓盛誉。金华也着实不负此名，从宋代到清代，理学绵延，人才辈出。这与丽泽书院400余年

重建后的丽泽书院

来书香不绝、泽被乡土是分不开的。丽泽书院在育人方面成效卓著，与之相辅相成的是，它也是学术的中心。丽泽学派主张经世致用，整个南宋的浙东学派遂追随风向。不仅当时，清代黄宗羲创立的浙东史学、当代浙江的求真务实，都由其一脉相传。

智言慧思

善未易明，理未宜察。

——（南宋）吕祖谦

疑则勿用，用则不疑。

——（南宋）陈亮

阅读链接：

（明末清初）黄宗羲等：《宋元学案》，中华书局，1985 年版。

《金华市教育志》编纂委员会编：《金华市教育志》，浙江人民出版社，1993 年版。

龚剑锋：《金华书院史略》，《金华文史资料》，1989 年 7 月。

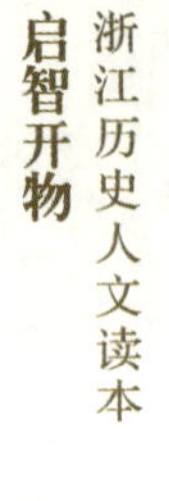

“北山四先生”的书院教学

何基像

2011年12月，金华浙江师范大学内，在一小块正在施工的地块上，挖出两根墓前望柱，其横截面为八角形，初步判断这是一座800年前的宋墓。经考证，这正是当年“北山四先生”之一王柏的墓地。

北山四先生，由何基始，历传王柏、金履祥、许谦，因流派创始者何基号北山，故而得名。这四位先生的主要活动地点都在金华，因此又称“金华四先生”。他们所研习的学问，被视为朱学的嫡传。但他们不墨守成规，对朱学多有创见，再加上广授门徒，因此对朱学的发展有相当大贡献。明末清初黄宗羲所著《宋元学案》，专门记录宋元时期的学术流派、学人与学事，其中就辟专章讨论“北山四先生”。

婺学的流传可谓源远流长。吕祖谦、陈亮和唐仲友这三位婺学和教育大师在南宋中期相继去世后，他们的子侄和门生都得其真传，并且薪火相传。同时，当时的学术交流也非常频繁，

朱熹的闽学、张栻的湖湘之学、陆九渊的金溪之学以及陈傅良、叶适的永嘉之学也都已传入婺州。当时教育气氛开放，学生可各择良师，朱学影响巨大，因此门生众多，徒子徒孙，各有所成，北山四先生也就在这个背景下产生。

四先生之中，以何基为首，其人谦逊，经常有好学之人前往请教，他都倾囊相授，但拒不接受谢礼。南宋理宗请他担任婺州州学教授兼丽泽书院山长，他力辞不就。其讲读之所，晚年建为北山书院。何基一生尽力指教问学者，高徒不少。

王柏是何基的学生，天赋极高。何基称赞他："十二年功夫，胜他人四十年。"王柏曾主持丽泽书院，并对书院进行诸多改革。比如精选生徒，增加院田，制定学规，规范教学用器物及服饰，添置书籍等。台州知府还请其主讲上蔡书院，有《上蔡书院讲义》传世。据记载，王柏在上蔡书院讲学时盛况空前，远近闻风，纷纷来学。后来，王柏回到老家，讲学于自家书堂，各地学子亦不远百数十里前来求学。

金履祥先向王柏问学，之后又成为何基的登堂弟子。宋元之交兵乱之时，回家乡屏居，在仁山之下筑室授学，创办仁山学堂，何基曾为之书写匾额，后改称书院，历元而至明清。兰溪荠芳书院也曾延请金履祥讲学。兰溪儒源有重乐精舍，金履祥也曾讲学其间，亲书"重乐精舍"四字。永昌镇亭实书院也曾是金履祥讲学处。

许谦是金履祥的学生，不仅研习经学、理学，而且学问渊博，举凡天文、地理、典章、制度、食货、刑法、文学、音韵、医经、术数以及释、老，无不通晓，人称"白云先生"。元仁宗初年，隐居东阳八华书院授徒讲学，为人师表40年。许谦讲学期间，求学者不远千里前来受业，远而幽、冀、齐、鲁，近而荆、扬、吴、越，姓名著录的前后超过千人之多。弟子中杰出之人甚多。许谦曾订立《八华书院学规》，作为教学目标和求学守则。

婺学从范浚开始到宋濂，再到吕祖谦、陈亮、唐仲友、何基、王柏、金履祥、许谦，全国闻名，四方及笈。元末，金华建何基、王柏、金履祥、许谦"四贤书院"，

以先贤为教育号召。到了清朝，皇帝甚至下旨在全国县级以上的孔庙附祭何王金许四位先生，真正得列孔丘门墙。至今，嵊州的孔庙还有附祭四先生的塑像。入庙得祀，这是中国古人对于这四位学术大师、教育大师的最高肯定，也可见其身份地位之重要。

智言慧思

公则生明，廉则生威。

——（清）朱舜水

三日不读书，便觉语言无味。

——（清）朱舜水

阅读链接：

李才栋：《考亭嫡传勉斋后学北山四先生与书院教育》，《江西教育学院学报》，1994 年第 3 期。

王锟：《朱学正传：北山四先生理学》，上海三联书店，2010 年版。

高云萍：《宋元北山四先生研究》，浙江大学出版社，2012 年版。

诂经精舍呈新风

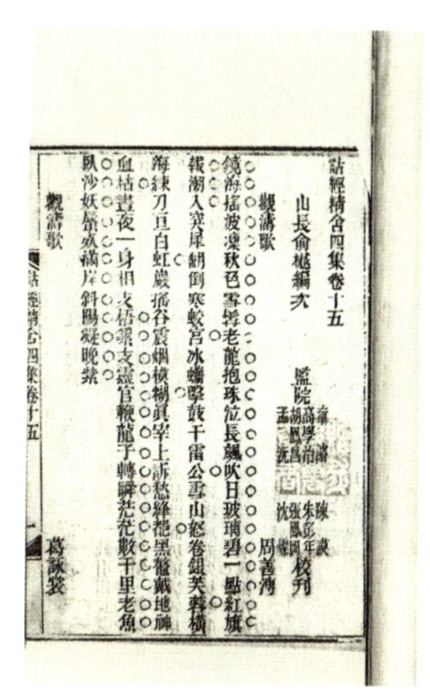
詁經精舍四集卷十五

山長俞樾編次

觀濤歌　周善溥

鏡海搖波凜秋色雪鍔老龍抱珠泣長飆吹日玻璃碧一點紅旗颭潮入寒犀翻倒寒蛟宮冰螭擊鼓千雷公雪山怒卷銀芙蓉橫海練刀亙白虹巖搖谷震煙模糊眞宰上訴愁絳袍黑鬣藏地軸血枯晝夜一身相支梧渠支還官鞭龍子轉瞬茫茫數千里老魚臥沙妖氛歘滿岸斜陽凝晚紫

觀濤歌　葛詠裳

詁經精舍四集卷十五

《诂经精舍四集》书影

诂经精舍是清代著名书院，至今还有遗址在孤山南麓。

清嘉庆二年（1797），时任浙江学政的阮元，在杭州府治孤山之阳建造了50间房舍，选取了两浙经通古文的学人，专门用来修《经籍诂》。四年后，已经成为浙江巡抚的阮元将这些房舍改建为书院，这就是诂经精舍的由来。精舍面对西湖，左边是三忠祠，右边是照胆台，风景优美，好一个读书研经的所在。

当时的官学与大多数书院几乎都专修八股时文以作科举之应试教育，但诂经精舍不同，主讲《十三经》《三史》，旁及小学、天部、地理、算法和词章。舍中所祀为经学大师许慎、郑玄，主讲是王昶、孙星衍等著名学者。教学方式是让学生自行研读，互相研讨，有问题向老师讨教，老师再详加指导。一个月就有一次考试，学业突出、月考优良的学生，可以得到奖励。

诂经精舍还注意吸引、培养优秀学生。阮元在当学政时，就注意到洪颐煊、洪震煊和周治平等人在天文术算方面颇有天分，已有一定造诣，主持精舍以后，把他们都选入精舍学习。精舍成立第二年，阮元就亲自主持选刻了《诂经精舍文集》，选的

阅读链接：

（清）阮元：《京师慈善寺西新立顾亭林先生祠堂记》，《国粹学报》，1905 年第 6 期。

陆尧春：《诂经精舍崇祀许郑两先师记》，《中国历代书院志》，江苏教育出版社，1995 年版。

梁启超：《中国近三百年学术史》，上海三联书店，2006 年版。

都是学生诗文。从此，将学生佳作结集出版就成为一项固定制度。文集也像一个风向标，代表了精舍的教学、研究水平与导向。

诂经精舍的这些做法，在当时书院局限于八股教习的时代氛围里，十分难能可贵。在阮元的主持下，精舍以真才实学之士的培养、致用学风的倡导和学术研究成果的丰硕，成为清代书院发展史上具有里程碑意义的重要转折点。

清嘉庆十四年（1809），阮元在刘凤诰科场舞弊案中受察革职，不再担任浙江巡抚，从此离开浙江，去京城当了编修。他一走，精舍既无经费又无人主持，于是停废。道光四年（1824），原精舍肄业生、嘉庆十年会元、曾任侍讲学士的胡敬呈请当时的浙江巡抚、布政使修缮精舍。道光十年（1830），巡抚富呢扬阿复加修葺，并定生徒员额，分内、外课亲加课试，精舍始渐中兴。咸丰年间，由于第二次鸦片战争爆发及太平军两次攻占杭州，精舍再次停办。

清同治五年（1866），布政使蒋益澧捐资重建精舍，延请了经学名家俞樾主持精舍讲席，诂经精舍进入另一个时期。俞樾掌教 30 余年后，西学渐进，经学式微，书院经过改并，另设专课中西实学的求是书院。精舍虽由俞樾勉力支撑，但经费日少，学生亦日少。如章太炎曾来精舍，投于俞樾门下，但最后在维新思潮的影响下，选择离开。最后，俞樾一人之力不能挽时代之狂澜，只得作《三叹息诗》，辞聘而去。此后，黄体芳、谭献、汪鸣銮等先后为掌教，但终究跟不上时代潮流，光绪三十年（1904）精舍正式停办，悄然退出历史舞台。

人才优势的推动力

浙江教育在两宋时期取得较大发展，科举入仕的人数也愈益增多，逐渐奠定了人才优势，并且至明清仍持续不衰。

北宋真宗、仁宗、神宗三帝在位时，科举任官政策，特别是录取比例上向开封、两河、陕西等北方地区倾斜，以至于东南州军，进士取解者二三千人之中，只解二三十人，可谓百里挑一。然而其时北方虽为政治中心，但南方的经济地位却逐渐显现，经济在很大程度上决定了教育。南方取得进解资格的士子人数虽少，但整体水平十分优秀，在赴京应试时显示出很强的竞争力。到了南宋浙江成为文化教育的

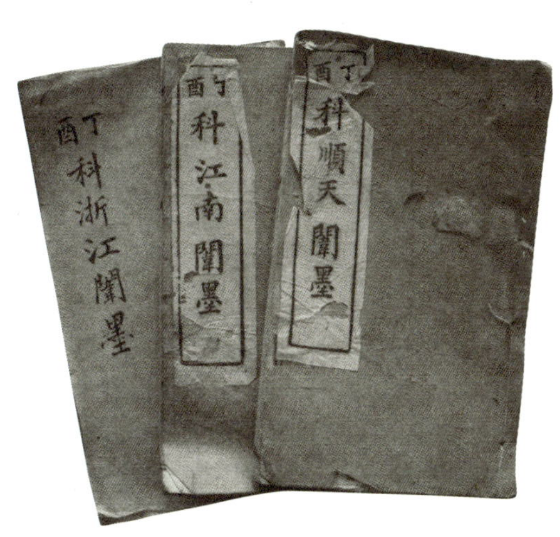

浙江乡试闱墨

中心，南宋 49 名状元之中，两浙地区有 25 名。

有学者曾将《宋元学案》中所列人物逐一找出，统计后得知，北宋中叶的人才分布，浙西浙东分居二三位。北宋末叶，浙东为第二，浙西第四。而南宋前期，浙东跃居第一。南宋后期，更多达 222 人。

有明一代，浙江进士及第的人数仍然居于全国前列。明代共举行殿试 88 科，浙江一省考取进士达全国进士总数的 15% 左右，也就是说每 8 个进士里就有一个来自浙江。明代浙江的进士不但在数量上名列前茅，且科试的名次也十分突出。明代共计有 89 名状元、89 名榜眼、89 名探花、88 名会元，其中浙江有状元 20 人、榜眼 20 人、探花 14 人、会元 19 人，占总数的近五分之一，如果就人数与地域面积的比例来看，浙江更是稳居第一。

从浙江进士的分布情况来看，绍兴、宁波、杭州、嘉兴、湖州诸府的优势较为明显。浙江还出现了许多几代同为进士的家族，如明代全国 3 例“五世进士”，浙江就占 2 例。其一是仁和的江氏家族，其二是嘉兴的项氏家族，都是一门六进士。至于“四世进士”“三世进士”的就更多了，如山阴的张家、永嘉的侯家、海宁的查家等。

清代的科举考试大致与明代相同，其程度仍分 4 级，即童试、乡试、会试、殿试。童试，又称童生式，凡在学塾、社学读书后尚未取得生员身份的均称童生，无论年龄，亦有白须童生，经县试、府试、院试后取得生员资格，亦称秀才。乡试每

隔3年于秋季举行，由皇帝钦点主副考官分赴各省主试，应试者为府、州、县学的生员及贡生等。在乡试的前一年，所有有资格报考的考生须进行预试，即科试。科试录取名额以次年乡试录取名额为基数进行分配。浙江虽地域不大，举子水平却高，因而名额分配位于全国前列。如清康熙二十九年（1690）的规定，浙江每中举人1名，许送应试生员60名。此外，在乡试前一月，还举行“录遗”考试，对上年未经录取或未应科试的生员、贡生进行补试，以示广罗遗才之意。乡试中者为举人，取得会试资格。会试在乡试的次年春季举行，会试中者为贡士，取得殿试资格。殿试在会试的次月举行，殿试后中的进士分三甲发榜。清代浙江的状元有20人，榜眼29人，探花26人，仅次于江苏，进士人数也名列全国前茅。

由此，浙江经济、文化之发达可见一斑。许多浙江人科举入仕后，在政治上取得重要地位，并对家乡建设起到了相当大的推动作用，逐渐改变了经济与文化发达地区在政治上处于弱势的局面，浙江地区也凭借科举地位实现了在各方面的整体提升。

阅读链接：

多洛肯：《明代浙江进士研究》，上海古籍出版社，2004年版。

顾宏义：《教育政策与宋代两浙教育》，湖北教育出版社，2003年版。

余锳：《宋代儒者地理分布的统计》，《禹贡半月刊》，第1卷第6期。

清代幕学与师爷

幕学是清代独有的，算是一种私学，其主要内容包括刑名、钱谷、挂号、书启、征比等。刑名相当于现在的法律，要求精通律令，在案件审理上能够提出正确的建议。钱谷则相当于现在的财务，比如如何征收赋税、经费使用、记账出纳等等。挂号则是指文件的往来、收发、归档等。书启则是学习如何写作公文、书函。征比则是和征税相关的业务，比如清查人口、核定税额等。从幕学的内容可以看出，这门学问与现实的联系十分紧密，可以说是学习如何处理行政工作中的日常事务。

幕学是培养师爷的，师爷也叫幕僚、幕宾、幕友、幕府、馆师、馆宾、西宾等等。清代通过科举选择官员，各级官员又聘请专才佐政，办理日常政务，这种专才就是由幕学培养出来的幕僚。根据职能不同，幕僚内部也分为刑名师爷、钱谷师爷、挂号师爷、书启师爷、征比师爷等。

对于科举不利的读书人来说，当幕僚是一个相当不错的出路，由良幕晋为大吏者亦不在少数。因此清代幕学成为一项专门的学问，不少人专攻幕学。这些人大多本来是有名的幕府，结合自身的佐政经验，著书立说，还广招学徒，形成一门专学。

比如汪辉祖、万维翰、张廷骧等人，他们所写的著作都成为了幕学的教材，主要有《佐治药言》《续佐治药言》《学治臆说》《幕学举要》《刑幕要略》《办案要略》等。清代乾隆年间著名幕僚万维翰在告老还乡后写了《幕学举要》一书，可称是清代的官场教科书，里面分盗案、命案、钱谷、交盘、社仓、灾赈、水利等11篇。这本书大致涵盖了清代幕学的主要内容，至今还有许多秘书专业将其作为参考书。

幕学与社会民生、执政管理有着直接的联系，可谓实学，不仅培养了大批精通刑名、钱谷的实才，还有助于学问家的活动以及学派的形成、学说的传播。

浙江，尤其是绍兴地区，指绍兴府，下辖山阴、会稽、萧山、诸暨、余姚、上虞、嵊州、新昌八县，有着非常出名的绍兴师爷团体。俗话说“无绍不成衙”，没有绍兴人，衙门简直无法运作，可见绍兴师爷势力之大、人数之众。绍兴文化不恋乡土，肯离乡千里为幕。绍兴读书人精明能干，处处小心，诗书素养又高，善于处理文案，是

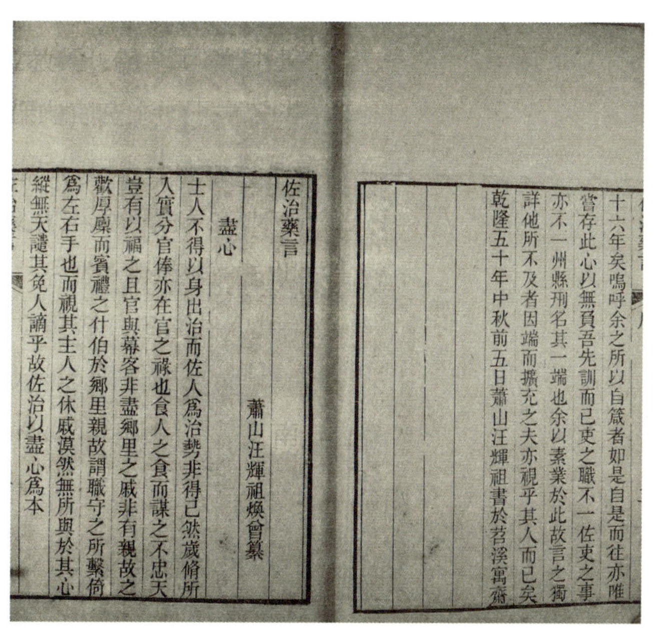

十六年矣嗚呼余之所以自箴者如是自是而往亦唯嘗存此心以無負吾先訓而已吏之職不一佐吏之事亦不一州縣刑名其一端也余以素業於此故言之獨詳他所不及者因端而擴充之夫亦視乎其人而已矣

乾隆五十年中秋前五日蕭山汪輝祖書於苕溪寓齋

佐治藥言

蕭山汪輝祖煥曾纂

盡心

士人不得以身出治而佐人爲治勢非得已然歲脩所入實分官俸亦在官之祿也食人之食而謀之不忠天豈有以福之且官與幕客非盡鄉里之戚非有親故之歡厚禀而賓禮之什伯於鄉里親故謂職守之所繫倚爲左右手也而視其主人之休戚漠然無所與於其心縱無天譴其免人謫乎故佐治以盡心爲本

《佐治药言》书影

为良吏。绍兴籍师爷龚萼在《雪鸿轩尺牍》中说："吾乡之业于斯（作幕）者不啻万家。"《文明小史》曾说到绍兴师爷在衙门中的情况："原来那绍兴府人有一种世袭的产业，叫做作幕。什么叫做作幕？就是各省的那些衙门，无论大小，总有一位刑名老夫子，一位钱谷老夫子，说也奇怪，那刑钱老夫子，没有一个不是绍兴人，因此他们结成个帮，要不是绍兴人就站不住。"的确，当一种职业成为某个地区的专业，同乡之间就会形成帮派，互相声援，互通消息，并且排挤他籍师爷，形成垄断，以至后人一说到师爷，马上就联想到绍兴。杭州府首席刑名师爷周省三是绍兴府会稽县人，幕学专著《佐治药言》的作者汪龙庄是绍兴府萧山人，《雪鸿轩尺牍》的作者龚萼是绍兴城里塔山下人，另一部师爷名著《秋水轩尺牍》的作者许思湄是绍兴府新昌人。《文明小史》里写的师爷余豪是会稽人，《如此官场》里的师爷宋锦诗也是会稽人，《歧路灯》写了两个师爷——荀药阶与其表侄莫慎若，都是山阴人。

因此幕学与浙江的关系是十分密切的，不为良相，便为良吏，幕学的影响深远。

阅读链接：

宁可：《中国古代吏治的得失与借鉴——以唐朝吏治为例》，《秘书工作》，2009 年第 3 期。

张学智：《张居正吏治中的儒学》，《国际儒学研究》，第 15 辑。

刘耀国：《试论清代幕学和仕学的相辅相成》，见《中国当代秘书群星文选》，甘肃人民出版社，1999 年版。

民众教育启民智

民众教育，是现代化进程的一部分，也与中国近现代的启蒙风潮有密切关联。中国古代有蒙学，但那是指发蒙教育，与民众教育有根本性的不同。民众教育不是给幼儿开蒙，而是以失学民众为主要教育对象，希望开启发智，发展社会教育体系。

辛亥革命前后，中国的知识分子萌发了启蒙冲动，认为下层普通民众必须接受教育，培养出公民品格，然后国家才可能强盛。在这种思路下，发展社会教育就成为必须。所谓社会教育，是指学校以外的教育，包括一切文化机构所能对儿童、青少年和成年人进行的各种类型教育。其目标是“认识国际情况，了解民族意识，并具备近代都市及农村生活之常识，家庭经济改善之技能，公民自治必备之资格，保护公共事业及森林园地之习惯，养老恤贫，防灾互助之美德”。这个目标是由最重要的社会教育机构民众教育馆所提出的，从中可以看出，民众教育，最基本的想法，是要培养“公民”，也就是符合现代化要求的人民。民众教育机构的功能很多，它把图书馆、博物馆、体育场、音乐厅等公共文化设施都利用起来，组织民众进行参观、看剧、听演讲等活动，教他们认字、阅报，直至自己办壁报，组织读书会等。除了民众教育馆之外，还有一些机构也承担社会教育的职责，比如民众学校、民众识字处、职业补习学校和盲聋哑学校等。仅 1911 年，浙江全省为年长失学人员及贫寒子弟所设的简易识字所就多达 1655 间。

在浙江省内，最早成立的民众教育馆在杭州，成立于 1929 年 10 月。杭州民众

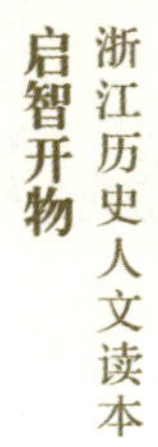
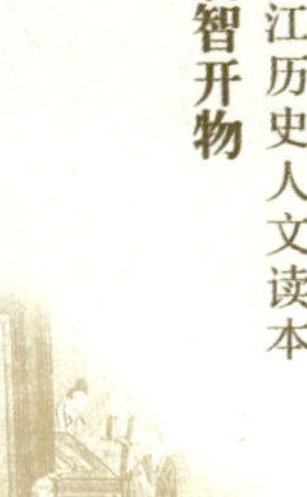

教育馆利用了原有的省立公众运动场及其附设场馆，任命胡承枢担任馆长，下面还设有一系列文化机构，比如民众图书馆与体育馆，甚至还包括有民众茶园、民众娱乐室和电影院。省立嘉兴民众教育馆成立于1936年1月，初以平湖中山公园为馆址，后迁嘉兴文庙。同年3月，省立宁波民众教育馆成立于象山县的石浦镇。民众学校由于不是面向全日制学生，为了方便民众就学，往往都是半日制，或者夜校的形式。

民众教育机构多了，对于民众教育的专门老师也产生了大量需求，于是相应的师范学校也产生了。1930年6月，浙江省在杭州市新民路旧法政学校的校址开办省立民众教育实验学校，以培养相应的老师。学校设社会教育行政专修科和师范科。

浙江开展的各项民众教育中，对识字教育投入最多，功效也最大，还发动了大规模的宣传。比如临海县张贴的标语有“临海有一个人不识字，是全体临海民众的耻辱”“妇女不识字，不能教儿女”等。

1930年后，浙江全省各地展开了民众识字教育，并且计划于6年内完成识字与公民训练，使得民盲率降到最低，普通民众都能读书、看报、算术，杭州因此颁布了《杭州市实施成年补习教育初步计划》。1936年，第一个计划年度结束后，又作了《杭州市二十五年度实施失学民众补习教育计划》，要求凡受第一次壮丁训练的民众，其文化程度不及民众识字班毕业标准的，均须接受识字教育。

识字教育不是针对小孩子的，而是由民众学校组织成年人

扫盲。编有针对性的课本《民众读本》《识字课本》《民众千字课本》等。比如钱江义渡办事处就附设有劳工夜校，1933 年 3 月举办了第一期识字训练班，将 34 名钱江义渡的船工招为学员，课程有识字、算术、常识、娱乐 4 科，采取夜间授课形式，每周授课 12 小时。全省各地都拟订了关于成年补习教育计划，劝导或强迫成年民众入学。此外，还采用小先生施教团、民众识字牌、民众阅报处、民众问字处及代笔处等多种形式实施识字教育。这些机构团体设置简便易行，贴近民众生活，受到民众欢迎，在各地遍地开花。至 1932 年，浙江全省民众阅报处达 2853 个，居全国第二；民众问字处及代笔处达 7576 个，列全国第一。

当时的国民政府，扫盲决心不可谓不大，其规划不可谓不好，然而国力衰微，经济落后，实施不力，计划大多沦于废纸。不过，经过这一番宣传，起码识字的观念是深入人心了。

阅读链接：

《全国社会教育概况统计》，教育部社会教育司编印，1935 年版。

《钱江义渡办事处附设劳工夜校第一期识字训练经过报告》，《浙江教育行政周刊》，第 5 卷第 2 号。

张彬：《从浙江看中国教育近代化》，广东教育出版社，1996 年版。

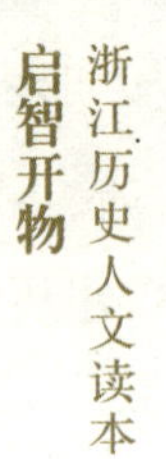

女子教育开先声

1844 年 1 月 1 日，宁波正式开埠。同一年，英国基督教循道公会派出了女教士阿尔德赛来到宁波。阿尔德赛是第一位进入中国的女传教士，她来到宁波城所做的第一件事，就是开设了近代中国第一所女学校，当时称女塾。女塾设在宁波城内祝都桥竹丝墙门内大屋（现在的尚书街东端），所以后来称之为“祝都桥女塾”。

当时正值清朝道光年间，这所由外国人开办的中国首个女塾引起种种疑忌，直至谣诼纷纭，各方阻挠。女传教士先宣布免收学费，继而提供食宿，发给衣物，进而分发零用钱。经过种种吸引措施，一年之后，方招收到 15 个女学生，都是来自贫困底层，无以为生者，进女塾不为读书，只为活命。有了学生之后，女塾慢慢上了轨道，学生不但学习国文、算术，还诵读《圣经》，同时还学习缝纫和刺绣等女红技艺。乡邻看在眼里，渐渐予以信任，但是直到清咸丰二年（1852），也不过招收了 40 名学生。

辛亥革命前后，启蒙教育渐入人心。浙江的许多奇女子中不少都致力于教育，尤其是女子教育。其中一位，就是“巾帼

完人”，杭州十四中的创始人顾文郁女士。顾女士并非富豪、亦非女侠，她不过是一个率先觉醒的女性。顾文郁寡居，独自抚养了四个儿子，清贫度日，靠做绣工过活。清光绪二十八年（1902），女子“放足”的呼声响遍全国，她带头发起了杭州“放足会”，在里西湖张公祠召开成立大会，召集了许多先进女子到会。顾文郁环视四周，姐妹们大多目不识丁，没有文化，欲奋进独立而不能。当时，能够接受教育的女孩无不出身于世家巨富，杭州城里的普通平民女孩根本没有机会识字，基本上终身文盲。甚至许多世家女儿，也因“女子无才便是德”的传统观念，没有机会受教育。

“放足会”是要解放妇女，然而不接受教育，无法真正独立解放，要反封建，必先传布教育。顾文郁让几个儿子倾囊捐助，成立了女子学堂。现在，我们有幸看到女学堂的开校留影照片，第一批女学生不像后来民国时期那样身着学生装，剪着刘海短发，而是长袍宽袖，长发盘头，再看下面，仍然是一排小脚。顾文郁将放足会设在学校里，要求已经缠足的学生放足，没有缠足的坚决不能再缠。

清光绪三十一年（1905），中国教育发生了重大的转折，科举制结束了1300多

中国第一所女子中学——在宁波姚江畔屹立了百余春秋的甬江女子中学老照片

阅读链接：

吴民祥：《浙江近代女子教育史》，杭州出版社，2010 年版。

王杰、祝士明编著：《学府典章》，天津大学出版社，2010 年版。

褚季能：《女学先声》，《东方杂志》，1934 年。

年的生命，被彻底废除。女子学堂当即顺应潮流，开设了自然科学、体育锻炼等课，还针对女性特点，成立家事事务所，教授家政技艺，比如保育、烹饪、女红等。女学堂的教员也都是教育界有名的人士，先后请了沈钧儒之弟沈蔚文、钱学森之父钱钧夫、名记者邵飘萍及书法家朱牯生等当教员。

彼时和顾文郁一样出名的，还有一位烈女子惠兴。她 19 岁寡居，一次偶习张之洞的《劝学篇》，感奋不已。那时，清政府的统治已摇摇欲坠，西方的先进思想不断传入国内，惠兴知道，中国女子欲摆脱受压迫地位，必须读书识字，提高文化水平，求得谋生本领，她从此走上了以提倡女学为己任的人生之路。

清光绪三十年（1904），惠兴动用各方关系，创办贞文女学（小学程度）。在开学典礼上，惠兴的举动震惊四方，她竟然当众割下手臂上的一块肉："这块臂肉，作为开学的纪念。这贞文女学校，倘以此日推广，我臂肉还能重生。倘这女学校半途停废，我必把这身子，来殉这学校的。"然而由于缺乏固定收入，至次年秋，贞文女校已几次停课。先前说要出钱助学的人，不仅推托不给，反而笑话惠兴。惠兴决定以身殉学，服鸦片自杀。在遗书上，她写道："愿将一死，以动当道。"

“南陈北张”说幼教

中国的幼儿教育与女子教育一样，与中国的现代化进程紧密联系在一起。幼儿教育的兴起，也与外国传教士有密切关系。浙江最早的蒙养院由传教士开设，入院幼儿限于传教士和教徒子弟，有些还是女学堂的附设。

古代中国没有专门的幼儿教育，儿童发蒙前都以家庭为单位进行教育，并且没有早期教育的概念，基本都是伦理道德教育。到了一定年龄，有条件的人家将孩子送入家塾、蒙学、书塾等地进行开蒙教育，即开始知识的积累。清末民初，西方教育思想和理论传入，如“蒙氏教育”等，中国人开始意识到，幼儿教育有其专门的特点，并建立起初步集体保育的概念，在这种背景下，各地才陆续建立起幼儿教育机构。最初叫蒙养院，后改叫蒙养园，一般附设于师范学校或小学内。如杭州女子师范学校、省立第一师范、私立弘道女学等均附设蒙养院。之后出现由私人出资创办的蒙养院，较出名者有 1915 年孙德卿在绍兴县所办蒙养园、1918 年鄞县蔡琴荪所创办之星萌幼稚园、1919 年夏国英在永嘉所创办之蒙养院等。

星荫幼稚园是宁波历史上第一所由中国人自己办的幼稚园。星荫幼稚园开学时，招收首批学生 30 人，毕业后发给证书。科目设有礼仪法、识字、认数、唱歌、手技、谈话、游戏、体操等。其宗旨是培植爱国新人，辅助家庭教育。据 1920 年 12 月 26 日宁波《时事公报》载，当时星荫幼稚园有三间教室，且“前有游戏场，后有幼稚花圃”。幼稚园还聘请了当时著名的幼儿教育专家张雪门为园长。

张雪门先生与孩子们

张雪门于1924年离开宁波到北京，在北大研究教育，曾主持孔德幼稚师范、北京幼稚师范，创办文艺幼稚园，任北京香山幼稚师范学校校长等职。在30年代，我国幼儿教育界曾有“南陈北张”（南京陈鹤琴、北京张雪门）之说。

事实上，现代中国最为著名的学前教育专家里，有不少是浙江人。张雪门，宁波人；陈鹤琴，上虞人；张宗麟，绍兴人。他们都曾在浙江进行幼儿教育实践。

1922年新学制颁布，正式把幼稚园纳入学制系统，各地建立了一批公立幼稚园。其中由大学和师范院校附设的幼稚园占有重要地位。这类幼稚园一般均作为大学教育系和师范院校教学科研的实习、实验基地，所从事的幼儿教育实验活动对推进幼儿教育的科学化发挥了重要作用。浙江大学教育系创办的培育院就是其中的一所。

培育院于1935年由黄翼建议而创办，1937年因抗日战争爆发停办。招收2岁半至5岁的幼儿20人，每半岁一个级段，每级段各有4人。培育院的培育方针，一是深信以心理卫生为基础的儿童训导原则为教导儿童的最正当途径，施教者必须了解儿童常态变态行为的发展以及个别儿童的特殊需要，予以适当的多方控制；二是教育应以儿童身心之全部发展为对象，但儿童愈幼小，则身体之发育健康较知识技能之获得愈为先决而基本，因此对于清洁、营养、休息，以及疾病之预防，应视为主要工作而不敢或懈；三是培育院是学龄前儿童的教育机关，必须生活自由、愉快、家庭化、游戏化，尽量给儿童以自由活动的机会，寓指导于不觉之中。

教育系师生按耶鲁大学的设置建造培育院，同时还注重为家长服务，普及儿童教育方面的知识，如帮助种牛痘、进行智力测验等。为增进院方与家庭之间的联络和合作，他们除家庭访问外，又有接见家长及举行家长会的制度。种种设置，俨然现代幼儿园。

智言慧思

大学教育之目的，在于养成一国之领导人材，一方提倡人格教育，一方研讨专门智识，而尤重于锻炼人之思想，使之正大精确，独立不阿，遇事不为习俗所囿，不崇拜偶像，不盲从潮流，惟其能运用一己之思想，此所以曾受真正大学教育者之富于常识也。

——竺可桢

阅读链接：

张雪门：《张雪门幼儿教育文集》，北京少年儿童出版社，1994年版。

吕苹：《浙江幼儿教育发展史》，杭州出版社，2009年版。

包锋：《教会幼稚园的兴办与中国新式幼儿教育的产生》，《呼伦贝尔学院学报》，2008年4月。

“北南开　南春晖”

1929年，初夏的傍晚，上虞白马湖边杨柳依依。夏丏尊简朴的“平屋”前忽有人声笑语，朱自清等人叩门：“新的一章可曾译得？”夏丏尊抬起头来，放下手头正翻译的《爱的教育》，应声而出。春晖中学的一班同事一拥而入，争相阅读新译稿。笑声书声不绝之际，有人轻竖食指：“小声小声，莫扰了弘一大师的晚课。”隔壁晚晴山房，正是弘一居所。

看毕稿子，大家一起走到西边小杨柳屋。原来丰子恺已经约了众人晚斟。小杨柳屋院子里一株小小杨柳，乃1922年丰子恺应夏师所邀来春晖任教之时手植，此时枝条披拂之下，颇得荫凉。摆下小方桌，端上许地山笔下的落花生，大家先观赏丰子恺刚为《爱的教育》所画的插图，继而谈天说地。夜深了，大家告辞而去。丰子恺回屋之后，提笔画了一幅“人散后，一钩新月天如水”。

这方文人会集的雅地，正是上虞白马湖边。白马湖因此成为现代文学中的一个意象。柳亚子曾到这里，来时先在驿亭火车站下车，接着便登上经亨颐早就雇了停在白马湖边的一条乌篷船，在饱览了白马湖的湖光山色后，于夕阳晚照中把船泊在

何香凝的寓所“蓼花居”旁边上了岸，以诗写湖边春景：“红树青山白马湖，雨丝烟缕两模糊。”朱自清则用诗情漾溢的散文笔调写道：“湖在山的趾边，山在湖的唇边，他俩这样亲密，湖将山全吞下去了，吞的是青的，吐的是绿的，那软软的绿呀，绿的是一片。”

丰子恺创作于小杨柳屋

春晖中学是1921年由近代著名教育家、民主革命家经亨颐在白马湖边创办的。经先生原本是浙江省第一师范学校的校长，因在“一师风潮”中支持学生爱国运动而愤然辞职，于是回到家乡上虞创办了这所近代教育史上著名的学府。春晖中学名师荟萃，夏丏尊、丰子恺、朱自清、朱光潜、匡互生、张孟闻、刘薰宇、吴梦非、冯三昧、杨贤江、王任叔、范寿康等都曾为春晖教育奠定扎实的基础。蔡元培、何香凝、黄炎培、沈仲九、沈泽民、舒新成、俞平伯、陈望道、李叔同、张闻天、柳亚子、刘大白、叶圣陶、胡愈之、张大千、黄宾虹、吴觉农等也在春晖中学留下足迹。一时俊彦会聚于此，春晖中学声名鹊起，赢得了“北南开南春晖”的美誉。

同时，春晖也曾是革命的摇篮，我国早期马克思主义教育理论家杨贤江在此任教务主任，王任叔、匡互生、叶天底等也曾在此工作，他们在这里播撒了共产主义的种子。上虞的第一个共产党支部亦诞生于此，许多师生从这里走上了革命的道路。

1923年2月，春晖中学兼收女生，开浙江省中等学校男女同校之先河。学校贯彻经亨颐“智、德、体、美、群”全面发展教育原则，并以“与时俱进”为办学原则和校训。“实事求是”“勤劳朴实”曾定为学校的教育方针与训育方针。

智言慧思

我有八位好朋友，肯把万事指导我。你若想问真名姓，名字不同都姓何；何事、何故、何人、何时、何地、何去、何如，好像弟弟与哥哥。还有一个西洋派，姓名颠倒叫几何。若向八贤常请教，虽是笨人不会错。

——陶行知

阅读链接：

张彬：《经亨颐教育论著选》，人民教育出版社，1993年版。

朱惠民：《白马湖文派散论》，香港国际学术文化资讯出版公司，2006年版。

王建华、王晓初：《“白马湖文学”研究》，上海三联书店，2007年版。

精英荟萃“两师”学堂

每年烟花三月，若步入位于凤起路的杭州高级中学，定可见到行政楼下有两株上了年头的樱树，正在花开时节。柔瓣粉云，随风洒落。老枝苍劲，新蓓却纤纤如梦。

这两株百年樱树在中国的文化史上大有来头。1909 年，鲁迅任教于“两师”之时，手植于此。其中意味深长，颇可思量。日本之樱花，经中国新文化精神领袖之手，植入中国的高等师范学校，不但昭示着新文化运动的一发不可收，也意味着西风东渐，中国的道路必将在传统与现代之间权衡。日本之强盛，正因为走了西方的现代化道路。

樱花所生长的“两师”，正是中国百年道路的缩影，不但在教育史，且在文化史，甚至政治史上，亦占据极重要的地位。

“两师”即浙江两级师范学堂，又称浙江官立两级师范学堂，是中国建立最早的六大著名高等师范学校之一。其前身是清光绪二十五年（1899）设立的养正书塾，光绪二十七年（1901）改名为杭州府中学堂，光绪三十四年（1908）改名为浙江官立两级师范学堂，1912 年改名为浙江省立两级师范学校，1913 年改名为浙江省立第一师范学校。后经省立高中、省立杭高、杭州一中之改制嬗变，现为浙江省杭州高级中学。

清光绪三十三年（1907）冬首期招生 661 人，其中优级选科 223 名。学生在全省各县招收，凡年龄在 18 至 40 岁的廪、贡、生、监，均可报考，报考者以万计。光绪三十四年 4 月 15 日开学，校舍落成于贡院旧址，占地 136 亩，有二层教学楼 7 幢，可容纳千人，另有附属小学及风雨操场等建筑物，为当时全省规模最大的新式学堂。

阅读链接：

张彬等：《浙江教育家和中国近代教育》，浙江大学出版社，2008年版。

经亨颐：《经亨颐集》，浙江大学出版社，2011年版。

孙昌建：《浙江一师别传——书生意气》，浙江人民出版社，2011年版。

学堂设优级师范选科、初级师范简易科和体操专修科，其中优级选科培养中学堂和初级师范学堂师资，属于高等教育。优级选科分史地、数学、理化、博物4科。学制预科1年，本科2年。因学堂兼有优、初两级师范，所以定名为浙江官立两级师范学堂。宣统元年（1909）正月，又办浙江高等学堂附属两等小学堂。学校风气颇为活跃，师资力量也较为充实。由于是师范学校，学生中年龄差距很大，小的只有十五六岁，大的竟有二十七八岁，最多的是二十上下。

著名人士沈钧儒、教育家经亨颐等先后担任过校长，浙江现代文化史、思想史上的许多重要人物曾在此任教，比如陈叔通、鲁迅、李叔同、夏丏尊、陈望道、马叙伦、朱自清、叶圣陶、蒋梦麟、崔东伯等。学生中亦人才辈出，成为革命志士的有俞秀松、施存统、汪寿华、梁柏台、金甲武等；经名师调教、文化熏陶成为文化名流的有徐志摩、郁达夫、丰子恺、潘天寿、曹聚仁、柔石、冯雪峰、金庸、刘吉、张抗抗等；成为科技精英的有姜立夫、陈建功、蒋筑英、徐匡迪等。一校之内，群星荟萃，无论师生，均精彩绝伦。

因人成事，一所学校能够在文化史上占据如此重要的地位，正因文星荟聚，这里还举办和出现了多个全国或浙江之最：浙江最早的美术展览（1913年春）、浙江最早的音乐会（1913年夏）、中国最早的人体写生教学（1914年，李叔同）、中国最早的现代版画艺术实践（李叔同、夏丏尊编《木版画集》）、中国人自行编撰的第一部西洋美术史（李叔同）、中国音乐史上最

早的合唱曲（李叔同《春游》）、中国最早的美术史教科书（姜丹书《美术史》）、浙江最早宣传社会主义的刊物《浙江新潮》（1919 年）、《共产党宣言》首部中文全译本（1920 年陈望道）、中国新文学史上第一个诗刊（1922 年《诗》）、浙江最早的新文学团体（1921 年“晨光社”、1922 年“湖畔诗社”）等等。

浙江两师是中国东南地区的新文化运动中心，与当时位于北方的北京大学相呼应。两师教育重视综合性人文素养。专业教师除了传授给学生先进的专业技能方法以外，更重要的是对艺术的情感态度、融会贯通的艺术修养、博古论今的人文修养以及对教书育人事业的热爱与奉献，于潜移默化中，培养了学生对完美人格和艺术人生的追求理念。

浙江两师还有学生运动的传统。1909 年 12 月 22 日，浙江两级师范学堂发生“木瓜之役”。该学堂监督、理学家夏震武因思想顽冥而被取外号“木瓜”，他到校后要求全体教师以下属见上司的礼仪参见。当时在该校任教的周树人（鲁迅）、许寿裳、张宗祥、朱希祖、杨乃康等 25 位教师，掀起反对封建教育传统的斗争。学生支持进步教师的行动，以请愿要求复课向官府施加压力。斗争持续近 3 周，夏震武被迫辞职。“木瓜之役”实质上是中国近代史上民主主义新文化新思想与封建主义旧文化旧礼教之间的一场交锋，为新文化运动的先声。

经亨颐接任校长后，采取了一系列革新措施，杭州学生运动领袖俞秀松在五四运动后与同学宣中华、施存统、夏衍等一起创办《浙江新潮》，这是浙江最早宣传马克思主义的进步思想刊物，成为浙江新文化、新思想的一面旗帜。陈望道在回忆时说，五四运动时期最具影响力的“北有北京大学，南有湘浙两师”。在浙江省内外许多从事建党、建团活动的骨干，有许多是来自浙江第一师范的进步师生。1917 年秋当局借口查封了《浙江新潮》，并免除经亨颐的校长职务，激起师生强烈义愤，爆发了“一师风潮”。

抗战中的英士大学

抗战时期的西南联大，长期以来都是热门话题。在烽火连天、国仇家恨的环境中，教授治学，学生苦读，不但出产了大批学术成果，也培育了无数人才，传为一时美谈。其实浙江亦是如此。

1937 年 11 月，日军炮火推进，浙江省政府开始从杭州撤退，浙江省教育厅带着大批中等以上学校亦随之流亡，历经金华、永康、丽水而至景宁，8 年流亡办学的艰苦岁月就此开始。沦陷区日伪展开奴化教育，要求学日本语，唱日本歌，举太阳旗，遍植樱花。而在后方，则反奴化，继续国民教育。后方增设了大批乡镇中心学校和保国民学校，还有不少国民教育实验区。特别是国立浙江大学在频繁搬迁的过程中，不仅没有被削弱，反而得到长足发展，跻身于国内一流大学。

一年以后，浙江省国民政府筹建了“浙江省立战时大学”。后鉴于蒋介石有设立大学以纪念浙江籍辛亥革命先驱者陈其美（字英士）之意，1939 年 5 月，校名改为“浙江省立英士大学”，校徽图案取样于陈英士的铜像。

战时大学，一切从简。1939 年 10 月，英士大学在丽水正式开学，虽简不陋，尚分校本部、工学院、医学院以及设在松

阅读链接：

《英士大学》，《浙江教育史志资料》，1989 年第 1 期。

浙江省政协文史资料委员会：《浙江近代著名学校和教育家》，《浙江文史资料》第 45 辑，浙江人民出版社，1991 年版。

《浙江战时教育设施概况》，《浙江教育》，第 3 卷第 1 期。

阳县的农学院。战时大学的特点就是在转移中读书。1942 年，浙赣战役爆发，金华沿线直至丽水都成战线，英士大学迁到泰顺县司前镇。司前镇有一个小山村叫里光，其中就容纳了一个学院、两个专修科和一年级全体学生。司前镇还有一个陶氏宅院，占地颇广，医学院就在此容身。又借用祠堂、庙宇等乡间较宽敞之地，让工、农、医三学院复课。庙边空地改为操场，庙内殿堂用苇席隔成教室。村边溪流充当泳池，学校还拦水为池，举办游泳比赛，不论姿势，先到者胜。

乡间没有电灯，连蜡烛和煤油也是奢侈品，等闲不可得。农家阴暗，晚上只得用桐油燃烧照明，而桐油供应亦非常紧张，一人只有一根灯芯。但桐油长期使用有损健康，而且边燃边凝，若不拨动灯芯，就会渐次黯淡。学生晚上学习，左手拨灯，右手翻书写字，满面烟油，熬红双眼，然而个个刻苦，人人勤学。

日常生活更是愁苦，政府供应的食物难以果腹，不仅学生，教授们亦是卖衣鬻物，换取食物。浙南山区少平地，粮食紧张，肉食更是稀罕。大山之中也无鱼虾，连蔬菜都少。春天竹笋生发，三餐都是无油少盐的煮竹笋。夏天笋老成竹子，就三餐皆土豆。吃到秋天芥菜上市，又改三餐芥菜。

食物单一也就罢了，山村还相当闭塞，一张报纸视为珍物，传遍全校，演剧、电影更无可能。学生只得自己组织文体活动，后方的各个学校都自排自演话剧、组织体育比赛等，方圆几百里学校之间互传消息，同学们经常徒步几十里互相观摩，以满足精神需求。

学生们来自四面八方，从上海、江苏、浙江、福建来的较多，也有来自江西、安徽的。有许多学生本在大城市里居住，家乡沦陷，他们随学校撤退后方，与家人失去联系，生死存亡一无所知，经济来源断绝，只靠政府微薄的救济金。因此，学校就是一个大家庭，老师所担责任极重，不仅在教学上需教书育人，更要为学生的生命安全负责。在这种情况下，教育仍未停滞，殊为不易，当永铭后世。

“东方剑桥”浙江大学

浙江大学最早可以追溯到创建于清光绪二十三年（1897）的求是书院。求是学院是引入新学以后，中国最早创办的几所新式高等学校之一，效法西方学制而建立，其后几度更名，甚至一度停办。1927 年在原校址成立了国立第三中山大学，其中工学院由浙江公立工业专门学校改组，劳农学院由浙江公立农业专门学校改组。1928 年 4 月 1 日改名为浙江大学，1928 年 7 月 1 日起，冠以“国立”二字，称国立浙江大学，下设工、农、文理三个学院。

1936 年，时任浙江大学校长郭任远因长期对学校进行军事化管理，招致全校师生不满。在学生会主席施而宜的带领下，全体浙大学生开始“罢课、驱郭”，以表达对校长的不满。此事逐步扩展升级，甚至迫使当时的国民政府军事委员会委员长蒋介石亲自莅临浙大对学生训话。学生没有理会最高领导的指示，双方僵持。一个月后，行政院召开最高会议宣布免去尽失民心的郭任远的校长职务。在蒋介石文胆陈布雷胞弟、地质学家翁文灏以及中央研究院院长蔡元培的联合推荐下，竺可桢走马上任，接管浙大，开始大刀阔斧改革，引进大批优秀教授。

自此，竺校长开始了自己和浙大的一段历史。

而后，日军铁蹄踏到浙江，国立浙江大学与当时的许多学校一样，开始了艰难的西迁之路。在竺可桢校长的带领下，浙江大学全校师生辗转迁移，到贵州才停下脚步，直到 1946 年秋回到杭州。难能可贵的是，一路流亡却没有消磨师生的意志，浙江大学从一个名不见经传的大学，成长崛起为国内最有影响的大学之一。1948 年，英国牛津大学致函国民政府教育部，确认包括国立中央大学、国立北京大学、国立清华大学、国立浙江大学、国立武汉大学、私立南开大学以及协和医学院的文理科学士毕业生成绩平均在八十分以上者，享有“牛津之高级生地位”（即今之大学四年级学生）。这意味着，浙江大学所培养的学生被国际社会所接纳，其教育水平得到了西方著名学府的承认。

至 1948 年 3 月底，浙江大学已从仅有三个学院发展为拥有文、理、工、农、师范、法、医 7 个学院、25 个系、9 个研究所、1 个研究室的综合性大学。英国著名科学家李约瑟在《自然》杂志称浙江大学为“东方剑桥”，就是因为有一批优秀教授做出了一流成果，在极其艰苦的日子里，浙大的教授们在《自然》《科学》等顶尖学术刊物上发表了 10 余篇高质量文章。1945—1952 年期间毕业的学生中有 22 人后来成为了中科院的院士。

浙江大学自 1927 年定名以来，就再也没有改过名字，无论时局如何艰辛，这所大学都在稳步发展。这充分显示了浙江不怕艰苦、顺应时局的实干精神。

1952 年，全国高等学校院系进行调整，浙江大学的学科和院系设置发生了很大变动。其部分系科调整到省外兄弟院校，部分院系或独立成校，或与之江大学、浙江省立医学院等院校组合重新建校。之江大学前身为建于 1897 年的育英书院；浙江省立医学院前身为建于 1912 年的浙江医学专门学校。浙江大学文学院、理学院的一部分、之江大学的文理学院和浙江师范专科学校合并，建立浙江师范学院，

1958 年又与新建的杭州大学合并，定名杭州大学；浙江大学的农学院单独分出成立浙江农学院，1960 年更名为浙江农业大学；浙江大学的医学院与浙江省立医学院合并，成立浙江医学院，1960 年更名为浙江医科大学。

1998 年 9 月，经国务院批准，曾从浙大分离出去的杭州大学、浙江农业大学、浙江医科大学又回归共同组建了新的浙江大学。

智言慧思

教育的目的，不但是在改进个人，还要能影响于社会。

——竺可桢

阅读链接：

浙江省政协文史资料委员会编：《一代宗师竺可桢》，《浙江文史资料选辑》（第四十辑），浙江人民出版社，1990 年版。

竺可桢：《新生谈话会训辞》，《浙大日刊》，1936 年 9 月 23 日。

竺可桢：《求是精神与牺牲精神》，对一年级新生讲话记录稿，1939 年。

西湖边的艺术院府

1927年，绍兴人蔡元培任中华民国大学院院长，积极推进他的美育教育思想，拟将刘海粟任校长的上海美专升为国立，却遭到刘海粟婉拒，并建议另外在西湖边办一个艺专。当时林风眠任北洋军阀控制下的北京艺专校长,因组织“北京艺术大会”差点被枪毙，遂辞职南下。李金发时任蔡元培的秘书，推介林风眠任国立艺术院的院长。

蔡元培与林风眠相中了西湖孤山平湖秋月边的罗苑。当时,罗苑已被省政府没收，拨归国立第三中山大学（后更名为浙江大学）为研究院院舍。隆冬时节，蔡元培带着27岁的校长林风眠，面会浙大校长蒋梦麟，商借罗苑。双方谈妥租借事宜，每年仅象征性地付租金一元银币。而此时，罗苑虽归浙大所有，但尚驻有第一军留守部队。书生斗不过军人,部队拖延多时不肯搬走,最后还是浙江省政府军事厅出面干预,此事才得以解决。

罗苑自接收后，图案系教授刘既漂马上从南京赶赴杭州，着手妥实修理，立即在罗苑计划出教室十余座，均照欧洲新式建筑法，配置光线，修正门窗，并开天窗多口，以利采光。招生情况也非常之好，不仅杭州，沪上也设招考地点，投考者十分踊跃。

1928年1月26日,《新浙大事记》记道:“国立艺术院在杭州成立。院长林风眠，地址择在西湖孤山之阳的哈同花园罗苑。”学院选址西湖之畔,旨在为西湖的艺术美，

“加上人造美”（蔡元培语）。1932 年，林风眠曾有言云：“西湖之创造美，则自西湖国立艺术院成立以来，始见有焕发之气象。”可谓是以办学成就对学院选址的一个肯定。

国立艺术院开学典礼，是在 1928 年 4 月 10 日补办的。当天，蔡元培偕夫人由南京来杭州，主持国立艺术院开学典礼。典礼后，蔡元培有个令官方大跌眼镜之举：他同夫人没有下榻新新饭店，而是在葛岭脚下林风眠简陋的木房子里住了五天。之后，又将他的长女蔡威廉留在了该校教书。

由此，国立艺术院正式成立。学校以蔡元培先生“思想自由，兼容并蓄”思想为办学方针，提出“介绍西洋艺术！整理中国艺术！调和中西艺术！创造时代艺术！”的学术目标，参照外国美术学院的模式，结合中国的具体情况，初设立中国画、西画、雕塑、图案四个系及研究部和预科部，后又增设建筑、音乐专业。

林风眠任校长兼教授、林文铮任教务长，克罗多任研究部导师，吴大羽为西画系主任、潘天寿为中国画系主任、李金发为雕塑系主任、刘既漂为图案系主任、王代之为艺术院驻欧洲代表；其他像蔡威廉、潘玉良、李风白、方干民、李苦禅、刘开渠、姜丹书等，都是艺术领域的一时俊彦。中国现代绘画史上一所具有举足轻重地位、为现代中国培育了大量优秀艺术人才的现代教育模式的艺术学院，正是在这批艺坛精英分子的努力下开始成长的。

几十年来，学院十迁其址，六易其名。1929 年艺术院改为国立杭州艺术专科学校。1937 年 7 月 7 日，抗日战争全面爆发，

11 月杭州艺专始迁诸暨，后迁江西贵溪，再迁到湖南长沙。当时的教育部下令内迁的杭州、北平两国立艺专在湖南沅陵合并，定名为国立艺术专科学校。其后学校又内迁到昆明、重庆坚持办学，维系中国艺术教育之命脉。1945 年 8 月抗战结束后，当时的教育部确定艺专复员杭州，并且定为永久性校址。在此后不久，联合国建立之初，学院前身即列入联合国教科文组织，被视为中国艺术教育最高学府。1950 年 11 月学校改名为中央美术学院华东分院。1957 年 7 月学院从孤山迁往南山路现址。1958 年 6 月,学院改名为浙江美术学院。1993 年 11 月 16 日起更名为中国美术学院。

智言慧思

生活即教育，行为即课程。
——张雪门

阅读链接：

赵健雄：《中国美院外传》，浙江人民出版社，2011 年版。
林风眠：《林风眠论艺》，上海书画出版社，2010 年版。
郭勇：《蔡元培美育思想研究》，华中师范大学出版社，2011 年版。

丰富的私人藏书

2012年春，中国美术学院前后组队数十次参观一个展览。这个展览所展示的藏品，在当年的匡时春季拍卖中，报出了高达五千万元的全球最高保证金纪录。它就是过云楼藏书，包括170多种、近500册古籍，其中还有40册宋版《锦绣万花谷》。

纸质文物本来难以传世，整本的古籍较之单幅的画作、书法更难留存，因此才有“一页宋版一两金”的说法。可以说，现在传世的大量古籍，基本上是靠私人藏书传承的。

中国的藏书体系主要分成四块：官府藏书、私人藏书、寺观藏书与书院藏书。春秋以前，藏书楼都是官办，没有私家之说。商周就有官府藏书，也不允许私藏，这是对文化资源进行控制。春秋战国既有百家争鸣的学术氛围，故开始有诸子百家以及私人藏书。到了秦朝，焚书坑儒以外，秦始皇规定私人不能藏书，汉朝才废止这个条例。唐宋雕版印刷技术逐渐成熟，书籍成为日常用品得到普及，私家藏书才真正兴起，藏书文化开始在民间建立并发展。

藏书文化的发展与科举制度是分不开的，凡进士、状元多的地方，私人藏书一般都发达。古人认为，百般皆下品，唯有

读书高；书中自有黄金屋，书中自有颜如玉。读书与社会地位、财富积累联系起来以后，书就被赋予了各种文化意象。奇怪的是，这种现实联系，在读书人的自我认知中，逐渐被忽略，书被抽离了物质意义，而成为与物质世界相对抗的武器。

浙江私人藏书最发达的地区宋以前首推杭州、浙东的绍兴和浙西的湖州。两宋以后，宁波、嘉兴等也逐渐兴起，成为了重要的藏书地。南宋建都杭州，杭州成为全国政治、经济、文化中心，雕版印刷事业空前繁荣，书肆林立，私家藏书指不胜屈。此后数百年间，杭州一直保持着全国刻书中心之一的地位，其周边地带一直聚集着无数藏书家，浙江作为全国私家藏书中心的地位愈趋巩固。唐宋积累下来的藏书文化在明清达到了顶峰。当时的浙江，富庶、开放、教育发达，有享誉全国的雕版师傅和先进的印刷工艺，更是图书的交易中心。

私人藏书楼收藏书籍卓成体系，成为中国早期的图书馆。藏书家将自己的藏书分门别类，统一装帧，对古籍进行修补。同时还收罗珍本、善本，甚至不惜用良田、商铺等进行交换。不同于其他收藏者，藏书家对书进行校勘、编目、加写题跋，甚

古越藏书楼旧门楼

至批注等，这些都将私人藏书提升到文化的高度。再者，古人们还在藏书楼里治学、校雠、著书并组织熟练的师傅刻书、印书。“私刻”是藏书楼的重要产物，就是主人出资出版私人刊物。私刻的刻印品质最好，都是专纸专工，校勘精细，在工艺创新上一直走在行业前面，这是一般坊刻不能比的，原因就在前者为名，后者为钱。所以，藏书家往往也是出版家。

许多私人藏书都秘不示人，但是也有不少开明的藏书家把自己的收藏向学子开放。中国第一所具备公共图书馆特性的藏书楼就诞生于绍兴。1900 年，徐树兰独立捐资白银三万二千九百六十两，在绍兴创办古越藏书楼，向社会公众开放，欢迎自由借阅。这所藏书楼实现了从民间藏书楼向公立图书馆的蜕变，标志着中国近代图书馆的诞生。浙江的公立图书馆——浙江藏书楼在 1903 年才开设，古越藏书楼可谓开风气之先。

阅读链接：

徐寒主编：《私家藏书》，中国戏剧出版社，2003 年版。

范凤书：《中国私家藏书史》，大象出版社，2001 年版。

陈登原：《古今典籍聚散考》，上海书店，1983 年版。

充裕的官府藏书

唐末五代时期，吴越国就已拥有大量官府藏书。后晋和后周，官府藏书曾遭遇两次比较大的火灾，颇损毁了一些图书，但总量仍然不小。吴越归降宋朝之后，将历年藏书都进献给了大宋朝廷，北宋宫廷的藏书因之大为充实。

南宋当然是浙江官府藏书的辉煌阶段。此时的官府藏书主要藏于政府衙署和各府、州、县的官学之内，除此之外，浙江还有南宋中央政府的秘书省藏书和内廷复建北宋的龙图阁、天章阁、宝文阁、徽猷阁等诸阁藏书，又新建了敷文阁、焕章阁、华文阁、宝谟阁、宝章阁、显文阁等阁，主要收藏各朝皇帝的御制御集。另外，还有宫廷的缉熙殿、德寿殿（宫）以及政府机构的御书院、经武阁、左廊司局、修内司的藏书等。其中宋理宗时缉熙殿所藏《洪范政鉴》《文苑英华》尤其珍贵，历时七八百年，至今尚存，成为国宝级文物。

清代是浙江官府藏书的另一个辉煌期，特别是皇家藏书楼文澜阁的营建和《四库全书》的贮藏。清乾隆四十七年（1782）七月，第一部《四库全书》抄竣后，乾隆皇帝下谕旨说“因思江浙为人文渊薮，允宜广布流传，以光文治”，所以下令再分抄三部，贮于扬州文汇阁、镇江文宗阁、杭州文澜阁，这就是“南三阁”的由来。浙江地方长官陈辉祖、盛住根据谕令将孤山圣因寺的玉兰堂改建成文澜阁，以备贮书。

在“南三阁”《四库全书》发往江浙两省时，乾隆皇帝又“谕令该省士子，有愿读中秘书者，许其呈明到阁抄阅，但不得任其私自携归，以致稍有遗失”。杭州

阅读链接：

叶杭庆、赵美娣：《浙江古代官府藏书考略》，《兰台世界》，2008年第17期。

傅璇琮、谢灼华主编：《中国藏书通史》，宁波出版社，2001年版。

黄坚：《中国古代藏书楼到现代图书馆的发展轨迹——从古代藏书楼到现代图书馆》，《贵州工业大学学报》，2005年8月。

自此有了一座向普通士子开放、供众阅览的皇家藏书楼。清代著名学者如孙星衍、汪中、陈奂、张金吾、陆心源等都曾来文澜阁校书、抄书。

清咸丰十年至十一年（1860—1861），太平军两次攻破杭州。特别是第二次，西湖一带成为战场，文澜阁遭到阁圮书毁的致命打击，幸得杭州藏书家丁申、丁丙兄弟及时抢救出部分残编，文澜阁本库书始未全毁。后丁丙受浙江巡抚谭钟麟的委托重建文澜阁并补抄《四库全书》，至光绪十四年（1888）工程大体完成，创造了中国藏书史上一个奇迹。至民国间，又有钱恂、张宗祥为之补抄，大体恢复原貌。

清末浙江官府藏书还出现了一个新情况，即公共图书馆的创办。清光绪二十六年（1900），杭州地方士绅邵章、胡焕呈请杭州地方政府，提议在原东城讲舍旧址创办杭州藏书楼。经核准，浙江历史上第一座具有现代公共图书馆性质的公办藏书楼开办。三年之后，浙江学政张亨嘉与浙江巡抚聂缉椝商定，扩充杭州藏书楼，改称浙江藏书楼，其时有藏书七万卷、三万五千册。清宣统元年（1909），浙江巡抚曾韫又奏请朝廷，拟将浙江官书局、浙江藏书楼合并扩充创建浙江图书馆，以“广购中西载籍，凡政府、法律之殊，工商、艺术之属，有关实用，俱拟搜罗”。民国元年（1912）浙江图书馆正式落成，这在官府藏书形式上是一个重大改进。

佛寺道观多藏书

佛寺道观藏书是中国藏书的重要组成部分。浙江的寺观藏书历代都十分可观，因藏经阁是寺院的必备部分。寺观不仅藏书，还整理、刻印佛教道教文献典籍。经过几千年的积累，留下了大量有价值的文献，不仅有宗教方面的，还有政治、经济、哲学、文学、艺术、音乐、医学、化学、天文、地理和社会心理、社会习俗等各个方面的。

东汉末年，佛教传入浙江。三国时期，佛教已经流行。随着汉传佛教的兴起，寺观大量修建，寺观藏书也伴随而生，僧侣和信众认为藏经可增功德，传经更是功

位于浙江奉化溪口的雪窦寺藏经楼

德无量，寺观遂大量收藏佛道典籍，寺观藏书于是自成体系。中国寺院藏书中有一种非常特殊的“转轮藏”，是东晋南朝时由傅大士在义乌双林寺创造的。当时可考的寺院藏书还有会稽的嘉祥寺及龙华寺。

浙江古为越地，信鬼神、好卜祭。而道教本就源于修仙与巫术，与越俗不谋而同，因此道教在浙江流行更早。早在东汉之时，道教就在浙江广为流布，道观藏书也初具规模。隋唐两朝是道教的全盛期，道书正式结集成“藏”。

我国第一个佛教宗派天台宗，产生于隋朝，由智顗在浙江天台山创立。天台宗大量藏经，同时抄经刻经，还广为分发。当时湖州大云寺也是出名的藏经所。

五代十国，吴越王崇信佛教，大兴寺塔，尤其都城临安，号称“东南佛国”，一时刻经藏经，兴盛无比。唐末五代，中原战火燎原，经书或焚或散，但吴越国偏安东南，大刻佛经道经，资助道士朱霄外编成金银字《道藏》二百函，藏于天台桐柏宫。此时的天台山玉霄宫还存有上清派道士叶藏质募造的道经一藏，号《玉霄藏》，加上桐柏宫的金银字道经二百函，约千卷，为当时全国两大道藏之一。

宋朝信道，奉黄帝为圣祖，但是佛教仍然兴盛。临安城内道观众多，道藏云集。龙翔宫里有“琅函宝藏”藏经殿。宗阳宫里有“蘂简之楼，琼章宝书”殿。佑圣观里有“琼章宝藏”藏经殿。四圣延祥观里有“琼章宝藏”轮藏殿，此外还有临安太乙宫等。此时佛寺藏书经历代积累，蔚为大观。南宋湖州有

景德寺,存有自五代以来抄写的数百卷佛经。湖州道场山妙觉寺有《大藏经》5480卷。杭州龙井寺、惠因讲寺、华严教寺、灵隐寺、上天竺寺等都拥有自己的藏经与大藏。龙井寺有个叫居奕的僧人,曾经购买了四大部及《华严合论》《宗镜录》等,套上漆盒,藏在高阁之上,借阅的人可以细细阅读,领会其中深意。历史上的文人书藏也出现于这一时期,据史载南宋於潜人洪咨夔将数千卷蜀版书和原家藏共13000余卷存于西天目山宝福寺。

元统治者信佛,据记载,杭州路余杭县大普宁寺共收录佛经1430部,6010卷,分作558函,此藏传世极少,世所罕见。

明代,嘉兴楞严寺僧人真可发起刊刻了《嘉兴藏》,就是著名的《径山藏》,在装订上做出了重大改革,改经折装为方册线装,一页对折,易制易读,小巧便于携带流通,是佛教刊刻史上的一大改进。明代浙江道院藏书最著名的要数坐落在吴山上的杭州火德庙所藏《道藏》和《续道藏》,与苏州玄妙寺、南京朝天宫并称“江南三藏”。明万历年间杭州三茅宁寿观也有道藏颁赐。

清朝康熙帝曾经六次南巡,五到杭州,六上灵隐,十到上天竺寺。杭州灵隐寺、大昭庆律寺、净慈寺、普陀普济禅寺、慈溪西方寺等均有大藏。道观藏书方面有康熙二十五年(1686)颁赐钱塘佑圣观道藏一部,其他还有鄞县冲虚真观藏书等。

阅读链接:

顾志兴:《浙江藏书史》,杭州出版社,2006年版。

陈国符:《道藏源流考》,中华书局,2009年版。

罗敏文:《佛寺藏书事业》,《四川图书馆学报》,1985年第5期。

吴越国王刻经书

钱俶是吴越国的最后一位王，他是钱镠的孙子，钱元瓘的第九个儿子。宋太平兴国三年（978），钱俶归顺宋朝，结束了五代十国。周太祖郭威封他为天下兵马元帅，周世宗柴荣也授他天下兵马都元帅，宋太祖还授他天下兵马大元帅。

钱俶与他的祖辈一样，信佛敬佛，造塔造寺，刻经藏经。在中国的刻经史上，吴越国所刻的经书质量之好、数量之巨，是史所罕见的。吴越国的雕版技术好，印刷水平高，又产好纸张，因此所刻印之经书皆为珍品。我国最早用丝织品印刷的版画就是当时吴越国出品，也是佛教题材，是用绢素印上观音像，全幅上有二十四种应现像，下面还录有真言二十四行，并有“天下大元帅吴越国王钱俶造”字样。这是钱俶布施千贯钱所作的功德，一共印了两万幅。

佛经中说，用香辗制成泥，捏作五六寸高的小塔，书写《一切如来心秘密全身舍利宝箧印陀罗尼经》放入塔中，就成了法舍利。有了多个法舍利，可以造一个大塔，把所有法舍利都放进去，经常供养，就能消障灭罪，得长寿，免三涂苦，功德无量。钱俶相信这种说法，使用了大量的人力物力，三

次刻印《宝箧印陀罗尼经》，做成法舍利，又建塔供养。其他经咒，更是大量刻印，不计其数。他还曾命人用金银泥书写了 5048 卷《大藏经》，又叫道士书写金银字《道藏经》200 函。

钱俶所印的《宝箧印陀罗尼经》在 1917 年就有出土。当时湖州的天宁寺要改建成中学校舍，施工时在石幢下象鼻中发现几个这样的经卷。经卷的首页印有发愿文："天下都元帅吴越王钱弘俶印《宝箧印经》八万四千卷，在宝塔内供养。显德三年丙辰岁记。"证明这是钱俶所资助刻印的。经书上说："一切如来心全身舍利积聚之七宝塔中，藏有宝箧印陀罗尼密印，具大神验威德，故若有人造像立塔，供奉宝箧印陀罗尼，即成七宝之塔，亦即奉藏三世如来之全身舍利。"钱俶信奉所说，大量印经，还造了八万四千方塔，都用金涂塔，塔四角刻有佛像或种子，专门藏纳神咒，供奉经卷。因为需要印制的经书数量太多，一套雕版不够用，因此用了几套雕版来大量印制经卷，所以不同版本间字体稍有差异。

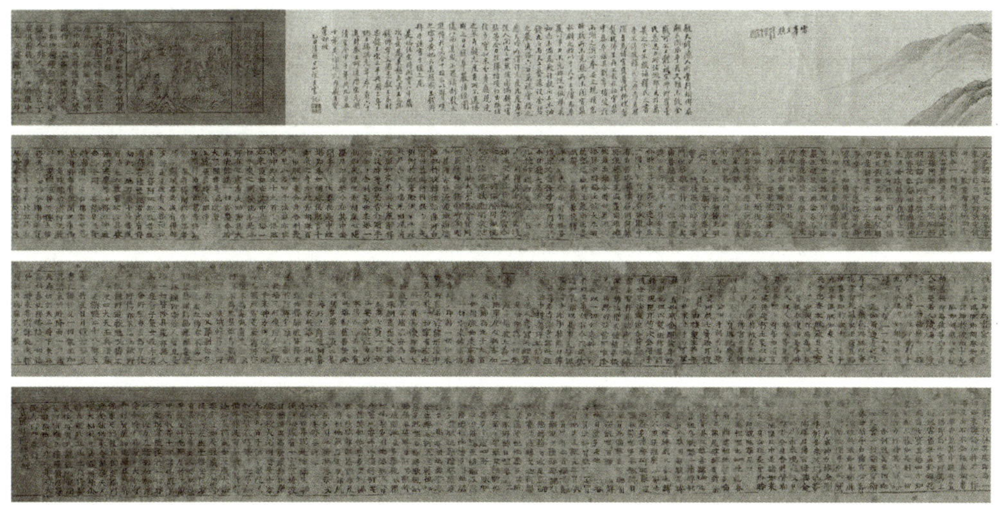

吴越国王钱俶刻本《一切如来心秘密全身舍利宝箧印陀罗尼经》

1924年，杭州雷峰塔倒塌，在砖塔内也发现钱俶所印的《宝箧印经》多卷，都用黄绫包首，有竹纸和棉纸印刷两种，有学者认为，这是最早使用竹纸的实物。卷首题“天下兵马大元帅吴越国王钱俶造此经八万四千卷，舍入西关砖塔，永充供养，乙亥八月日记”，下面刻佛说法图，再下来就是《一切如来心秘密全身舍利宝箧印陀罗尼经》及经文。乙亥年是宋太祖开宝八年（975）。这就是著名的“雷峰经卷”。

当年钱俶刻了八万四千卷《宝箧印经》，如今传世者，不过就这寥寥数卷而已。

智言慧思

大学的最大目标是在薪求真理，要薪求真理，必得锻炼思想，使人人能辨别真伪是非。

——竺可桢

阅读链接：

李最欣：《钱氏吴越国文献和文学考论》，中国社会科学出版社，2007年版。

朱晓东：《物华天宝：吴越国出土文物精粹》，文物出版社，2010年版。

张树栋、庞多益、郑如斯等：《中华印刷通史》，印刷工业出版社，1999年版。

南宋朝报和小报

国内外学术界一直认为：定期报刊发源于西欧的尼德兰和德意志。其实，最迟到南宋端平三年（1236），南宋的临安已经有了定期、连续出版的“朝报”，并且是每日出版。朝报由政府出版，宋末元初的学者周密在《武林旧事》中写到了临安城内的183种不同的“小经纪”，其中排列第一位和第二位的就是“班朝录”和“供朝报”，也就是朝报的编辑与发行。可见在当时，与朝报相关的这两个职业，已经是固定职业，而且是颇为不错的职业。南宋《西湖老人繁胜录》记载了当时临安414种职业和行业，“卖朝报”就是其中之一。当时临安有许多临时性的市集，多与民俗节日相关，

二月甲戌
皇帝自東封還賞賜有差丙子
上躬耕於興慶宮側盡三百步辛巳遣
鴻臚卿崔琳使於吐蕃琳神慶之子
也壬午
上幸鳳泉湯癸未至京師五月丁卯
上幸驪山溫泉丁亥還宮戊寅以單于
大都護忠王浚領河北道行軍元帥
以御史大夫李朝隱京兆尹裴伷先
副之帥十八總管以討奚契丹命[illegible]
百官相見於光順門庚辰
皇帝幸驪山溫泉甲申還宮乙酉
上幸鳳泉湯丁亥還宮召見百官賞賜

根据史料仿制的唐代《开元杂报》

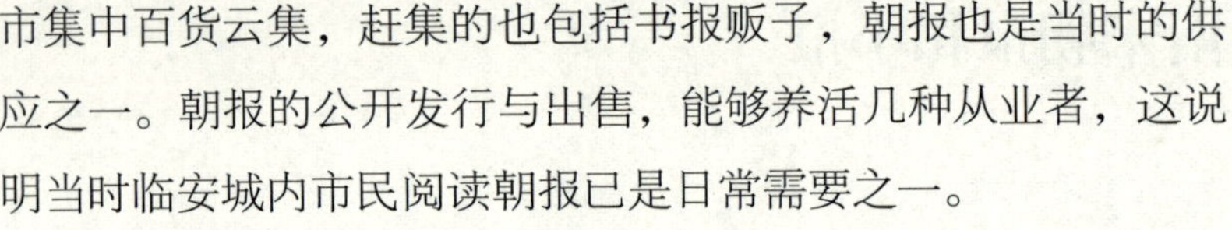

市集中百货云集，赶集的也包括书报贩子，朝报也是当时的供应之一。朝报的公开发行与出售，能够养活几种从业者，这说明当时临安城内市民阅读朝报已是日常需要之一。

然而还有一种出版物，比朝报更早成为固定的日报。这就是小报。最晚到南宋绍熙四年（1193），临安的小报就每日固定出版了，要比西欧的《新到新闻》早 457 年。

小报是中国古代最早出现的民办报纸。它不是由官方出版，在当时也是违法出版物，属于取缔刊物。然而小报的生命力蓬勃之至，无论官家如何查抄，它仍然每日固定出版，流行市集，拥有大量的读者群。

小报与朝报一样，内容大致就是朝廷对官员的任免、各个官员的奏章等朝廷动向。但是朝报是官方消息，小报则报道朝报没有写到的事情或不方便公开的事情，或者是虽经提出却未曾真正实施的事情。更有内幕消息、政治八卦等独家新闻，比朝报更为吸引读者。小报的发行人包括负责传发邸报的邸吏、中央机构的中下级官员以及书商，他们在政府部门中安插“内探”“省探”“衙探”，作为内容提供人。然后将这些资料编辑成文，或手抄或雕版发行。每日出版，若无一个庞大的运作体系，无法胜任，可见小报自成一业。

小报既没报头也没名称，因相对朝报而被称为小报，又被隐称为“新闻”。与现在的非官方出版物一样，小报固然提供了另一个消息来源，但却未必可靠，不免耸人听闻，散布谣言，甚至还伪造奏章。但是它也一定程度上代表了当时的言论导向，

小报上多为主战言论，例如主战派主张抵御外侮、收复失地、惩治汉奸的奏疏以及有关抗金救亡活动的消息等，这些成为小报的主流报道。因此小报也是主战派用以反对当权的主和派的一种宣传武器。

南宋官家严禁小报的流传，他们给小报加上“撰造浮言”“乱有传播”“肆毁时政”“动摇众情”等罪名，宣布它为非法出版物而严加查禁，并缉拿重惩发行人，以期维持“国体尊而民听一”的官报独占局面，但直到南宋末年亦未能禁绝。元、明、清等朝，也出现过类似小报的出版物，称为“小本”“小钞”或“报条”，同样遭到历代封建政府的查禁。例如清雍正四年（1726）五月，提塘报房小钞，因报道雍正游园活动失实，被朝廷下令追究，最后以“捏造小钞”罪名将小钞发行人何遇恩、邵南山二人处以斩刑。这是中国新闻史上因办报获罪被杀的有姓名可查的最早两个人。

小报长期屡禁不绝，因为它适应了一定的社会需要，成为邸报的一种补充。小报揭开了中国民间办报历史的首页。

阅读链接：

（南宋）周密：《武林旧事》，西湖书社，1981年版。

郑士德：《中国图书发行史》，高等教育出版社，2000年版。

陈力丹：《世界新闻传播史》，上海交通大学出版社，2007年版。

善本神品世彩堂

世彩堂的主人叫廖莹中。其人中进士后，初为权相贾似道门客。南宋开庆元年(1259),蒙古兵攻鄂州时,贾似道领兵出援,向忽必烈称臣纳币。北军引还,贾似道诈称大捷。廖莹中撰《福华编》极力颂其功德。贾似道对廖莹中很是欣赏和看重，不但让其为自己“典理图书”,而且许多朝政要务亦交付他裁决处理。后来贾似道势败被革职,居家待罪,往日热闹的府第突然间“门庭冷落车马稀”，家人和门客早已“树倒猢狲散”，有些人还对其弹劾，以求自保。《宋史 · 贾似道传》说 :“潘文卿、季可、陈坚、徐卿孙,皆似道鹰犬,至是交章劾之。”廖莹中又如何呢?周密《癸辛杂识》说 :“贾师宪还越待罪，莹中从不舍。一夕，与贾公痛饮终夕，悲歌而泣，归舍，命爱姬煎茶以进，自于笈中取冰脑服之而毙。”廖莹中为了贾似道服冰脑自尽，连自杀的方式都与贾似道一样。

廖莹中投靠奸相，不论正史野史中，都以小丑面目出现。然而宋代私家刻书，其为重要一家，不但数量多，所刻碑帖尤其好，负有盛名。从他为贾似道赴死来看，廖莹中与贾似道还真是相交莫逆。他们在文学、书画、出版上有共同语言，互

相欣赏。贾似道是一个敏锐的艺术鉴赏家和文学家，他令人将王羲之的《兰亭集序》临摹，又复制了四版姜夔及任希夷的真迹。这与廖莹中的刻印事业息息相关。

廖莹中醉心于刻书、藏书之业。家有“悦生堂”为藏书之所，又建“世彩堂”专以刻书。

咸淳年间，他雇工翻刻淳化阁帖、绛帖，都十分逼真。又与贾似道选十三朝国史、会要、诸子杂说等，例为百卷，名《悦生堂随抄》。所刻之书，用油墨和杂泥并用金香麝调和后，纸宝墨光，赏心悦目，世为善本。

世彩堂所刻的唐韩愈、柳宗元二集，被称为世无二帙的无上神品，今为国家图书馆镇库之宝。两集字体版式全同，俱半叶9行，行17字，细黑口，四周双边，版心上镌字数，下刊刻工名，下鱼尾下方镌“世彩堂”3字。各卷后有篆文“世彩廖氏刻梓家塾”牌记。书中刻工有孙沅、钱珙、翁寿、元清、从善等，亦同见于两集，可知同时刊版。书中避讳谨严，宋讳慎、敦、廓等字均缺笔。周密的《志雅堂杂钞》和《癸辛杂识》称廖刻诸书，用抚州萆钞清江纸，造油烟墨印刷者，当即指此二书。两集纸莹墨润，字体在褚柳间，精雅绝伦。

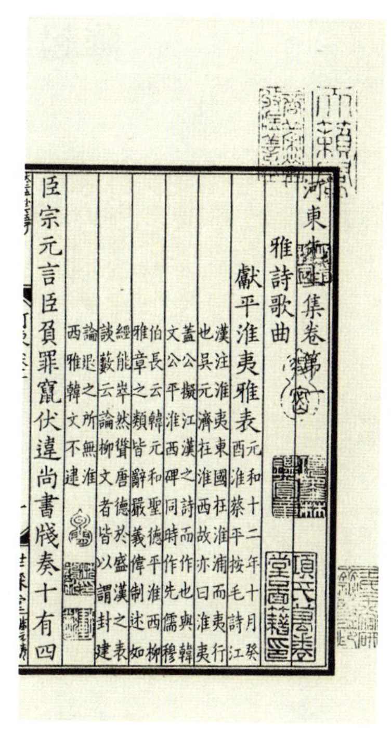

河東先生集卷第一

雅詩歌曲

獻平淮夷雅表 元和十二年十月癸酉淮蔡平按毛詩江漢注淮夷東國在淮浦而夷行也吳元濟在淮西故亦曰淮夷蓋公擬江漢之詩而作也與韓文公平淮西碑同時作先儒穆伯長云韓元和聖德平淮西柳雅章之類皆辭嚴義偉制述如經能岸然贊唐德於盛漢之表談藪云論柳文者皆以謂封建論退之所無淮西雅韓文不建

臣宗元言臣負罪竄伏違尚書牋奏十有四

世彩堂所刻《河东先生集》书影

阅读链接：

（南宋）周密：《志雅堂杂钞》，江苏广陵古籍刻印社本。

（南宋）周密：《癸辛杂识》，中华书局，1988年版。

方建新：《南宋藏书史》，人民出版社，2013年版。

陈起与书籍刊刻

陈起其人，在专业研究者以外，知者甚少。然而无论研究浙江文学史、藏书史、刊刻史还是经济史，都无法忽视这个历史人物。

陈起，字宗之，号芸居，钱塘人，生卒年月已无法考证。他读书人出身，曾中过乡贡第一名。南宋临安最大的书铺就是陈起开设的，所刻书籍署名“临安府棚北大街陈解元书籍铺”“临安府陈道人书籍铺”等等。陈家书铺所刻之书影响很大，因此明清以来，陈氏刻书被称为“书棚本”。书棚本刻工精致，印刷厚重，纸张、印墨都用料精良，实为宋版书中的精品。

北京图书馆曾编过《中国版刻图录》，把全国政府单位所藏的宋版书作了统计，存世共189种，浙江刻本75种中临安刻本就达45种，其中陈氏刻本占了很大比例。有一本《唐女郎鱼玄机诗集》，是历代藏书家的宝贝，书上钤印累累，都是收藏者加印上去的。这本书卷终有“临安府棚北睦亲坊南陈宅书籍铺印”，可见为陈家书铺出品。

陈起刻书虽多，但他有偏好，喜好诗集，特别是唐诗。他的书铺兼编辑、选录、校勘、刻印、发行等多种功能于一体，

因此不但保存了文化，还进行了有效传播。如果没有他，唐诗绝无法存下五万首之多。

宋室南渡以后，一批文人落拓江湖，辗转于江南一带，他们功名不成，事业不遂，地位低下，其创作多不为时人所重，但是陈起重视他们。陈起本人也是一个诗人，著有《芸居乙稿》《芸居遗诗》等，因此他在文学上的眼光是十分独到的。他注意到这些诗人，刊刻他们的作品，甚至把他们联络组织起来，形成后人所说的“江湖诗派”。他所从事的工作与现在集策划、出版、销售于一体的文化工作者颇有相似之处，可谓中国第一位职业出版人。在他的策划组织下，江湖诗派的诗人诗作得以传世，此功不可没。

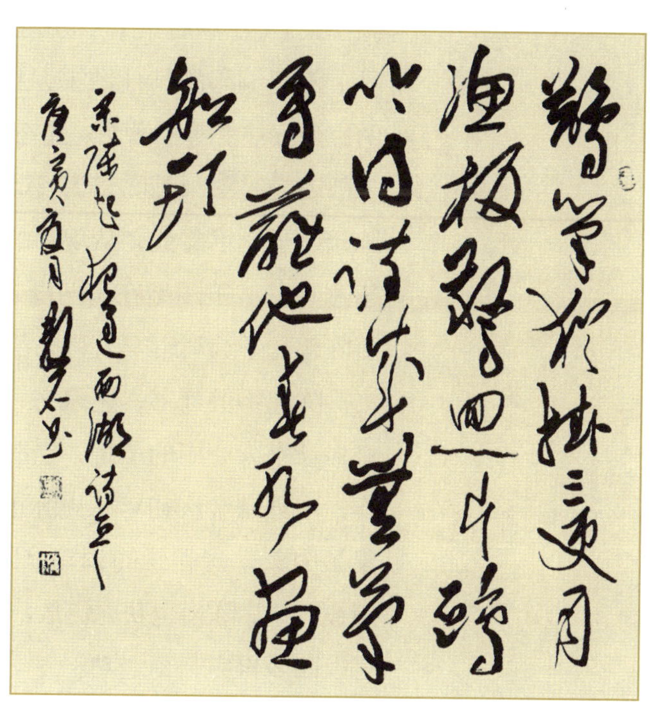

明代唐寅所书陈起作《夜游西湖》

阅读链接：

黄韵静：《南宋出版家陈起研究》，花木兰文化出版社，2006 年版。

姚福申：《南宋的职业编辑陈起父子》，《编辑学刊》，1986 年第 4 期。

李乐：《论宋人陈起的编辑出版经验》，《中国出版》，2011 年第 10 期。

陈起在当时文坛中颇具影响力，他是许多文士的知音，与方回、刘克庄、吴文英等名士过从甚密，互相唱和。因此陈起刻书自有一般书商不能企及的学术与市场眼光，可以说，他具备现代出版家的选题眼光。他本人就是文学家，能诗善文并且识书，在编刻书籍的过程中，忠于原著，并非随意删改，而且校印精审。因此陈起所刻之书，当时就是善本，传世之后，更是珍本。陈起一生刻印过大量图书。据统计，他编刻的唐诗别集在 50 家以上，如初唐四杰《王勃集》《杨炯集》《卢照邻集》《骆宾王集》以及《唐女郎鱼玄机诗集》《唐贯休诗集》等；编刻宋江湖诗人作品总集达 111 家之多，《四库全书》收有《江湖小集》《江湖后集》，前者收有 62 家作品，后者收有 49 家作品；陈起编印的其他图书，据《四库全书》《增订四库全书简明目录标注》等书著录，还有汉刘熙《释名》、宋邓椿《画继》、宋郭若虚《图画见闻志》、宋赵与时《宾退录》等。陈起死后，陈起之子继承父业，从现存的书棚本来看，他刻书的数量甚至超过其父。王国维在《两浙古刊本考》中称：“宋季临安书肆若陈起父子编刊唐宋人诗集，有功于古籍甚大。”

陈起不但刻书，还藏书，他的“芸居楼”藏书数万卷，是许多读书人心中的圣地，当时的诗词作家为它写了不少品题之作。宋理宗宝庆初年，史弥远当政，指摘陈起所刻印的《江湖集》中有诽谤朝廷的词句，因此兴起文字狱。《江湖集》的雕版被劈烧，陈起也获罪流放。直到史弥远死后，陈起方被赦免，得以回乡再完刊刻之功。

宋濂的青萝山房

金华人宋濂是元末明初的大儒，也是私家藏书风气的开创者。

元末，元顺帝听闻了宋濂学名，知道他自小手不释卷，就召他去翰林院任编修。但宋濂以奉养父母为由，拒不应召。为避开战乱，宋濂迁居浙江浦江境内的青萝山，此地环境清幽，正是读书的好地方。宋濂在山中筑室藏书，名为“青萝山房”。元末明初兵祸过后，官府藏书、私家藏书都损毁严重，但宋濂的青萝山房隐处山间，保存完好。

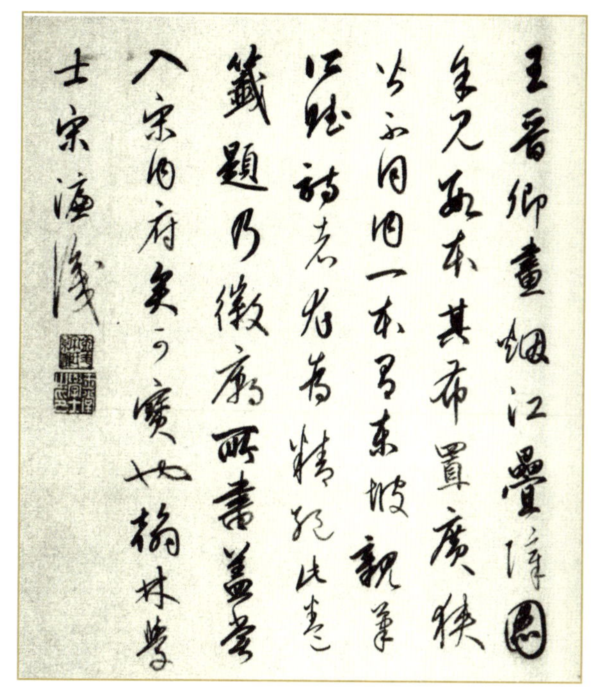

明　宋濂书法

宋濂年轻时就开始藏书，迁居浦江的时候，随身携带了一万余卷书籍。不久之后，当地藏书家郑氏的八万多卷藏书也被其收购，这就是青萝山房藏书的来源。所藏书籍之中，宋代刻本不在少数，颇为后世珍视。《宋学士全集》收录宋濂撰写的大量书序和题记，从中可见许多古版本的源流。宋濂晚年受谪，西徙四川，青萝山房藏书颇受影响。后宋濂藏书大部分散失，去向不明，少数流入名家手中，其中不乏精品，所藏宋本《春秋经传集解》《史记》《文选》等流入清官内府，宋本《事林广记》则被丁日昌收藏。

青萝山房中的藏书许多都是宋濂手抄，他的《送东阳马生序》一文，追述幼时读书抄书情景，感人至深。明人藏书，手抄是为特色，许多藏书家毕生抄书不辍，引以为乐事，这个风气，自宋濂始。

世人都说司马迁喜好游览名山大川，曾踏遍神州大地，所以他的文章跌宕有奇气。宋濂不善于游山玩水，也很少凭吊古迹，深居山中，最远只到过金陵（今江苏南京），没超过一千里。但是当奉帝命修《元史》时，只阅读了八个月后书就纂修完成；重新修订《顺帝纪》时，也只用了六天时间就完成了。虽然偶尔有些指责，但是他的书体大思精，文采斐然比之太史公亦不逊色。探究其中的原因，大概是九万卷的藏书之功吧。

阅读链接：

（清）钱曾：《读书敏求记》，书目文献出版社，1984 年版。

（清）朱彝尊：《静志居诗话》，人民文学出版社，1990 年版。

《吴晗史学论著选集》，人民出版社，1984 年版。

范钦筑建天一阁

天一阁建于1561年，是明朝兵部右侍郎范钦在解职归乡之后所建的私家藏书楼。郑玄在《易经注》中有“天一生火，地六成之”之语，藏书楼最怕失火，范钦遂以“天一”为楼名，并采用“天一地六”的建筑格局，以水制火，保证藏书楼的安全。另外，阁外还建了水池，又采用了防虫防蛀等措施。果然，天一阁历经数百年而保存完好。

天一阁中的藏书显示了范钦本人的读书爱好，以方志、政书、科举录和诗文集

天一阁

阅读链接：

顾志兴：《浙江藏书史》，杭州出版社，2006 年版。

骆兆平：《天一阁藏书文化的历史轨迹和发展前景》，《中国典籍与文化》，1997 第 2 期。

刘水养：《天一阁藏书及社会贡献史考略》，《农业图书情报学刊》，2007 第 5 期。

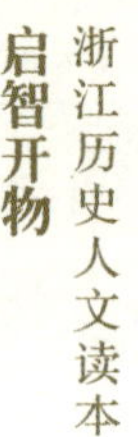

为主。他曾身居高位，能够获得普通人所无法得到的官署内藏，因此阁中所藏非常有特色，存书共计大概有七万余卷。

全祖望所著《天一阁藏书记》记载了范家管理藏书楼的种种方式。范钦去世时，将家产分成两份，一份是藏书，另一份是其他产业。只因藏书是一项事业，所藏书籍不能分割，只能整体继承，这就是“代不分书，书不出阁”的范家祖训。这份对书的痴迷与责任，是现代人很难了解的，也是中国藏书文化的精要所在。余秋雨曾以天一阁为对象写过文化散文，就将这一祖训当作传奇来渲染。长子承业，范钦的长子范大冲继承藏书，把其他家产给了弟弟。范大冲将范家的藏书事业制度化，藏书成为全族保护的宝物。他规定藏书由全体范家子弟共有，必须将各房拥有的书橱钥匙集齐，才能共同开启，否则不能开锁入楼。这些严格的规矩在 1949 年前一直被遵守，这保证了天一阁的藏书只增不减，绝无外流。

清康熙十五年（1676），范家出了一位非常开明的护书人范光燮，他令人将阁中一百余种书籍抄出，传示天下，供士子阅读。在他的主持下，得到族人一致同意，各房拿出钥匙，开锁让著名学者黄宗羲登楼读书，使黄宗羲成为第一个进入天一阁的外族人。黄宗羲为天一阁编制了书目，还写了《天一阁藏书记》，称赞范家子孙世世代代呵护书籍如同保护眼睛。从此，天一阁在学者中声名大振，著名学者开始拜访天一阁，其中一些也获得了登楼机会。天一阁对外彻底封闭的局面，逐渐打破。

乾隆皇帝下令修《四库全书》，诏传天下，让全国藏书家

献书。范钦的八世孙范懋柱进呈了641种珍本，在数量上居全国第二。这些书中有大量的珍本、孤本、善本，其中六分之一全本抄入了《四库全书》，七分之五收入全书总目。但是乾隆帝并没有归还这些书，这使得天一阁的藏书无论从数量还是质量上都有所下降。乾隆听说了天一阁代代相传之事，就赏下一部《古今图书集成》，还派人到天一阁了解建筑格局，按此建造了文渊阁等内廷四阁，借天一阁的优良设计来保存《四库全书》。

为了防止天一阁的书再次流失，清道光九年（1829），范锜甫、范邦冉等人再次修订了天一阁的管理制度，将其更加严格化，立下禁碑三种，条款十五项，主要目的就是"书不出阁"。他们还对藏书楼进行了大规模修葺，更换了朽坏部件，修整了园林，把阁前的水池也进行了疏浚扩大。

之后战乱频仍，天一阁的制度再严也无法保全藏书。清道光二十一年（1841）英国占领军掠夺《大明一统志》等舆地书数十种。至道光二十七年（1847），天一阁中仅存书籍2223部。咸丰十一年（1861），太平军攻陷宁波，盗贼乘乱盗取天一阁藏书出售，后部分书籍被范钦十世孙范邦绥尽力购回。1914年，大盗薛继渭潜入天一阁，与楼外盗贼里应外合，将盗得的天一阁书籍运往上海，在书店中出售，后被商务印书馆的张元济以巨资赎回一部分，但在抗日战争中焚毁。这一事件使得天一阁藏书损失千部。1937年，抗日战争爆发。为了保护天一阁藏书，天一阁经历了建成370年以来的首次大范围出阁。由鄞县政府加封，运往龙泉县后方，暂存于塔石乡，与浙江省图书馆的藏书一同隐蔽。

目前，天一阁藏书由天一阁博物馆管辖。

丁家藏书聚珍品

现在杭州浙一医院的一角，有一幢古色古香的小楼，即为清代藏书家丁丙所建之八千卷楼遗址。确切地说，是重建后的小八千卷楼。

清代杭州有一个丁氏家族，在藏书上颇有传统，乃藏书世家。丁氏远祖，宋代丁顗就号称藏书八千卷。清人丁国典追慕先人，建了藏书楼并名之曰“八千卷楼”。丁国典的儿子丁英继续收集书籍，充实藏书楼。1816 年，老八千卷楼毁于兵燹。丁国典的孙子丁申和丁丙，在 1888 年重建了藏书楼，并沿用原来的名字，后人为了区别，往往称之为“小八千卷楼”。

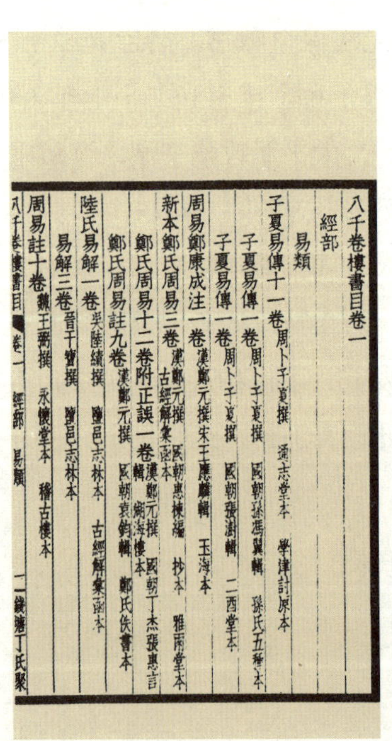

八千卷樓書目卷一
經部
易類
子夏易傳十一卷 周卜子夏撰 通志堂本 學津討原本
子夏易傳一卷 周卜子夏撰 國朝孫馮翼輯 孫氏五種本
子夏易傳一卷 周卜子夏撰 國朝張澍輯 二酉堂本
周易鄭康成注一卷 漢鄭元撰 宋王應麟輯 玉海本
新本鄭氏周易三卷 漢鄭元撰 國朝惠棟編 抄本 雅雨堂本 古經解彙函本
鄭氏周易十二卷附正誤一卷 漢鄭元撰 國朝丁杰張惠言輯 湖海樓本
鄭氏周易註九卷 漢鄭元撰 國朝袁鈞輯 鄭氏佚書本
陸氏易解一卷 吳陸績撰 鹽邑志林本 古經解彙函本
易解三卷 晉干寶撰 鹽邑志林本
周易註十卷 魏王弼撰 永懷堂本 稽古樓本
八千卷樓書目 卷一 經部 易類 一 錢塘丁氏聚

《八千卷楼书目》书影

八千卷楼被誉为清末四大藏书楼（常熟瞿氏铁琴铜剑楼、山东杨氏海源阁、归安陆氏皕宋楼、钱塘丁氏八千卷楼）之一。丁氏兄弟在祖辈与父辈藏书的

基础上继续求访书籍，收聚珍品，或手抄或购买。在花了将近30年的时间后，小八千卷楼何止八千，已经拥有了藏书一万五千余种，二十余万卷。大致有宋本四十种左右，元本约百种，还有不少明刻精本以及《四库全书》底本，另有名人手稿本和校本。比较有特色的藏书还有许多日本和朝鲜所刻汉文的古籍，其中不少曾经被明清的各大藏书家累次收藏。

丁丙，字嘉鱼，别字松生，晚号松存，是晚清浙江一位非常著名的文化人物。丁丙之子丁立中也是清末民初著名诗人，是南社成员，曾为举人。他早年把家学发扬光大，大量藏书。然而后来经商失败，负债累累，不得已卖尽家产偿债。八千卷楼中善本不少，价值不菲，以7万元的价格卖给了江南图书馆。江南图书馆位于南京，是清光绪三十四年（1908）两江总督端方奏请清政府之后所创立的。当丁氏后人为八千卷楼藏书寻找新主人之际，正是陆氏后人将皕宋楼藏书卖给日本人的第二年。当时皕宋楼事件震惊全国，为了防止古籍再次外流，端方将八千卷楼全部收购入藏江南图书馆。自此浙江藏书流落石头城。不过无论如何，总在国界以内，比吴兴皕宋楼归于日本人之手，要好得多了。

藏书楼通常都会出版自己的藏书目录，八千卷楼亦不例外。八千卷楼藏书目录，主要有丁丙撰《善本书室藏书志》、丁仁编《八千卷楼书目》。《八千卷楼书目》出版于1932年，分上中下，共二十卷，《清史稿·艺文志》的许多内容都来源于此。这套书目很有特色，是清代为数不多的普通本书目之一，收录了大量的普通本书目，其数量远超其他藏书楼。另外，在编写体例上，全书子目的著录等方面也很有它的特点。

阅读链接：

（清）丁申：《武林藏书录》，古典文学出版社，1957年版。

（清）叶昌炽：《藏书纪事诗》，上海古籍出版社，1989年版。

石祥：《杭州丁氏八千卷楼书事新考》，上海古籍出版社，2011年版。

皕宋楼书流异域

国际汉学界中，没有不知日本静嘉堂文库者，该文库共有十八种古籍被列为日本“重要文化财”。日本人视之为国之重宝，能够入堂而阅书者，举世无几人也。而静嘉堂之所以能够成为国际汉学重镇，正是由于收购了中国皕宋楼最为精华的大部分藏书。十八部“重要文化财”中，十六部来自皕宋楼宋元版藏书。

皕宋楼位于浙江吴兴月河街，乃陆心源所建之藏书楼。号称皕宋，顾名思义，宋版书就有两百。这个数字不用说现在，

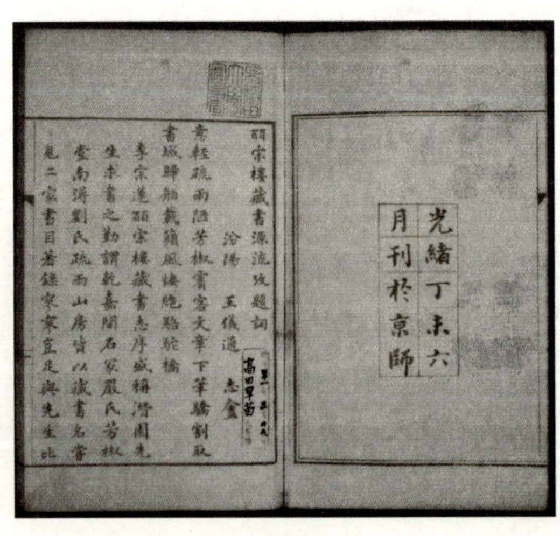
光緒丁未六月刊於京師

皕宋樓藏書源流攷題詞

汾陽　王儀通　志盦

青鞋疏雨隨芳椒賓客文章下筆驕劉取
書城歸舶載顛風悽絶駱駝橋
李宗蓮皕宋樓藏書志序盛稱潛園先
生求書之勤謂乾嘉間石冢嚴氏芳椒
堂南潯劉氏疏雨山房皆以藏書名嘗
見二家書目著錄寥寥豈足與先生比

岛田翰所著《皕宋楼藏书源流考》书影

即便当时，也是无与伦比。另一著名藏书家黄丕烈的藏书楼号称“百宋一廛”，陆心源即以双百为楼名，其志得意满，表露无遗。的确，陆心源的藏书中拥有大量宋、元版书，其数量之多，价值之巨，海内独步，无人可与之比肩。

为了搜罗宋元精本，陆心源可谓用尽心思。清同治年间，郁松年的宜稼堂藏书逐渐散出，各方藏书家争相收购，陆心源就是争抢最为激烈的一位。他与时任苏松太道的丁日昌同好古籍，本是同道中人，气味相投，可谓相交莫逆。但郁氏去世后，陆心源为争购宜稼堂藏书，与丁日昌一段书生情谊，就此断送。反目之下，争得古本若干。经过如此长期搜求，陆氏藏书之丰富珍贵可想而知。

皕宋楼曾盛极一时，楼中不仅宋元珍版数量众多，总的藏书量也十分巨大，远远超过天一阁。陆心源去世十五年前，楼中藏书总量已达十五万卷之多，而且还没有把普通坊刻本计量在内。到他去世，数量应有更多。不仅如此，这批书的质量也非常高。

可惜藏书楼大多创立容易守成难。陆心源去世后，皕宋楼由其子陆树藩继承。1907 年，陆树藩经商失败，出售藏书。久已关注这批书的日本岩崎氏静嘉堂文库抢先购得其中大部分精华。消息一出，举国震惊。藏书界和学术界大为感慨与痛惜，著作《书舶庸谭》的董康说：“古芬未坠，异域长归，反不如台城之炬、绛云之烬，魂魄犹长守故都。”在文化史上，这甚至被称为“皕宋楼事件”，至今仍是书生们口边话题。

因此，目前能较为确切反映皕宋楼藏书量的资料，反而要去日本找。其中以 1930 年出版的《静嘉堂文库图书分类目录》最为详尽。据此，原属皕宋楼藏书的有：宋版书一百二十四部，二千七百七十九册；元版书一百一十六部，二千零七十册；金版书一部，十册。当然这还远不能说明皕宋楼全盛时之情状，因为皕宋楼藏书在东渡之前，就已开始散出，如吴兴周越然的言言斋，就曾收得其中的宋纂图互注《南华真经》、稿本《吴兴蚕书》、明初本《管子》、吴钞《疑狱集》、丁钞《栲栳山人诗集》等八种。

一楼风光，曾夺当时之盛，可惜风流云散，转眼归入异域。书去楼空，曾经是学子心中宝地的皕宋楼与十万卷楼，如今只有不起眼的小楼一座，静静卧于陆氏故宅。

智言慧思

不学而求知，犹愿鱼而无网。

——（东晋）葛洪

阅读链接：

来新夏：《关于“皕宋楼事件”罪责之我见》，《中国文化》，2007 年第 2 期。

陈杰：《日本静嘉堂与陆氏皕宋楼百年恩怨史》，《兰台世界》，2010 年第 9 期。

蔡淑敏：《魂牵梦绕话皕宋》，《图书与情报》，2007 年第 6 期。

皇家书藏文澜阁

文澜阁在西湖孤山南麓，原是清代收藏《四库全书》的皇家藏书楼。文澜阁仿宁波天一阁形式，改建杭州圣因寺后的玉兰堂而成，建成于清乾隆四十八年（1783）。改建的各项工费均由浙江商人捐办。现存建筑系清光绪六年（1880）重建。

乾隆时期，《四库全书》大功告成，先组织人手抄写了四部，分藏于紫禁城、圆明园、奉天和热河。后来乾隆觉得江浙一带人文渊源较深，应把《四库全书》在江南一带流布，给读书人以方便，于是又继续抄了三部放在扬州、镇江与杭州。现在江南这三部，只有杭州文澜阁所藏还存世，另两部都毁于太平天国时期。七部《四库全书》，现在仅余四部，其中一部被国民党带到了台湾。杭州所留这部，世称“东南瑰宝”。

杭州文澜阁《四库全书》得以保全，虽有运气，却更因人事，有了几代读书人的忠心守护，才有这份瑰宝。

清咸丰十一年（1861），太平军攻陷杭州，江南著名藏书楼八千卷楼的主人、出身书香门第的钱塘人丁申、丁丙兄弟此时正避祸于杭州西溪。一日，兄弟俩在店铺购物时发现用于包装的纸张竟是钤有玺印的《四库全书》，这使他们大惊失色。藏书大家丁氏兄弟自然知道《四库全书》的重要性。他们进而发现，店铺里成堆的包装用纸竟都盖有皇帝的玉玺。

文澜阁库书流落民间的事实使丁氏兄弟心急如焚，马上组织家人进行抢救。他们冒着战乱的风险，收集残籍予以保护，并雇人每日沿街收购散失的书本。如此半年，

阅读链接：

顾志兴：《文澜阁与四库全书》，杭州出版社，2004 年版。

顾志兴：《杭州藏书史》，中国社会科学出版社，2011 年版。

陈晓华：《〈四库全书〉与十八世纪的中国知识分子》，社会科学文献出版社，2009 年版。

他们抢救并购回阁书 8689 册，占全部文澜阁本的四分之一。

文澜阁本已残缺不全，怎么办？抄补！一项浩繁的抄书工程在浙江巡抚谭钟麟的支持下开始了。丁氏兄弟从宁波天一阁、卢氏抱经楼、汪氏振绮堂、孙氏寿松堂等江南十数藏书名家处借书，招募了一百多人抄写，组织抄书二万六千余册。《四库全书》在编撰过程中编撰官员曾将一些对清政府不利的文字删除，或将部分书籍排除在丛书之外，还有部分典籍漏收，丁氏兄弟借此机会将其收录补齐。此项工程历时七年得以完成。1882 年，文澜阁重修完成，丁氏兄弟将补抄后的《四库全书》全部归还文澜阁。

到了民国，浙江省图书馆首任馆长钱恂继续组织补抄，这就是所谓“乙卯补抄”；稍后，海宁的张宗祥又发起“癸亥补抄”。经过丁、钱、张等人的共同努力，最后完成的《四库全书》比原来更为完整。

1937 年，抗日战争爆发，日本对文澜阁《四库全书》觊觎已久。时任国立浙江大学校长竺可桢和浙江图书馆馆长陈训慈组织阁书西迁。杭州沦陷后，日本的“占领地区图书文献接受委员会”曾派人从上海到杭州寻找文澜阁本，想把这部珍贵的图书劫夺到日本去，但此时阁书已被安全转移了。

文澜阁《四库全书》历经沧桑，终于得以保存，这在中国以至世界藏书史上都是个奇迹。

刘承干与嘉业堂

嘉业堂的创建者是江浙巨富刘承干。刘承干是湖商的代表人物，嘉业堂也位于南浔。刘承干以富商的身份建藏书楼，雄厚的经济实力之下，大量收购其他藏经楼散佚书籍，先后耗资 30 万元之巨，终于让嘉业堂荟萃各地精华，成就了近代最著名的藏书楼之一。它的收藏包括了甬东卢氏抱经楼、独山莫氏影山草堂、仁和朱氏结一庐、丰顺丁氏持静斋、太仓缪氏东仓书库等十数家的藏书，集中了北京、扬州、苏州、杭州等地藏书家之精华。

嘉业堂鼎盛时期的藏书有五十余万卷，号称六十万卷，共十六七万册。刘承干特别注重明清两朝的诗文集，此外，尚有全国地方志，州志、郡志、府志、县志、镇志共收有一千二百余种，三万三千三百八十卷，其中海内秘本有六十二种。藏书数量之巨大，使不少藏书家亦瞠乎其后。

刘承干还聘请一部分人专门外出到国内其他藏书楼去抄书。最著名的是《清实录》和《清史列传》，两部书的底稿均在北京国史馆内，社会上已经绝迹，刘氏竟出资数万元派专人花数年时间，把这两部书全部抄回来。

刘承干对刻书、校书非常严肃认真，每刻一书必请名家鉴定，当时的著名文人学者如王国维、吴昌硕、郑孝胥、况周颐、张元济、罗振玉、叶昌炽等学者都为刘氏刻书做出过贡献。

嘉业堂屡经人祸劫难，却得到较完好的保存，实为文化史、藏书史上之奇迹。

阅读链接：

项文惠：《嘉业堂主——刘承干传》，浙江人民出版社，2005 年版。

许寅：《傻公子做的傻贡献》，《学林漫步》，1984 年。

应长兴、李性忠：《嘉业堂志》，国家图书馆出版社，2008 年版。

南浔沦陷，为嘉业堂第一劫。当时日军纵火烧房，全镇一片废墟，嘉业堂藏书楼竟安然无恙。这是何故？有三种说法，其一，日本人封锁嘉业堂长达两年，刘承干本人亦不能入内，最后因华东政府的干预，只购买了 44 册《永乐大典》。但其中疑团甚多，难以甚解。同时，刘承干深知日本人喜爱中国古籍但鄙薄残本，故在日寇侵华时，已将藏书每部抽去一至二册，成为残缺不全的书，故日军对残本不屑一顾，而未掠夺，此是二说。第三说是刘承干在日寇未到南浔时，已将大部分珍贵书籍运往上海租界住宅中，得以保存。

第二劫乃新中国成立初期，土匪横行之际。据当时任嘉兴独立营政委的沈如淙同志回忆：1949 年 4 月，解放大军渡江后，江南解放。周恩来同志想到远离北京的水乡市镇上的这座藏书楼，电令加以保护。嘉兴独立营第一连连夜赶往南浔执行保护任务。就在第一连进驻的第三天下午，一连文书沈向荣同志突遭两个土匪袭击，当场牺牲。两匪当天即被捕获，在审讯中得知两匪系国民党潜伏下来的马文龙部残匪。烈士洒血卫典籍，嘉业堂完好地保存了下来。

第三场灾难是“文化大革命”十年。此时幸亏藏书楼有一位管理员汤福璋（已故世），他在所有大理石屏风和书橱上都用红色颜料涂上毛主席语录，红卫兵不敢妄动，嘉业堂藏书楼绝处逢生，虽经十年动乱，仍然完好如初。

官办书局振道统

清代末期，浙江官刊书以浙江书局刊书最多。浙江书局由浙江抚署建立，是官办的专业出版机构，所以又称为浙江官书局。

官书局的建立，是曾国藩首先提出来的。他在与太平军作战时，有感于西方文化对中国文化的冲击，主张振兴儒家文化，重振道统。

清同治三年（1864），清廷攻下了太平天国的天京（即南京）以后，曾国藩被任命为两江总督，即倡议在金陵、扬州、武昌、苏州、浙江等地设立官书局。为迎合此动议，浙江省布政使杨昌浚、按察使王凯泰呈请浙江巡抚马新贻批准，在杭州小营巷报恩寺设立了浙江官书局。浙江官书局创立时间，魏隐儒《中国古籍印刷史》谓1864年，《杭州府志》则为1867年，另还有1865年之说。其首刻《钦定七经》和《御纂通鉴辑览》等书，于同治六年（1867）印成销售。光绪年间，随着印刷业务量的增长而迁址杭州正中巷三忠祠。清宣统元年（1909），浙江巡抚增韫予以扩充，并设立浙江图书馆，附设官书局，遂又更名为“官书印刷所”。

官办的出版机构有许多私人无法企及的优越条件，如朝廷重视、财力雄厚、出书方针明确、人才集中、管理严格等，天时地利人和，实现最佳组合，因而浙江书局一开局，即为学术界所瞩目。

杭州著名藏书家丁丙、丁申弟兄的八千卷楼善本书室，收藏富而且精，这就给浙江书局刻书选用底本提供了方便。同时浙江书局几乎把当时的经史学家、词章学家萃于一堂，对刻书选用底本都经过一番研究，如名刻《二十二子》都是以各家校刊及明世德堂本为依据的，是子书丛刻中最完善的本子。

浙江官书局先后刻书二百多种，是刻印书籍最多的书局。经部除上述《钦定七经》外，还刻有《四书集注》《四书约旨》等，史部刻《九通》《孔子编年》《续资治通鉴长编》等，子部除《二十二子》以外有《张氏医书七种》《玉海》等，集部刻有《沈氏三先生文集》《古文渊鉴》《唐宋文醇》等等。

浙江官书局刻书的另一特点是校勘精审。如所刻《玉海》《九通》等书，错讹极少，超过殿本。此外，浙江书局与丁氏所刻《当归草堂丛书》《武林掌故丛编》等书，版式差不多完全一致，字体秀丽，校印精良，胜过金陵书局刻本。浙江官书局所刻书籍，在局本中居首要地位，所谓“浙刻”。

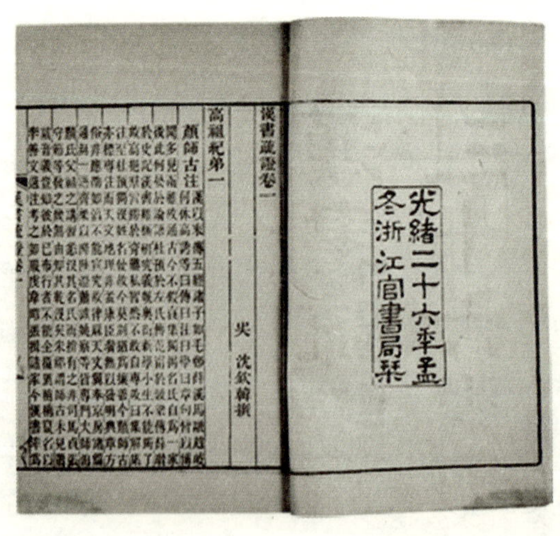

浙江官书局所刻书籍

浙江书局刻书是为缓解广大学子无书可读的状况，因此在书籍的发行上也有新举措。书局把所印书籍按不同规格装订，以供不同需要之人挑选。将成本高的连史纸改为毛太纸印刷。为降低书价，取消了以往的夹板，改为另购。对于想收藏的藏书家，则提供更为精良的包装，还可以根据需要定制。为照顾广大贫寒士子，书籍在浙江巡抚的要求下两次降价，折扣价在八折至九五折之间不等。

浙江书局除印售书籍外，还兼理其他业务。代理省城各衙门刊印通行公件，就是另一项重要业务。同时，还代理官司署和官员或书局内部人员刊刻书籍。

阅读链接：

刘仁庆：《纸的品种与应用》，轻工业出版社，1989 年版。

寿勤泽：《浙江出版史研究——民国时期》，浙江大学出版社，1994 年版。

洪焕椿：《浙江文献丛考》，浙江人民出版社，1983 年版。

巧思妙技

科技上的重大突破期
发生在公元十世纪的中国，
尤以江南为盛，
其根源是人力资源的兴盛
激发了自然和社会资源
的最大效用，
而其间的科技进步，
助推了各股前进动量的叠加。

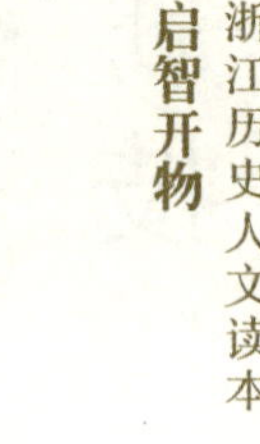

引　言

在人类社会发展的坐标上，科学技术的重要性已无庸赘述。然而，人类社会发展进程至今无法摆脱处于基底的巨大阻力，它们缘自气候变化、资源局限、人口压力、地缘较量等等。如果将作为现代生产力中最活跃要素的科学技术放到一个长时段和大时空的棋局里，突出人口要素对社会发展、科技进步的影响力，或许能赋予“技术创新引领经济转型”以更广阔的历史背景。

浙江地处东南形胜。“钱塘自古繁华”，则始自东汉末年中原人口第一次大规模南迁。安史之乱后的第二次人口大规模南迁，人口重心首次从黄河流域移到了长江流域。东南人口增长对经济社会发展的推动作用，随着宋室南渡达到峰值。江浙湘鄂闽桂，人口遍满。北方大量劳动力和先进垦殖技术的南传，正与越南占城稻的引入相汇合，鱼米之乡的“粮食革命”为工商经济的发展创造了无比广阔的人力和市场空间，经济上南强于北的局面完全确立。

科技上的重大突破发生在公元10世纪的中国，尤以江南为盛，其根源是人力资源的兴盛促成了自然和社会资源的最大

效用。而期间的科技进步，助推了各股前进动量的叠加，活字印刷在坊间的出现和流传就是最好的明证。类似的历史机缘后来发生在18世纪的欧洲，工业革命及随之兴起的整个人类现代化进程，直至今日仍引领社会进步的主流价值。

但人口大爆炸在明清两代持续，农业生产却在南宋至明初已达高产均衡，高密度人口聚居区的温饱困境开始拖累人口的结构性变化。在中国的人口地理学界，有一条著名的“胡焕庸线”，这条线从黑龙江瑷珲，经四川雅安、盐源，到云南腾冲，大致为倾斜45度的直线，且与400毫米等降水量线基本重合，几乎是适宜生存地区的界线。中国历史上大规模的人口迁徙，表面上看是因为民族矛盾和战乱，但根本上与气候变化有关，主要是干旱和土地荒漠化。这条1935年划出的人口分布线两边的平均人口密度比为42.6∶1。

在线东南的高密度人口聚居区，人口资源无法从田间完全分离出来，农业过密化拖累了城市化进程及伴随的有效劳动分工、资本流转和技术进步，最终束缚了经济和社会发展。在回答为什么13世纪之后中国的科技创新几乎停滞的问题时，法国历史学家布罗代尔的解释是，人口众多导致中国不需要技术进步。为什么显得“不需要”？因为有巨大的消费市场吗？不是，因为有巨大的不计收益率只期维持和改善生计的劳动力市场。

浙江地处“胡焕庸线”东南的长三角地区，人口与可得资源间的关系长期紧张，地少人多，加之其他就业机会缺乏，为增加收入，农民尤其是老弱妇孺甘愿投入到比种地更辛苦、效益更低的家庭手工业。于是，在明代比英国棉布产量大出6倍之巨的产能规模，就由一家一户的农村家庭来完成，这些家庭手工业的劳动生产率几乎没有随产能的增长而提升。其实在明清之际，纺织技术的更新不是没有发生，“然而由于长江三角洲既有的长期的人口对土地的压力，有发展的增长几乎总被过密型增长所取代，劳动生产率的大多成果为农业劳动力的持续扩张所吞没”（黄宗智《经

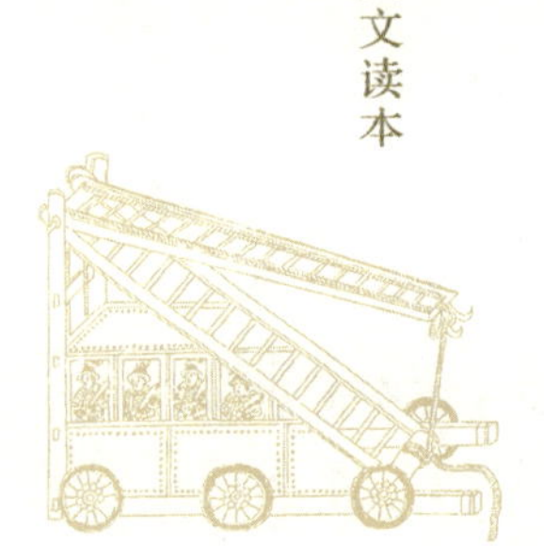

验与理论：中国社会、经济与法律的实践历史研究》，中国人民大学出版社，2007 年，第 39 页）。著名历史学家黄宗智先生称之为“过密型增长”，这是一种没有发展的增长。无论农业还是家庭手工业，都是类似的过密化，以致在巨大的人口压力下，“男耕女织”成为上至统治者下至老百姓都安乐于此的非常牢固的经济体和生存意识。其实，这是工业革命前的农业社会普遍陷于的困境。英国人马尔萨斯在 1798 年出版的《人口学原理》中对技术进步克服人口过剩表示悲观。后来，这种人口增长吞噬科技进步的死循环被命名为“马尔萨斯陷阱”。这个陷阱靠持续的技术革新才能得以摆脱，欧美借此有两百多年的持续发展。

话说至此，有个结论已非常明确：长期的人口压力和技术革新迟缓是低报酬的主要根源。这就是明初以来，600 年间，我们一直面临的根源性的发展难题，也是包括科学技术创新在内的诸多社会进步遭遇到的最大阻力。为什么要把时间段拉到 600 年那么长？为了说明我们面对的问题可能无法一蹴而就地解决，我们需要理解和接受这个困难，在遭遇困局的时候对畏难或怨恨的情绪保持警惕。

从人口要素着眼，缓解压力的基本思路是疏散密集区域的农业人口分布，无论是地理上的，还是产业上的，这正是改革开放 30 年里，我们找到的成功突破口，它带给世界无限惊奇。经济学家张五常用“惊天地、泣鬼神”来总结 30 年改革的成功在于农村人口大规模转入工业产业，他说，“我们面对的大

时代转变，重点是地球上有二十亿以上的贫困人口，为了改进生活一起站起来参与国际产出竞争。……中国重要，因为整个大转变是三十年前由中国发起的”。他肯定地说，“记忆所及，这是第一次农民看到一丝曙光”（张五常《中国的经济制度》，中信出版社，2009 年，第 25、175 页）。然而，过密化的现象在吸纳农村转移人口最多的乡镇制造业上重现。这是目前我们面对的人口压力的新版本，它提醒我们要持续激活劳动力，就要接受中国的农业发展还将长期以小农经济为基础，工业发展可能短期内也无法完全摒弃劳动密集型产业。它也提醒我们，因吸纳境外工业技术全球化转移而促成的新技术涌现的好局面也在迅速退去。

据估计，未来 30 年，中国还将新增 2 亿人口，还将有 3 亿农民从乡村走向城市。也就是说，至少有 5 亿中国人需要在有限的国土空间上重新布局，富庶又安稳的浙江仍将首当其冲，这意味着浙江的土地和产业仍要承载大量区域外的劳动力。在这个意义上，黄宗智先生提出的多种经营的农业发展战略是有意义的，农业的产业化和科技化不仅能有效吸纳乡镇工业回吐的劳动力，也同时提升了农业劳动生产率，改善了农业过密化。工业方面，如果张五常提出的中国经济改革成功的密码——“县域竞争”仍将继续，那么，农地转作工商业用途的增值竞争将被科技引进的增值竞争所取代。这是势所必然，也是一个事关整体的上层的进步。至于这场竞争的焦点如何凸显、如何轮转，张五常也承认预言无从着手。

但有一点是清楚的，科技的创新、推广及产业化，都需要资本的大力倾注。这可能也是有专家提出金融体制改革是攻坚一役的原因之一。在汉代以前，科技进步主要的推动力是官家，高端的手工工场以官办为主。到唐宋时期，随着工商业的发达，官办与民间的交流日益增多，官窑、民窑的一体化就非常明显地反映了这种交流，从此，技术的创新和应用在民间越来越活跃。到了晚清的近代化进程，官方与民间的技术投资方向出现了明显的分野，官方投资主导了事关国计的资源产业领域，

民间投资则主要集中在衣食住行的轻工业领域，这种局面一直延续至今。

此时此地，科技创新的主角正在孕育吗？英国工业革命的兴起揭示了科技力量的兴盛需要多重趋势的巧合，但它们之间显然也彼此关联，如农业革命、原始工业化、新型人口结构、新型城市化、新的消费模式以及大量资源产出等等。这些代表当时英国社会变革方向的时势，在当前的经济社会发展中，都已然成为热点、焦点、瓶颈和突破口。因此，我们有理由期待一场自主的科技革命。我们更有理由期待由新科技带动的经济持续性集约型增长将刺激社会的广泛转型。只有在这个意义上，无论是宋代以前我们对人类科学技术进步所作的开创和贡献，还是近代以来我们在科学技术引进上享受的“后发优势”，都才更加值得回顾。做历史的听风者吧，捕捉那些观念、方法、技术、产品脱颖而出或更新换代时的声音，感受它们顺应时势、推动进步的力量。

（本专题由周静主笔撰写，陈墨、屠晨昕、吴久久、庞茹、王科、杨佳虹、黄莺参与写作）

阅读链接：

江晓原：《我们的国家——技术与发明》，复旦大学出版社，2010 年版。

［英］李约瑟原著，科林·罗南改编：《中华科学文明史》，上海人民出版社，2010 年版。

（明）宋应星著，潘吉星注：《天工开物译注》，上海古籍出版社，2008 年版。

（北魏）贾思勰著，缪启愉等注：《齐民要术译注》，上海古籍出版社，2009 年版。

怪游台上度时势

越王勾践是春秋五霸中的最后一个霸主，辅佐他卧薪尝胆、十年生聚的是有“中国商父”之称的范蠡和他的老师计然。在吴越争霸之际，计然的治国之策与后来范蠡的行商之道是一以贯之的，都是一拼实力，二度时势，关键在于认识和运用事物的周期。越国霸业完成，范蠡带着美女西施挂冠出走，行商各地，积下千金家业。走前他不仅说了很著名的“飞鸟尽，良弓藏；狡兔死，走狗烹”，还喟叹说：“计然的七大策略，越国用了其中五项就雪了耻，立了霸业。既然强国能用，我治理家业就更可以用了。”

在“候时物转”方面，范蠡是实践家，而计然更像先觉者。据《越绝书》记载，2500 年前，勾践在龟山（今绍兴塔山）筑起 46 丈高台，这是有史以来第一个如此巨大的观象台，名“怪游台”。怪游台位于司马门东南，是灼龟甲占卜的地方。还用来仰望天象，观察祥瑞灾异。计然流连台上，对天文运行与农业丰歉进行了周期性研究，并据此预测粮食生产的变化趋势。他给出了一个周期性的公式：岁星（木星）运行到金的位置时是丰收年，在水位时可能有饥荒，在火位时则是大旱之年。每隔 6 年有一次丰年、一次平年，每隔 12 年出现一次大饥荒。他认为“岁星”12 年间分别经过金、木、水、火等方位绕太阳一周期，同农业生产由丰年到灾年的周期有

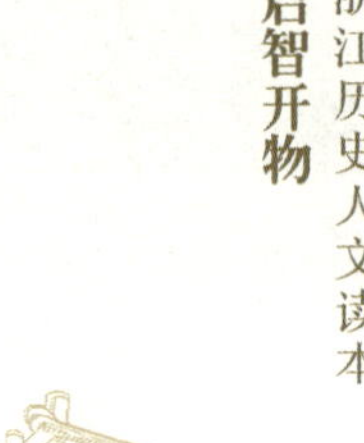

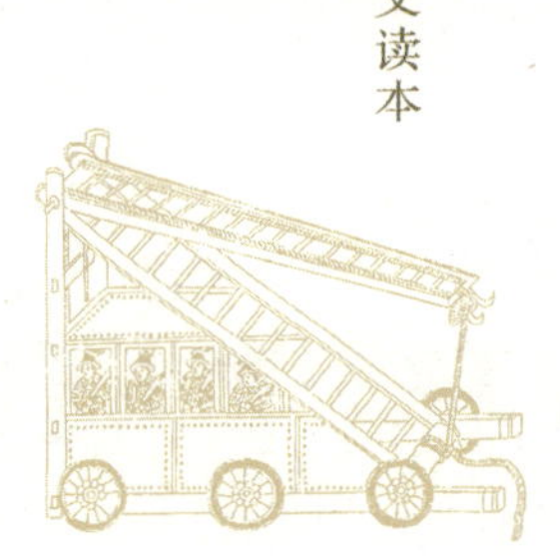

敦煌文书《占云气书》

吻合之处，以此来掌握未来不同年份的农产品尤其是粮食产量的增减趋势，并制定攻伐策略。这种以长期循环波动的眼光看待农业生产和地区发展的方法，自有其审时度势的科学性。所谓“十年教训”，可能也包含策略的时间窗口问题。

在我国，农作物要丰收就要靠季候风带来的雨，季候雨直接关系到农业产量。同计然一样，当时的人们认为天体的运动即是一架计时的大钟。记天象，授民时，以星象定季节和农时，对天象的观测，可以说首先是为了农事的需求。当然，观象授时跟物候授时一样，属于被动授时。当人们对天文规律和周期有更多的了解，尤其是掌握了回归年长度以后，就能预先推断季节，历法便应运而生了。所以，古代的天文学与历法，两者密不可分。

计然将古代天文学知识与五行说结合起来的做法，还有借鉴星占术的成分。在强盛国力的目标下，越国尤其迫切地需从

天地与自然讨生活，重视自然界的风霜雪雨，视江湖树石为神明，以致相信天上的列星是天上的官属，反映人间社会，天候变化是人类行为的反映。可以说，越王勾践和他周围对决策有影响力的人，在怪游台望天象、察云气，还有一层“天道人世”的意思。春秋战国500年间（前770—前222），政权更迭频繁，星占家们各事其主，大行其道，引起了王侯对恒星观测的重视。考古所得的文献中，对望气之学，颇有记载。敦煌有一卷占云气书残卷《望云气说》，讨论解释不同形状的云气及其代表的兵象，是行军侯望云气的参考书。后世有“云从龙，风从虎”的说法。云气，又简称为“气”，例如王气、天子气等等。天道之玄妙落在了人世里。

阅读链接：

（西汉）司马迁著，卢苇、张赞煦点校：《史记》，浙江古籍出版社，2000年版。

三尺青锋越王剑

说起越王勾践剑，我们并不陌生。现在它静静地横卧在现代材质的架子上，穿越两千多年的时空，被我们认作吴越争霸时期荣辱相继、盛衰流转的见证。

勾践剑，属青铜剑，制作极其精美。剑长 55.7 厘米，柄长 8.4 厘米，剑宽 4.6 厘米，剑首外翻卷成圆箍形，内铸有间隔只有 0.2 毫米的 11 道同心圆，剑身上规则的黑色菱形暗格花纹绵密交织，剑格正面镶有蓝色玻璃，背面镶有绿松石。靠近剑格的地方有两行金丝鸟篆铭文，经郭沫若先生的破译，这八个字透露了佩剑的主人："越王鸠潜（一说鸠浅，是勾践的通假），自乍（作）用剑。"这件我国青铜短兵器中罕见的珍品，1965 年冬出土于湖北江陵望山一号楚墓内棺中，该墓的墓室曾经长期被地下水浸泡，当它从楚墓中被发掘出来，我们照例惊诧于它毫不锈蚀，锋芒毕露，寒气逼人。越王勾践剑出土至今仅做过一次质子 X 荧光非真空分析，得知这柄青铜剑含铜、锡、铅、铁、硫、砷元素等成分，并推定剑身采用二次工艺合成，先制剑脊，后铸剑刃，剑脊含铜多，韧性足，不易折断。刃部含锡高，硬度强，剑刃锋利。

勾践剑

关于勾践剑如何防锈的问题，有专家推测，剑身含硫成分证明勾践剑曾用硫化铜涂层，因而可有效防止锈蚀。关于这点，目前仍有争论。反对意见认为，该剑表面黑色花纹处的含硫量只有 0.5%、剑格表面的含硫量比较高，达 0.9%—5.9%，剑身的其他部位都未检测出有硫存在。且硫化铜是一种结构并不致密的物质，在用剑时，人的手指会经常摸到剑格，从而很快就将该处的硫化铜抹去，没有涂层的必要。进而推断，勾践剑表面上的硫化物，其实是墓室中尸体、丝绸衣物、食物等腐烂后产生的。实物互证的结果似乎也不利于涂层说。和越王勾践剑一道藏于湖北省博物馆的，还有铸造于同一时代且同样精巧的吴王夫差矛，1983 年出土于江陵马山楚墓。由于该墓的保存情况不好，棺木等大都已经腐烂，夫差矛出土时不仅矛柄几乎全部腐烂，其青铜表面也都布满了绿色的锈层。可见，勾践剑不被锈蚀的原因可能仅是最简单的水绝空气而已。

青铜是铜与锡或铅的合金。纯铜质地较软，三者的熔点很低，很易熔化，混合成为合金后，质地相当坚硬，足以铸造为各种器用。人类最早使用铜制品的考古遗存，当是今日土耳其的恰约尼（Cayonu Tepesi）遗址，位置在幼发拉底河上游的一条小支流旁，安那托利亚边上。从原始的铜制品进展到青铜铸造的器用，在西亚经历了不下两千年之久，直到公元前第三个千年纪，才进入青铜文化时代。我国最早的铜制品和青铜器遗存在齐家文化，至少晚于西亚两河流域青铜文化有整整一个千年纪。齐家文化所在的甘肃地区，正是古中亚交通路线的东边尽头。我国新石器时代的铜制品，原始铜制品与青铜铸件各地均有出现，以其分布情形看，西部的铜制品早于

东部。由此，史学家许倬云倾向于推测，我国的青铜工艺当经由西路，从西亚传入，但传播过程中，我国工匠可能并未得到铸造合金的完整知识，于是各地还是从打造原始铜件开始，摸索寻求青铜工艺的技术。

青铜铸品，作为小型的锋利工具，切割功能胜于石器、骨器。但是青铜质脆易断，用于大型破土的农具和砍伐树木的斧斤，并不十分有用，未必能提高生产水平。而用青铜制作武器，却能提高杀伤力。因为铜料难得，铸铜技术又不是人人能够掌握，以致只有少数人垄断了青铜兵器。青铜兵器及其代表的青铜文化见证了资源的集中、社群的分化和国家的形成。

由此引出第二个问题，既然青铜兵器象征权力，那么越王勾践剑的技术含量何在？《越绝外传记·宝剑第十三》载："越王句（勾）践有宝剑五，闻于天下。"又说："赤堇之山，破而出锡；若耶之溪，涸而出铜。"铸造青铜器的铜锡选料是相当受重视的。另外，铸造青铜器的温控技术是从高温焙制陶器中练就的。当然，制造陶模的技艺也保证了青铜器精美的形制。

那么，锡铜配比技术如何解释呢？传说勾践剑由欧冶子铸造，他为越、吴、楚王都铸过兵器。而同时代另一个铸剑师的故事恐怕更有名：吴王阖闾命欧冶子的女婿，可能也是他的师弟干将铸剑，但干将此时尚未熟练精准地掌握铜锡熔流合一的关键程序，直到他的妻子莫邪断发剪爪，以血肉之躯投身熔炉，童男女各三百全力鼓风，铜锡乃熔，铸成干将、莫邪雌雄双剑。从技术角度出发，我们或许可以把这个惨烈的故事作为如下结

论的佐证：铸造青铜宝剑的关键技术是铜锡等合金配比和适时的温控，商代铸造大型青铜器皿如此，春秋战国铸造兵刃也是如此。铸剑师欧冶子备受南方各霸主青睐，正缘于他是熟练掌握、甚至可能垄断了铸造青铜剑技术的极少的几个工匠之一。

最后，还有一个不关涉技术的问题：为什么越国的宝剑、吴国的铜矛会在楚墓中发现呢？当年郭沫若的推断是，越国灭了吴国之后，夫差的矛就流入了越国，后来楚国又灭了越国，勾践剑和夫差矛流落到了楚国。

阅读链接：

彭裕商：《春秋青铜器年代综合研究》，中华书局，2011年版。

容庚：《殷周青铜器通论》，中华书局，2012年版。

铸得宝剑名龙泉

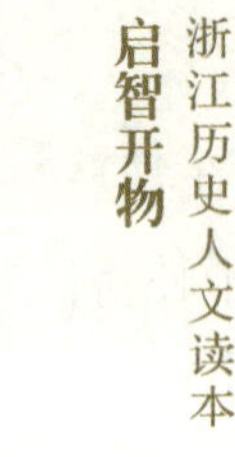

“带长铗之陆离兮，冠切云之崔嵬……”悲歌一曲《离骚》之时，屈原大夫紧紧握住腰间宝剑，尽情书写着自己在流放中依旧坚守着的傲岸、不屈、忠诚与高洁。

剑，没有刀的威猛，枪的迅捷，锤的蛮力，为什么会被称为“百兵之君”？只因数千年来，剑都是操守与美德的化身。作为古之圣品，剑至尊至贵，人神咸崇，历代的王公贵族，文人侠客，商贾庶民，无不以持之为荣。

相传，春秋末年，铸剑大师欧冶子奉楚王之命铸剑，遍访了江南名山大川寻找铸剑佳地。在浙南地界，他见秦溪山下湖水甘寒清洌，又无鸡啼犬吠，宜于铸剑，遂取山中铁英，铸成龙渊、泰阿、工布三柄名剑。

它们，正是中国铁剑的始祖，是中国冷兵器由青铜时代向铁器时代进化的标尺。

一方宝地因剑得名。欧冶子当年的铸剑处，今天也就被称为龙泉。

一柄好剑，必然汲取了日月山川之精华。龙泉地处瓯江上游，山溪中蕴藏含铁量极高的铁砂，即为“铁英”；茂盛的森

林提供优质燃料；秦溪山下有北斗状的七口井，水质特异，甘寒清洌，用来淬剑非常合适；宝剑锋从磨砺出，龙泉山石坑特产一种名为“亮石”的上好磨石，用来砥砺刀剑，锋刃锐利，寒光逼人。

因天之灵、地之气，得山川之秀，又得巧匠尽施平生技巧，龙泉得以铸成独步天下之剑，成为跨越2500年的悠悠传奇。

有了欧冶子这个祖师爷在此，龙泉就有了一门今天别处几乎没有的职业——铸剑师。直至今天，龙泉老字号剑铺仍比比皆是，数千年铸剑不断，名扬海内外。龙泉因此而剑气冲天，窑火烈炽，龙泉渐渐成了宝剑的代名词。

都说龙泉剑好，究竟好在何处？

“龙泉宝剑的锻造工艺考究得很，有‘三斤毛铁半斤钢’的说法。”龙泉剑的当代传承人季劭聪说。打造一柄龙泉剑，锻打火候足，反复折叠，多次锻打，剑身结构致密，成分均匀，花纹自然清新。剑身刚柔并寓，刃部夹钢锋利。淬火独特，剑身极为坚利。“亮石”研磨，磨剑之功倍于锻打，花纹自现，寒光逼人。采用龙泉土长花梨木制剑鞘，不加髹漆，越用越亮，古色古香。

在《古剑篇》里，唐代诗人郭震这般描述龙泉剑：“君不见昆吾铁冶飞炎烟，红光紫气俱赫然。良工锻炼凡几年，铸得宝剑名龙泉。龙泉颜色如霜雪，良工咨嗟叹奇绝。琉璃玉匣吐莲花，错镂金环映明月。”

香港武术家赵从武把铸炼花纹宝剑称为“东方民族的独特秘密”，“几个世纪以来，西方冶金家一直想仿制花纹宝剑，但是以今天的科技，还是不能成功”。

在清朝，因为热兵器的崛起，中国的传统铸剑技巧逐渐失落了。“前些年，大家慢慢摸索，才把古法找回。”季劭聪说。如今，一把上好宝剑的磨工，少则需五六天，多则需十多天。季劭聪把他的手掌给笔者看，上面有很多疤痕，一节手指向手背弯曲。“都是研磨时不小心蹭到的。越年轻的时候越容易有伤疤，因为性子

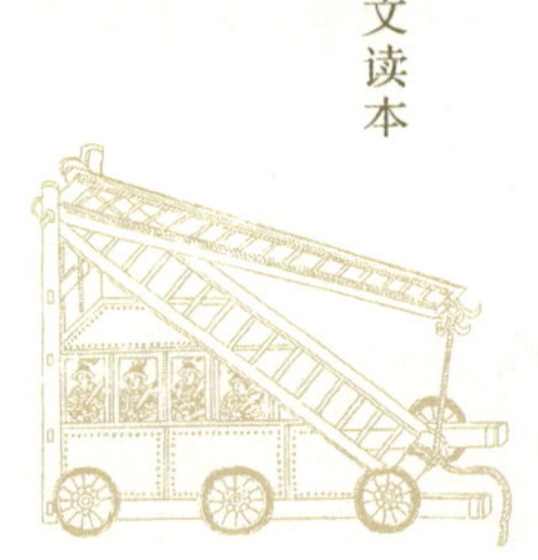

比较急,有节手指还蹭断过。”季劭聪说,剑铺的学徒在“背大锤”打铁之余，必须学会磨剑，以培养耐心、细心。

古人云所谓“十年磨一剑”，诚如斯言，并非妄断。

“古法铸剑虽然比较费钱，但是，现代有很多人钟爱高品质的宝剑，愿意花个8万10万、甚至20来万买一把剑。所以，我们也肯下大功夫，铸造真正的精品宝剑。”龙泉的铸剑师们，拒绝商业化模式，坚守着祖辈手工制作的传统，只接受定制。然而，手工铸剑的成本很高，要花很多人工，光一个剑条，不锤炼20到30天，是拿不下来的。更不用说，每把剑要根据客户的力量找到平衡点，在量身定制上耗费的心血。

虽然赚的是辛苦钱，如今，季劭聪铸剑一年也能赚到几十万。前年，新版电视剧《水浒》看上了季劭聪，请他做该剧的兵器顾问，来设计制作剧中所有兵器和刀剑。为此，季劭聪一家几乎忙了一整年。

作为武器，剑的实用价值早已消失殆尽。然而，经过2500多年历史沉淀，龙泉剑已然升格成为一种品质、一种理想、一种精神。

李白的“万里横戈探虎穴,三杯拔剑舞龙泉”;辛弃疾的“拔剑四顾心茫然”“醉里挑灯看剑”；贾岛的“十年磨一剑，霜刃未曾试。今日把示君，谁为不平事”……古诗词中的剑，散发着种种独特的气质。

没有虎虎生风的野蛮霸道，没有图穷匕见的以命相搏，长剑在手，意味着坦荡与豪放，意味着举重若轻与沉着冷静。它

是刚柔相济的和谐，是风流潇洒的自然。

比如干将莫邪的悲壮，比如眉间尺报父仇的怪奇，古代有关剑的故事，一直与坚贞、信义、勇敢、牺牲、忠诚结下扯不断的缘。排名中国古代十大名剑第五的龙泉剑，则以“诚信高洁之剑”而闻名于世。

春秋时期，伍子胥因奸臣所害，被楚国兵马一路追赶，逃到长江之滨。上游有一条小船驶来，渔翁呼他上船，隐入芦花荡甩掉追兵。伍子胥千恩万谢，解下祖传三世的龙泉宝剑欲赠渔翁，并嘱托他千万不要泄露自己的行踪。渔翁仰天长叹：“搭救你只为你是国家忠良，并不图报。而今，你仍然疑我贪利少信，我只好以此剑示高洁。”说完，横剑自刎，只留下伍子胥悲悔莫名。

回味这位渔翁这样最典型的春秋风骨，禁不住令人嗟叹。在2500年前，许多中国人把道德与信义看得比生命还重。诚信、高洁，恰恰是今天处于历史拐点之中的中国和中国人，尤为稀缺的东西。

当手提三尺龙泉剑，端详其精致花纹，陶醉于其凌厉寒光，拔剑四顾之时，你感受到那位令伍子胥无地自容的渔翁的精神力量了吗？（屠晨昕撰）

阅读链接：

杨宽：《中国古代冶铁技术发展史》，上海人民出版社，2004年版。

北京科技大学冶金与材料史研究所：《铸铁中国：古代钢铁技术发明创造巡礼》，冶金工业出版社，2011年版。

北人南移铸铜镜

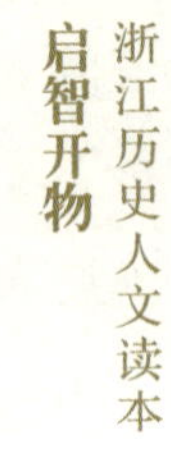

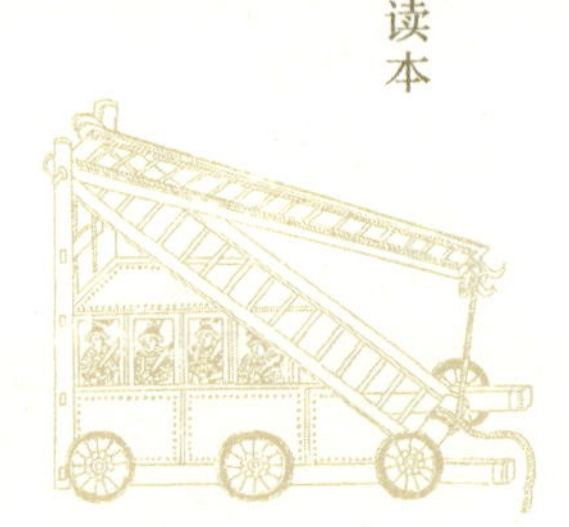

会稽铜镜和越国兵器、越窑青瓷并称“古越三宝”。春秋时期，越国不仅有铜、锡采选业，还利用铜、锡制造剑、戈、矛、镞等青铜兵器和犁、铧、锄、镰等农具。章鸿钊先生遗著《古矿录》进一步将会稽境内铜锡矿藏的地点敲定：会稽县东五十里有锡山，越王采锡于此。铜牛山在县东南五十八里，有铜矿，该山北湖下有炼塘里，是勾践炼铜的地方。到了汉代，会稽境内冶炼业重心转向日用品和装饰品，成为全国铜镜制造中心。工匠以山阴鲍氏、唐氏最为著名，鲍氏不仅在家乡，还远至湖北等地铸镜（湖北鄂城出土铜镜上铸有“会稽鲍氏制作”字样）。相较青铜兵器，青铜镜的技艺主要体现在精美的图案上。

在最近绍兴博物馆举办的“会稽铜镜的故事”收藏展上，我们领略了汉唐铜镜的光辉。绍兴出土的中大型青铜镜主要是“神兽镜”，用青龙、白虎、朱雀、玄武分布四方作为主要装饰，因为汉代人信奉四神有神力，能守四方，去辟不祥。从铜镜铭文看，有辟邪内容的也相当多，如“尚方御竟大毋伤，巧工刻之成文章，左龙右虎辟不祥，朱雀玄武顺阴阳，子孙备具居中央，长保二亲乐富昌，寿敝金石如侯王”等等，表达平安幸福的愿望。

西王母铜镜

对镜自照的人，盼望在镜中出现的容颜，是“上有仙人不知老”。

嫦娥奔月的故事为人熟知。东汉张衡的天文著作《灵宪》有曰：“羿请不死之药于西王母，嫦娥窃以奔月，遂托身于月，是为蟾蜍。”可见，西王母形象寄托了人们健康延年的祝福。绍兴一带出现最多的西王母车马神像镜，沈从文先生在《古代镜子的艺术》中描绘它们铜质精美，西王母蓬发戴胜，仪态端庄，旁有玉女侍立，间有仙人六博及毛民羽人竖蜻蜓表演杂技。主题图案组织变化丰富，浮雕技法也各具巧思。有的运用斜雕法，刻四马并行，拉车奔驰，珠帘绣幰，飘忽上举，形成纵深体积效果，制作十分生动，在中国雕刻艺术史上是新成就，后来昭陵六骏石刻及宋明剔红漆雕法，都受它的影响。这类西王母车马人物镜，是由四神规矩铜镜发展而成的，可代表汉末过渡到魏晋时代的产品。

金工铸造青铜镜的技艺源于楚地，带着巫师的气息。春秋战国时期的楚式镜

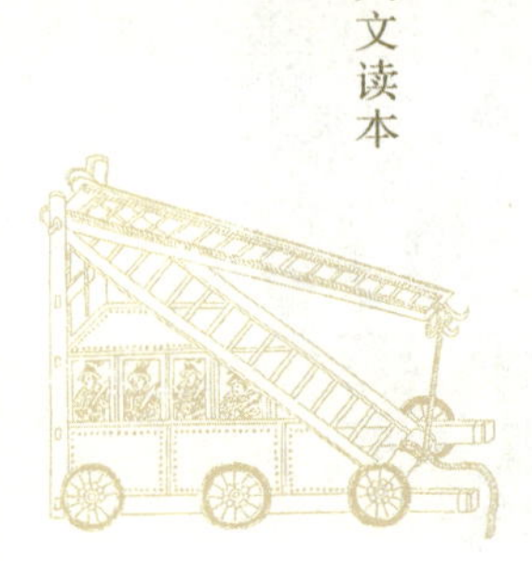

是早期比较有名的铜镜，新中国成立后长沙战国楚墓中出土的青铜镜子特别多。这些镜子埋藏在地下已经过二千三百余年，出土后还多保存得十分完整，镜面黑光如漆，足可鉴人。沈从文先生据西汉《淮南子》推断，是用“玄锡”作反光涂料，再用细毛呢摩擦的结果。这种磨镜药是用水银和锡粉制成的。经近人研究，制作“玄锡”这种水银混合剂，要依靠烧炼水银的新技术。这时期开始流行鎏金技术，同样要利用水银才能完成。这些重要的发现或发明，是中国冶金史和科学技术发明史上的大事。由于新科技的应用，金工装饰艺术更加显得华美壮丽。

春秋以降，越地就有技艺超群的青铜铸造师，但关于绍兴铜镜技艺的传承，浙江省文物考古所的老所长王士伦先生在《浙江出土铜镜》中指出，北方人南迁带来的铜镜工艺促进了南北青铜铸造技术的交流，成就了绍兴的铸镜产业。北人南移是一个长期逐步的过程，既有逃避疫疾、战乱求生存的，还有垦荒求繁衍求发展的。从东汉开始，经过几次大规模迁徙，北方郡县人口持续缩减，长江流域不断增设郡县，中央政府的控制也日益充实。永嘉之乱以后，汉人终于填满了中国东南及南部沿海。大批南下流民，大多以大姓为核心，挟带依附人口，成群移往南方。三国时代，吴国的一些大族，不少即是以这一方式形成地方势力。因此，可以推断，会稽铜镜技艺基本是由南迁的北方金工巧匠带到当地的。既然境内有较好的铜矿，铸镜师汇聚会稽也合情理。

比起北方少数民族之间激烈的列国征伐，发生在南方的文化融合则相对平顺。北人南移，极大地促进了南方经济、社会和文化的发展，而且，东汉覆亡后，历三百年乱世和大动荡，中国仍能以秦汉秩序到达隋唐盛世，南北实现整合的意义就尤其重大。会稽铜镜的光辉里折射的就是这段中古社会的分与合。

阅读链接：

沈从文：《铜镜史话》，万卷出版公司，2005 年版。

王士伦：《浙江出土铜镜》，文物出版社，2006 年版。

自然幻化炼金丹

杭州西湖北山葛岭的炼丹井，传说是被李约瑟博士赞誉为“最伟大的博物学家”的葛洪（约 283—363）炼丹的水源之处。东晋时代的葛洪在道家内外丹修炼上尽得要领，对炼丹极为推崇。他认为服用草木之药，虽然可以延年，但却无法成仙，只有服用金丹和黄金，才是炼人身体，才有可能不老不死。这个想法在现在看来是不可理喻的。

阴阳五行是炼丹术的基础理论，也是中国传统科学的基础框架，天文、数学、地理、农学、医学等等都以阴阳五行作为原初理论。金、木、水、火、土，是世间最基本最强势的物质要素，它们两两生克，循环流转，统摄于阴阳二端的互动，构成对自然变化的解释系统。这是一种将世间万物纳入最简要、也最庞大的模型体系的本体论和方法论的结合。五行说当然有荒谬之处，王充在《论衡·物势篇》中，就以五行相生克对应生肖相生克之荒谬来责难这套解释系统。诚然，理论过于精密、走向极端都是有害的，但作为我们理解自然和人世的诸多观念体系中的一种，它曾经帮助古人规整纷繁的所闻所见。比如在

李约瑟博士看来，中国的五行说并不比欧洲中世纪思想中占优势的古希腊的元素理论差，尽管在科学思想和方法上，古希腊要更严密。

炼丹术士们也以阴阳五行为出发点，理解物质之间的相互转化，并推及人的肉身可从合成金丹中交换出长生不败的物质。我国的炼丹术起源很早，《战国策》中已有方士向荆王献不死之药的记载。汉武帝梦寐以求“长生久视”，向民间广求丹药，招纳方士，并亲自炼丹。从此，炼丹风气开始盛行。

关于炼丹的基本程序大致是：先将矾石、戎盐、朱砂、雄黄、云母、空青、硫磺、雌黄八种（又称八石）合成“六一泥”，再用水银和铅以1:2配比放在铁器内加热，制成“玄黄”，然后，用赤土作釜，内外涂上三分厚的六一泥，晒十日，待里外干透，叫赤土釜，其容量一般有八升至一斗。最后，把丹砂放入釜中，用六一泥封固，用马粪、糠作燃料，烧三十六日经三次大变，就炼成了“金液还丹”。升炼丹砂是炼丹家倾注最多心血钻研的技艺，有所谓“九转七返”之说，即把朱砂矿石（含硫化汞）炼成水银，称为“转”，再把水银与硫磺合炼返回硫化汞，多次反复。葛洪在《抱朴子内篇》中就说，“丹砂烧之成水银，积变又还成丹砂”，积转越久，变化越妙。

炼丹是为了创造一种新物质，其过程主要是化学变化，因此，炼丹术被当作中国古代的化学实验探索。比如升炼丹砂就被赋予重大的意义，认为它不仅是一项最早的无机化学合成工艺，而且是用合成方法确定一种物质（丹砂）化学组成的最早范例，也是人类对化学可逆反应认识的开端。葛洪积变还丹说也被当作古代炼丹家对该可逆反应的简单概括。比如葛洪记载的“火法炼丹”包括煅（长时间高温加热）、炼（干燥物质的加热）、炙（局部烘烤）、熔（熔化）、抽（蒸馏）、飞（又叫升，就是升华）、优（加热使物质变性），现在看来的确接近现代化学实验的方法。

但古法炼丹与现代化学实验还是有本质差异的，异处不在于实验方法、器具和成果应用，而在于人们对现实的态度。方术为什么从本质上不能称为现代意义上的科学？因为它越过了理解现实这一关，直接追求一种新事实，比如长生不老或点石成金。以经典现代科学思想为坐标，把炼金术和化学区别开来、星相学和天文学区别开来的，是这样一种科学态度：它要面向实践，而不是观念。

然而，从百年的时段看，我国的科学发展到魏晋南北朝时代，已迎来高峰，好比舟将行至水面浩瀚平阔处。当时，有刘徽、祖冲之的数学，有葛洪、陶弘景的炼丹学，还有贾思勰的《齐民要术》和郦道元的《水经注》。在那个时代，不仅是天文历算这样的官方科目，所有的科目都有很活泼的发展。但是，从政治和社会发展来看，这又是个天下大乱、四分五裂的长时段。参照春秋战国的百家争鸣，许倬云先生的一句论断被很多人认同：中国的科学，即使是实用的科学，其萌芽固在任何时候都可以发生，但是最灿烂的时代，是思想上不归一的时代，因为这时，思想最容易因竞争而开花结果。这个判断固然是一家之言，但多元的环境，文化的碰撞，的确能激发人们对新事物的渴望和探索的意志。

抱怨乱世里放不下安静的书桌，多少是个偷懒的借口。其实，修炼道教神仙之学和养身方术的葛洪，被拖去带过兵，在晋太安初年（302）应征率兵打过张昌、石冰的农民起义。当时正值八王之乱，葛洪解甲归田之后就不再出来做官，弃职回

乡后不久，就开始过起了寓居东南，游历仙山，炼丹养身，著书立说的生活。除了杭州西湖，他还悠游过甬台地区的各处名山秀水，据说《抱朴子》就是在天台山写的。炼丹术流行了一千多年，最后还是一无所获，隋唐以后逐渐衰落。但想想葛洪带着几个徒弟，在山林间汲水、置鼎、养火、炼丹，哪怕遭遇炸鼎，他也一定是兴致勃勃的。

阅读链接：

唐登钢：《黄金战争：图解古代化学的故事》，陕西师范大学出版社，2010 年版。

［英］J.R. 柏廷顿著，胡作玄译：《化学简史》，中国人民大学出版社，2010 年版。

因势利导通济堰

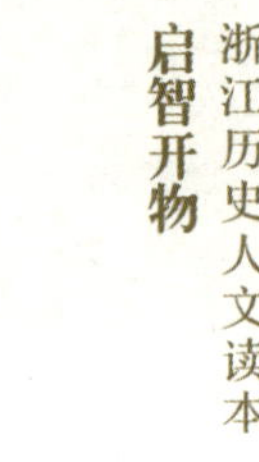

通济堰位于丽水莲都区碧湖镇堰头村边，建于南朝萧梁天监四年（505），距今已有1500多年历史，是浙江省最古老的大型水利工程。

山地，是丽水生态的第一要素。浙江省地势东北部低，西南部高，自东北向西南倾斜，呈梯级上升——浙北地区是水网密集的冲积平原，浙东地区是沿海丘陵，浙西南地区是山区。处于西南地势抬升区域的丽水，境内千米以上的群山盘结，山水交错，地形复杂，有“九山半水半分田”和“两山夹一水，众壑闹飞流”的地貌格局。山溪性河流与平原河网不同，水位暴涨暴落，径流量年际变化较大，季节分配不均，梅雨和夏末水量最大，冬季为枯水期，只有丰水期流量的一成左右，加之两岸山势急剧起落，难以形成大面积的宽舒的平原耕地。区内河谷盆地小而狭长，占全区土地面积不足3%，可利用的耕地就更少。

南朝梁武帝天监初年，有位姓詹的司马到处州（今丽水）巡察武备。在考察碧湖平原时，发现这里是当地难得的平原良田，却因山溪水势难控，一直没有建成有效的水利灌溉设施，

旁边的松阴溪水不是等闲流逝，就是泛滥成灾。于是上奏建议造堰引水。天监四年（505），朝廷派了南司马和这位詹司马，共同率众筑坝修堰，引水入良田。通济堰建成后，“激水四十里，溉田二十万亩”，真叫泽被后世。后来，宋哲宗元祐六年（1091）冬，会稽人关景晖到处州任知州，于任期内整修了通济堰，在大溪与堰渠连接处修筑石闸木板，按时开闭，调节水流，控制松阴溪水暴涨时对堰坝和水渠的冲击。还有一次大整修是在南宋乾道三年（1167），处州知州范成大与军事判官张澈组织民工浚淤通塞，垒石筑防，设水闸 49 处，并制定了《丽水县修通济堰规》，该规定内容完备，是珍贵的古代水利法规。

通济堰的科学历史价值主要有六个方面。

在大坝选址上，坡降合理是基本问题，过大，水流过急，引起冲刷；过小，流速过缓，泥沙会淤积。通济堰拦水大坝的位置，是整个碧湖平原海拔最高处，可使渠水由落差自流灌溉整个平原。另外，大坝在大溪与松阴溪汇合处的大港头向西

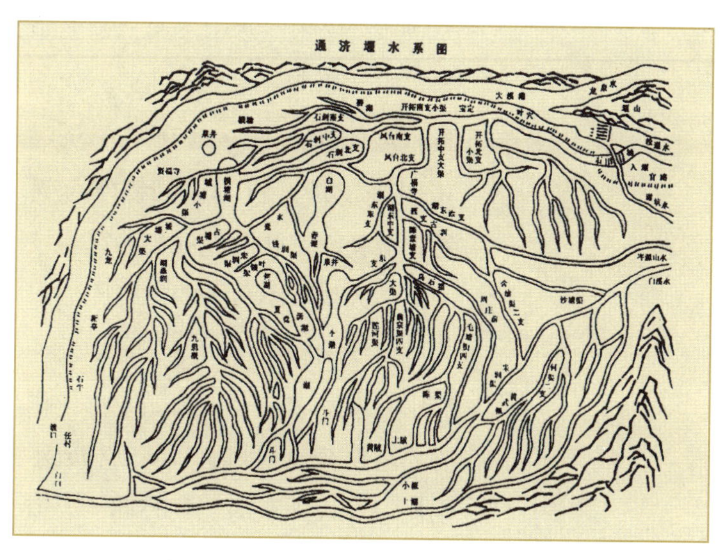

通济堰水系图

500米处，大溪从龙泉港下来的水流产生旋转，部分水流向西冲向拦水坝，可抵消松阴溪大水对大坝的冲力。这是通济堰水坝千年永固的原因之一。

拱形坝体是超前的设计。拱形拦水坝能更好地承受大水的冲力，在理论科学不发达的古代，这是一个了不起的运用。国外最早的拱坝为西班牙人建于16世纪的爱尔其拱坝和意大利人建于1612年的邦达尔多拱坝，而通济堰土坝要早1000多年，宋代改建的石坝也要早400多年。

铁水灌缝和松木填基技术也属独创。开禧元年（1205），辞官在乡的何澹奏请朝廷调派裁减归农的洪州（今江西南昌）兵三千人再次疏浚干渠，将原来的木筱坝改为石砌坝，如今仍保留完好。何澹重修的大坝用千株大松作为坝基，松木在水中不腐，是名副其实的“千年不烂水底松”。为增强石坝的整体性，他在沿江筑起36座炼铁炉，将炼成的铁水浇铸到石坝缝内。此两项独创的筑坝技术，是大坝牢不可摧的重要原因。

明洪武三年（1370）通济堰图拓片

排沙功能需要因地制宜地发挥作用。渠系中具有调节、配水作用的建筑物有分水闸、节制闸和放水闸涵等。战国至南北朝时期，渠道

上修建木闸、石闸已较为广泛，主要用于渠道进水处。通济堰大坝北端设有净宽 2 米两孔、深至坝底的排沙门，上游大水冲下来的沙石，利用排沙门的急流，自动排到大坝下面。大坝北端还设了一座净宽 5 米的过船闸，此闸除供过往船只通行之外，也起着排泄沙石的作用。由于此两处有效排沙石，大坝上方至今仍是清水荡漾，深不见底，为通济堰提供了源源不断的水源。

过水桥主要担负泄洪的任务。山溪在遭逢暴雨时会瞬间形成巨大峰流，这是通济堰要克服的最大难题，特别是离大坝 500 米处，有一条山坑水横贯通济堰渠道，每遇山洪就挟带泥沙淤塞干道。这就需要用到渡槽。渡槽是渠道与河流、道路、沟谷等相交时修建的建筑物，也就是过水的桥。北宋政和元年（1111），知县王禔采纳了学官叶秉心的建议，在堰渠上建造了一座立体交叉石函引水桥。由于石函的下两座桥墩将渠道隔成三洞流过，引水桥俗称“三洞桥”。让泉坑水从桥面上通过，进入瓯江，渠水从桥下穿流，两者互不相扰，避免了坑水的沙石堵塞堰渠。

竹枝状堰渠是世代整修的功绩。不断完善渠系和扩大灌溉面积，是后世疏浚干渠、开挖支渠、毛渠的主要目的。通济渠的灌区历代都在发展。通济渠渠道呈竹枝状分布，由干渠、支渠及毛渠三部分组成，蜿蜒穿越整个碧湖平原。干渠迂回 23 千米，从通济闸起分凿出支渠 48 派，各支渠再分凿出毛渠 321 条。干渠根据地势建有 6 座大闸、72 座小闸进行分流调节，各支渠利用尾闸拦蓄余水，将其注入众多湖塘贮蓄，以备旱时。在众多的湖塘水泊中，最著名的是至今仍在使用的“洪塘”。

阅读链接：

陈建波主编：《丽水绿谷文化丛书》（第二辑），浙江古籍出版社，2010 年版。

刘枫主编，全国政协文史和学习委员会编：《九省运河泉源水利情形图》，浙江古籍出版社，2006 年版。

使宅鱼税筑海塘

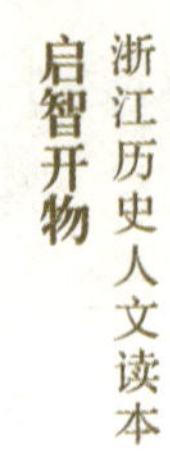

“八月十八潮，壮观天下无。”这是苏东坡咏赞钱塘秋潮的千古名句。但这闻名天下的壮阔涌潮，摧毁能力极强，对浙北沿海地区的生产、生活为害甚大。不仅是浙北，浙江省沿海若遇台风，涌潮凭借风势形成台灾，破坏力就更大。海塘建设，千百年来，一直是浙江省防止潮灾、台灾的浩大工程。当然，筑海塘的益处不仅在防潮，还可以御咸蓄淡，缓解沿海生活和农业灌溉用水紧张，围海造田的产业价值也非常之高。

浙江省海塘以钱塘江为界，分东西段。西起杭州狮子口，东至平湖金丝娘桥的一段，长160千米，称为“浙西海塘”。钱塘江以东的海塘，以甬江口为界，又分两部分，西起萧山西兴，东达镇海的海塘，约长250千米，称为“浙东海塘”。浙西海塘因担负着保卫杭嘉湖平原的重任，是历史上修筑海塘的重点地区，工程规模最为壮观，创建的海塘结构形式也最多。

防海大塘是我国见于文献记载的第一条海塘，约在今杭州钱塘门到清波门一带。北魏郦道元《水经注·渐江水篇》曾引《钱塘记》说，防海大塘约在县东一里，本郡议曹华信家为筑塘征募土石，许诺凡挑来一斛土的人，给钱一千。一月之间，挑土

的人云集而来，但因为海塘没修起来，钱一时也无法兑现，挑土的只好抛掉土石回去了。留下的成堆土石，却最终促成了这段海塘的起筑。郦道元甚至推测钱塘县由此得名。唐代开元元年（713），重筑盐官捍海塘堤之后，浙西海塘系统与苏、松沿线的江南海塘连在一起了。

筑塘技术的突破发生在五代吴越国。据《咸淳临安志》卷三一载，钱氏所筑的捍海塘，在杭州候潮门与通江门外。1983年，杭州市南星桥凤山道口附近的江城路立交桥施工现场，发现了一处古海塘工程遗迹，从地层堆积和出土遗物判断为五代钱氏捍海塘遗迹。从现场发掘剖面看，钱氏捍海塘基础宽25.25米，面部宽8.75米，残高5.05米，证实属“竹笼石塘”结构。其有扎实稳固的基础，基础的内、外侧都打入护基木桩，外侧共有四排护基木桩，木桩间放入一只只盛满巨石的矩形大竹筐。第四排护基木桩外是垒叠的“竹笼沉石”。“竹笼沉石”是用一个圆筒状的竹笼填充石头制成的，笼径0.6米，长4米以上。“竹笼沉石”叠放里侧紧倚第四排护基桩，上下四五层，每层三个。在遗迹塘外水中，发现两排“滉柱”，里排贴住“竹笼沉石”，外排离开里排滉柱约1米。滉柱排列错落有序，柱距1米左右。滉柱是海塘所用桩

吴越钱氏海塘遗址

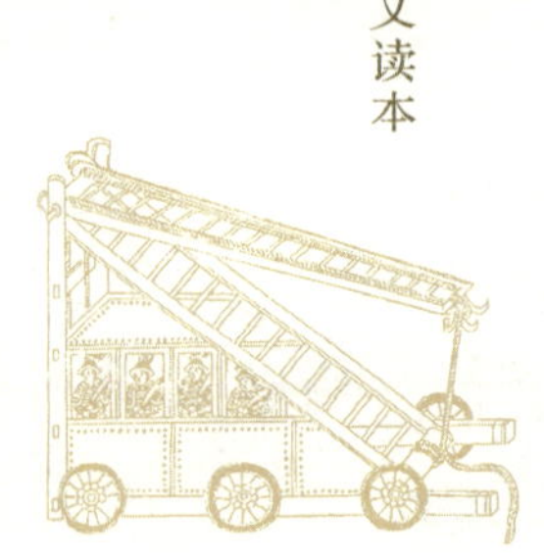

木中最粗大的，长度超过 6 米，直径不下 0.3 米，稍细的则两根并立。塘面保护层建筑讲究，内坡保护层大部分用含铁量较高的砂石和带炭屑的炉渣状物质筑成；外坡用抛石护岸的办法，塘顶面估计与内坡保护面材料相同。考古可见，钱氏捍海塘的技术含量和工程质量都足捍大潮。

具体而言，钱镠的竹笼石塘有两个新技术点。

一是采用竹笼装石和木桩加固的方法。竹笼装石，战国时李冰修都江堰已经采用，西汉王延世又用于黄河堵口工程。但用来修筑海塘抵御涌潮，则为钱镠首创。面对汹涌潮水，用竹笼装石，集零散的石块为整体，又加木桩固定，因此抗冲能力和整体稳定性大大增强。竹笼装石还有"重而不陷""硬而不刚"的特性，在地基软弱的地段比较适宜。竹笼石塘，在海塘工程技术史上是一次重大的突破。

二是设置"滉柱"，削弱塘前潮流波浪的能量，起到护塘固滩的效果。滉柱的木桩交错布置，且排列有序。对滉柱的作用，北宋沈括《梦溪笔谈·官政一》中特地作了如下阐述："钱塘江钱氏时为石堤，堤外又植大木十余行，谓之滉柱。宝元康定年间，人有献议：取滉柱可得良材数十万。杭帅以为然。既而旧木出水，皆朽败不可用。而滉柱一空，石堤为洪涛所激，岁岁摧决。……盖昔人埋柱以折其怒势，不与水争力，故江涛不能为害。"据说钱镠筑塘打入海底的滉柱达"数十万"之多，潮浪抵达塘身前，已消除了一部分能量，减弱了对塘身的冲击，并削减了潮水的流速，使泥沙在该区迂回沉积，两者都起到了

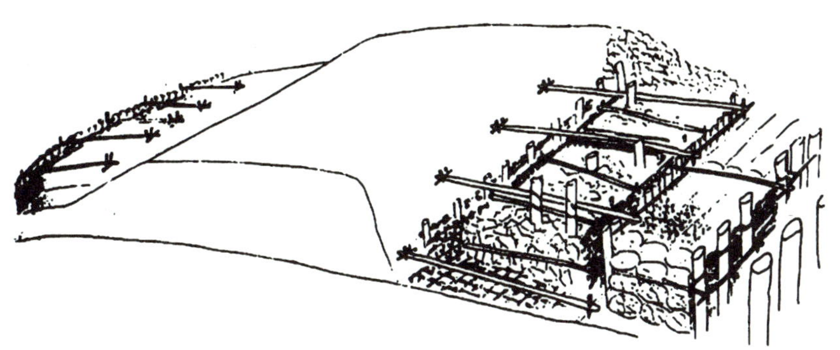

五代钱氏捍海塘结构示意图

保护海塘的作用。钱氏的捍海塘开启了海塘外护工程的序幕，其创新意义是很大的。

吴越小国，何来财力修建捍海大塘？中国经济史学者吴晓波的解释是凭借丝帛、名瓷的海外贸易之利，富甲一时。不过历史上一直对吴越钱氏到底是重敛虐民、还是遗泽在人颇有争议。何勇强在《钱氏吴越国史论稿》中仔细考辨了诸多史据，他认为，吴越国身处分裂割据的大环境，其重敛养战的国策当可想见。钱氏踞两浙逾八十年，外厚贡献，内事奢僭，聚敛的可能性完全存在。遥想吴越国时，西湖里捕鱼的人每日要上交"使宅鱼"数斤，如果捕到的鱼不够交税，还要到集市上买来补足。回头看去，鱼税之微末真可一口吞覆海塘之宏巨，但要在乱世中保有一片安乐土，且在十国之中，享祚最久，如果不兴贸易之利，不规范税制，一个小朝廷能有多少政策的周旋余地呢？

阅读链接：

何勇强：《钱氏吴越国史论稿》，浙江大学出版社，2002 年版。

［日］布野修司主编，［日］亚洲城市建筑研究会编著，沈瑶等译：《亚洲城市建筑史》，中国建筑工业出版社，2010 年版。

匣钵烧造秘色瓷

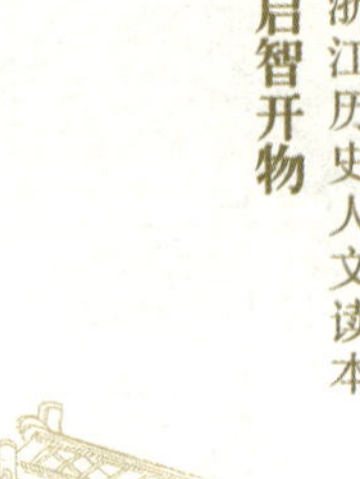

什么情况下，我们会更真切地感知现代商品天生的亲切感？从博物馆出来，扭身走进苹果产品卖场的时候。想想刚才伫立或流连于某件古代艺术品之前，它们咫尺天涯地摆在那里，透出古拙端庄的远意——它们不讨喜，我们却心甘情愿被它远离。现在，站在柜台前，我们又爽快地领受符合人体工程学原理的材质与外型，享受身体被机器延伸的愉悦之感。审美的胃口，或者说感受力的适应频率正变得越来越宽，难道“色空”的境界可以离我们这么近？

粗略地说，古今审美确实有两个坐标系，古代的器物里有自然之姿，而现代产品要忙着讨人欢心。但两者之所以能相通，在于一个“用”字。从这点出发来谈越窑秘色瓷，想想晚唐时，上林湖的窑工把瓷胎放进瓷质的匣钵里，他期待出炉什么颜色的器皿呢？或者，被朝廷派来监烧特贡官器的专员，他希望能从这一窑里选到什么形制的瓷器呢？1987年陕西扶风县法门寺地宫珍藏的一批越窑青瓷，其器型、釉色、装烧方法等都可在越窑上林湖窑址中找到证物，无疑是“贡品”，而且是祭品。但越窑的发展不可能依靠一年只出产屈指可数的几件极致华丽

的瓷器来实现，无论专供皇家，还是留用民间，抑或出口国外，首先都是用，比起青铜器的等级，瓷器真的已经是天下无贵贱而通用之。所谓官窑，不过“有命则贡，无命则止”，甚至是有“官器”而无“官厂”，上林湖贡窑在完成贡瓷任务后，仍要烧制大宗民用瓷，因而本质上仍属于民窑。不过，进贡的器物要经过严格挑选倒是真格的。

越窑褐彩云纹镂花熏炉

用釉和温控工艺是中国瓷器的特殊技艺。秘色瓷，既不是因为在唐朝成为越州土贡物，更不是因为五代吴越国专供王室、不得臣下使用，才被历代陶瓷鉴赏家奉为风华绝代的上品。晚唐诗人陆龟蒙作《秘色越器》诗云：“九秋风露越窑开，夺得千峰翠色来。”晚唐五代诗人徐寅有诗云：“巧剜明月染春水，轻旋薄冰盛绿云。”此两句被研究秘色瓷的学者一再引用，来考定正宗的秘色为何色。现在公认的说法是，秘色以“春水”“绿云”的青绿色和湖绿色为上乘。对常见的越窑瓷青中闪黄的艾色来说，青中闪湖水绿的确是稀见的奇色，也可能青色更接近文人心中的自然之色吧。但如果亲见艾色的秘色瓷，你也会很爱。

曾隐居浙江苕溪（今湖州）的茶圣陆羽在《茶经·茶之器》中，一口气比较了越州与鼎州（今陕西泾阳县）、婺州（今金华、衢州一带）、岳州（今湖南湘阴一带）、寿州（今安徽淮南一带）、洪州（今江西丰城一带）五个窑口的青瓷品质，以越窑居于首位。他还专门对比了当时“南青北白”之称的越窑青瓷与邢窑白瓷，评价说“邢瓷类银，越瓷类玉；邢瓷类雪，越瓷类冰”，最后的落脚点在品茶之用，“邢瓷白而茶色丹，越瓷青而茶色绿”，如此一来，他心目中的瓷品高下立现，真是一点余地

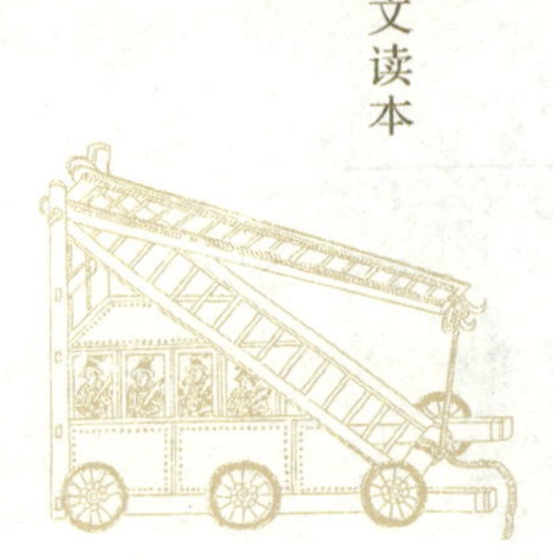

也不留。陆羽的品评不仅出于个人鉴赏，还可从“器用”出发说明一个问题：推进器物产业的技术改造，一定是以提高使用人群的适宜度，也即开拓更大的销售市场为根本动力的，在这个原则下，实用性、艺术性、市场价值和美誉度才是一体的。如果只追求精巧、专属，技艺高精尖，十年磨一剑，这个行业就不可能扩大，最多只能依赖原产地保护来维持市场。

越窑代表了唐五代到北宋初期青瓷生产的最高水平。在唐代，越窑的中心窑场集中在上虞、慈溪、余姚等地，随着市场对青瓷需求的增加，窑场迅速扩大，诸暨、绍兴、镇海、鄞县、奉化、临海、黄岩等地相继建立窑厂，其形态基本近于现在的区域产业板块。由于唐代经济重心南移，且外销瓷器的海运港口都在南方，南方产瓷数量与种类都超迈前人。在这样的产业背景下，越窑扩容的同时，南方各青瓷窑口也在发展，竞争一定是非常激烈的。但产业规模效应也得以显现，市场需求和业内竞争必然推动产业内部的工艺改造和技术进步。越窑秘色瓷烧造工艺的重大突破发生在唐代，是符合产业发展规律的。

更突出的是，越窑的技术改造并没有走局部的高精尖之路，而是着力解决了烧造环节的一个关键性的技术问题：从整炉混烧改为单个匣钵装烧。这样一来，坯件之间不再彼此叠压，也不受烟灰的熏染，为制造精细瓷器创造了条件。这个技术改造，是一种整体的技术改进方案，因此迅速在越窑各个窑场推广。想想我们的产业板块内的竞争方式和技术、销售等环节的联动模式，实在有很多有待整合、拓展并重新焕发活力的空间。如

果市场机会再次到来的时候，我们会不会比十年前做得更好？

当代的硅酸盐专业检测人员曾专门研究越窑烧成工艺对釉色的决定作用。先通过上林湖瓷片标本取样排除胎釉化学成分和釉层厚度的影响，然后通过实验分析表明，釉中的二价铁与三价铁比值高低决定釉色，比值较高的为纯正清亮的青色，比值较低的则釉色偏黄。而这与烧瓷中的还原气氛强弱直接相关，还原气氛强，二价铁成分才会提高。如何强化烧成过程中的还原气氛，让釉色呈现较纯净的青色？专家普遍认同上林湖晚唐时期新出现了用瓷质匣钵装烧胎体的工艺。这种俗称“剩子”的瓷质匣钵体比普通匣钵质地致密，装窑烧制时采用一钵一器，且每个匣钵口沿用釉浆密封，保证器皿在密闭条件下烧成，冷却时，剩子能隔离器皿内外空气，缓和内外火候收缩，能较大程度避免二次氧化影响釉色。从瓷胎匣钵工艺出发来解释“秘色”之“秘”，竟近于“密封”之“密”，科学的祛魅效果真是涤荡无遗。

阅读链接：

吴战垒：《图说中国陶瓷史》，百花文艺出版社，2009 年版。

孙海芳：《中国越窑青瓷》，上海古籍出版社，2007 年版。

章金焕：《瓷之源——上虞越窑》，浙江大学出版社，2007 年版。

极盛清县剡藤纸

纸是中国的特产。史籍所记，以为东汉蔡伦发明造纸。但考古实物证明，西汉已有纸张，甚至早到战国就有可能解释为“纸”的古字。晋代仍有竹简，用纸还不普遍。到隋唐时代，纸张已经普及，官私纸坊遍布全国，以南方为多，因水源和气候条件适宜，就地取材便可。

东晋南渡后，百工南移，嵊县剡溪沿岸成为造纸中心，以当地古藤为原料造纸，故称剡溪藤纸，是越地名纸。到了唐代，因“薄、韧、白、滑”的特色，风行一时。《唐六典》及唐人李肇《翰林志》均载唐代朝廷、官府文书用青、白、黄色藤纸，各有不同用途。陆羽的《茶经》提到藤纸包茶。剡纸由于白、韧，还可用来制帐、制被。五代时有纸帐诗“清悬四面剡溪霜，高卧梅花半月床”。《全唐诗》卷十收顾况（727—815）的《剡纸歌》，用诗的形式描写剡溪的藤纸。关于剡纸的记载，最早见于晋张华的《博物志》:“剡溪古藤甚多可造纸，故即名纸为剡藤。”《浙江通志·物产》引《嵊志》:“剡藤纸名擅天下，式凡五，藤用木椎椎治，坚滑光白者曰硾笺，莹润如玉者曰玉版笺，用南唐澄心堂纸样者曰澄心堂笺，用蜀人鱼子笺法者曰粉云罗笺，造

用冬水佳，敲冰为之曰敲冰纸，今莫有传其术者。”可知，剡纸的工艺特色。

剡纸初创时期，造纸的技术总监可能是北方移民，精于制造麻纸、皮纸，在剡溪边发现很多野生古藤，就砍来造纸。传统造纸从步骤上不外原料处理、纤维分离、打浆、抄纸、压榨、干燥六步。而纸之精细取决于操作技巧及是否精工细作，有效设备的利用也与此有关。剡纸制作工艺特色在藤、在硾、在敲冰。《嵊志》中提及的木椎、冰水的运用，应与纤维分离步骤中的特殊做法有关：纤维冰冻之后更易硾细，得到好料。用野生纤维造纸，需对生纤维沤制脱胶，去除生纤维中所含杂质，还要防止藤皮外层的皮屑进入纸浆之中，虽比原来用破布造纸耗费人力，但成本低廉。

剡纸在唐代以后就走下坡路了，主要原因是剡溪一带数百里内的古藤砍伐殆尽。藤的生长期比麻、楮要长，资源有限，加之过度砍伐，不免早夭的命运，可谓“极盛一时，清悬三世”。剡溪藤纸之外，在唐代，睦州（今淳安）产桑皮纸和竹纸，由于原料充沛，工艺渐进，也崭露头角。这两种纸张固然更为普及，但终不及藤纸可赏可珍。

在我国的书画传统中，纸张是雅品。唐宋纸张的流行，因较之绢帛的良好性价比，且纸张易渗化，有水晕墨章，可随意挥洒，直接推动了写意书画的发展。唐宋以后的文人墨客，多有心仪的纸张作为专属的创作载体，所谓“心、手、纸、笔、主、客，互有乖左”，正道出了创作中内在身心感受力与外在实物媒介之间的互动关系。质料的变化带动艺术门类或流派的发展常是深远的。比如 14 世纪尼德兰的凡·爱克兄弟找到了一种简便的用油溶化颜料作画的方法，直接影响了油画技法，并最终推动油画作为一个独立的画种在欧洲大陆流行开来。

造纸流程并不复杂，在南下传播的同时，也传入朝鲜、日本，至今这两处的传统制纸工艺仍各具特色。唐玄宗时，大将高仙芝在怛逻斯战役败于阿拉伯军，唐军的造纸工匠被俘，将我国造纸技术传入阿拉伯，自此撒马尔干纸闻名欧亚，取代了

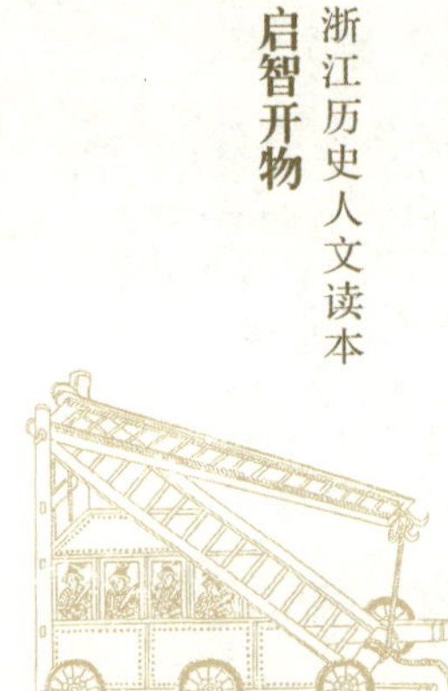

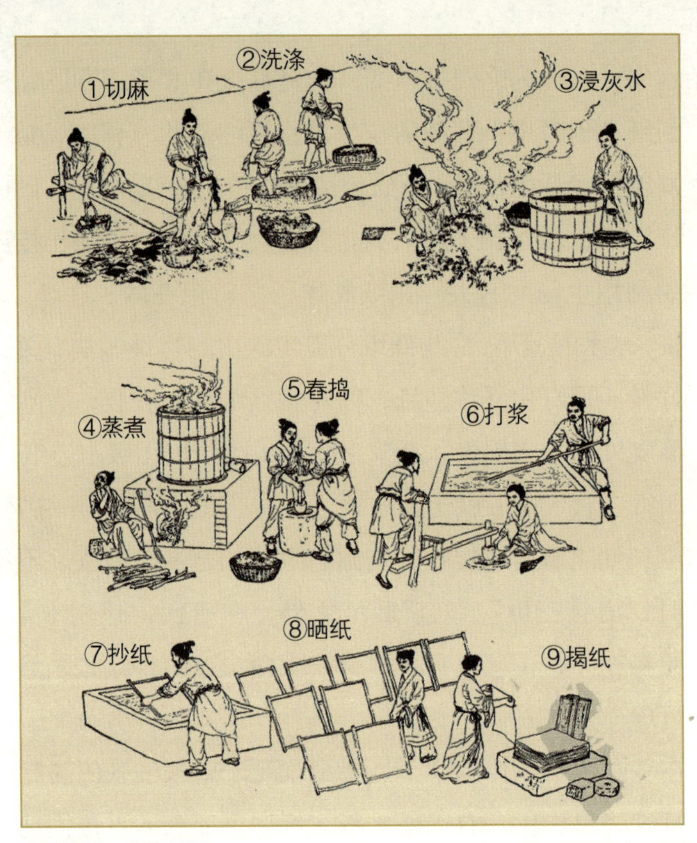

汉代造纸工艺流程图

羊皮及埃及莎草片。

造纸的后期加工技术有生纸、熟纸之分，抄浆烘干即是生纸，经过砑压、捶浆、填粉、施胶，则为熟纸。若再有加色、洒金可为特种纸张。麻纸加筋，坚牢不坏，用于公文及诏书。竹纸轻滑，用于书柬。涂蜡入潢则免于蠹害。

在制纸成为文人雅事的典故中，最有名的是唐薛涛笺和宋谢公笺。宋代的富阳人谢景初（1020—1084），曾在余姚任知县，

后因反对新法，被劾罢官。他在薛涛笺（一种深红色的小号诗笺，唐代名笺）的基础上，另制一种书信笺，据说有十种颜色：深红、粉红、杏红、明黄、深青、深绿、浅绿、铜绿、浅云，世人名之“谢公笺”。

不过，这种宋代名笺最初不是在富阳制成的，而是和薛涛笺一样，出于蜀地。富阳造纸的兴起当在宋代，宋元时造纸原料经历了一大演变，竹纸和皮纸成为占统治地位的纸种，且一直持续到晚清。

智言慧思

审问之，慎思之，笃行之；不至，则命也。

——（宋）沈括《答崔肇书》

阅读链接：

王尚义、高晶：《纸张500问》，印刷工业出版社，2012年版。

冯彤：《和纸的艺术：日本无形文化遗产》，中国社会科学出版社，2010年版。

科学全才技术官

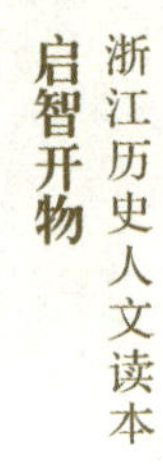

杭州钱塘人沈括（1032—1096），是中国古代科技史上的一位巨人，他的《梦溪笔谈》被李约瑟博士誉为“中国科学史上的坐标”。但作为一名勤谨的技术官僚，沈括在北宋地方和中央各级任上，运用他在天文、地理、算术等方面格物致知的惊人才华和经世致用的超人能力，做了很多开创性的工作。“治世能臣”的称号也许更能慰藉他一生宦海浮沉付出的巨大心力，尽管比起那部让他留名青史的书，他实际的技术管理工作几乎淹没在远去的历史中了。

沈括不到40岁就已经在皇宫里担任提举司天监公事，这是一个历官的职位。天文历法不是一般的技术工作，它对人的时空想象力及抽象推演能力都有极高的要求。沈括推荐了一个叫卫朴的民间天文学家和他一起编定新历，这个卫朴是中国历史上罕见的天文奇才，有超常的记忆力，算学极精，据说是个盲人。经过两年多的精密计算，新历《奉元历》得以颁布，但卫朴说新历只有六七成的准确度。原来，两人修订新历时，司天监没有五大行星实际运行情况的观测记录，但行星顺行（在运动的地球上看行星前进）、逆行、留（从顺行转到逆行的时候，

有个时刻看起来是不动的）的情况，加上考虑柳叶状的行星路径影响观测到的行星相对地球运行的速度变化，都需要有多年观测数据作为推演的原始资料。既然缺乏历年记录，沈括和卫朴就必须每天早、晚及半夜三次测量月亮与五星的位置，并记录下来。这样坚持五年，剔除阴雨天及五星在白天出现的天数，基本可得三年的数据。但司天监的历官并不配合他俩的工作，唯恐新历侵犯他们的既得利益。除司天监外，皇宫里还有天文院，前者做实测，后者依历法推演，两个机构互相核对，本来是很科学的监察机制，但两院私下沟通，编造数据，统一口径，严重影响了天象观测和历法修订。沈括揭发过两院串通作假的行为，可能引起同事的记恨，人事的因素可能拖累了科研工作的开展。新历有缺陷，颁用没几年就停用了。

让沈括跻身科学家之列的是他提出十二气历。古人把日月相会称“朔”，定历法把朔日作为一月之始；又按太阳在黄道的位置，把两个冬至间的时间分为二十四段，每段分点称“气”，一年有二十四节气。两次朔日间是二十九天多，而两个节气之间有三十多天，节气与月份之间的差距累积三年就差不多有一个月以上，于是不得不插入“闰月”来调整。置闰，要进行繁复的计算，很累赘。在沈括看来，农时由节气决定，与月亮运行没有关系，不如以十二节气定为一年，立春即为一月一日，惊蛰为二月一日，依此类推，大月三十一天，小月三十天，十二个月中一般是一大一小间隔，一年出现一次两个小月连在一起的情况。十二气历是彻底的阳历，它的好处是，每年天数整齐，便于计算，且历法与气候变化一致，利于农时。但十二气历未获推行，主要原因是大家都不愿担负“背谬圣王敬授民时”的指责。文化有时会成为文明的阻力，我们现在研究社会问题，除了分析体制机制、法律规章的原因，也越来越关注文化的力量。

42 岁时，沈括出任河北西路察访使，兼判军器监。军器监刚刚从三司独立出来，是当时变法从经济领域转向军事领域的重要措施。沈括对技术工作很内行，在此期

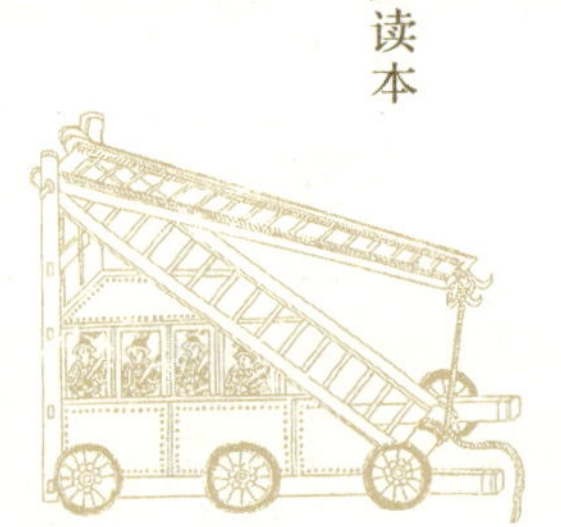

间，他研究了弓和弩的制作，对弓的制筋之法、弩机上设置刻度提出了有效的建议。在考察磁州（今属河北邯郸）锻铁作坊时，他见到了热锻熟铁的技术，看到了“真钢”。他记载说，“真钢”其实是用比较精纯的熟铁，在炉中加热增加含碳量，经多次锻打，一方面让碳质渗入铁的表层，另一方面把熟铁中的杂质熔渣（柔面）捶打出去。真钢用来制作兵器盔甲，磨光后呈青黑色，光洁透亮，宛如镜面。而平常生熟铁互嵌，泥封烧炼，锻打成型的民间锻钢，只能用做农具和日用刀剑，沈括把这种团钢、灌钢叫做“伪钢”。

他还做了一项能充分发挥他技术专长的工作，就是制作立体军事地图。据史料记载，沈括刚到河北定州，就与河北西路安抚使薛向一起，每天奔走于西山和唐城之间，前后二十多天，

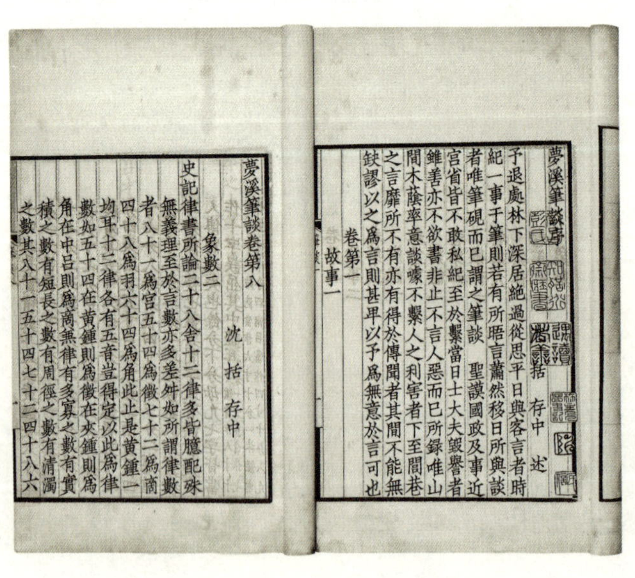

夢溪筆談序

沈括 存中 述

予退處林下深居絶過從思平日與客言者時紀一事于筆則若有所晤言蕭然移日所與談者唯筆硯而已謂之筆談　聖謨國政及事近宮省皆不敢私紀至於繫當日士大夫毁譽者雖善亦不欲書非止不言人惡而已所録唯山間木蔭率意談噱不繫人之利害者下至閭巷之言靡所不有亦有得於傳聞者其間不能無缺謬以之爲言則甚卑以予爲無意於言可也

卷第一

故事一

夢溪筆談卷第八

沈括 存中

象數二

史記律書所論二十八舍十二律多皆臆配殊無義理至於言數亦多差舛如所謂律數者八十一爲宫五十四爲徵七十二爲商四十八爲羽六十四爲角此止是黄鍾一均耳十二律各有五音豈得定以此爲律數如五十四在黄鍾則爲徵在夾鍾則爲角在中吕則爲商兼律有多寡之數有實積之數有短長之數有周徑之數有清濁之數其八十一五十四七十二四十八六

《梦溪笔谈》书影

详尽地勘察了那里的山川地形，用“胶木屑熔蜡”的办法制成一幅立体山川图。他先用面糊和木屑在木板上模制出地形，当天气寒冷干燥，木屑粘不住时，就用熔化的蜡来浇铸模型。选用质轻的木屑和蜡，是为了使地图便于携带。回京后，沈括还把木刻地图献给朝廷，宋神宗下令在边疆推广。沈括制造的立体模型地图，比公元18世纪瑞士制造的地理模型要早近700年。

在察访使任上第二年，神宗命沈括为回谢辽国使出使辽国，正值宋、辽边界争端纠纷僵持，他与辽方进行了六次谈判，每次会谈，辽方都有一千多人围听，沈括一行不为所惧，不辱使命。但后来，神宗气短，决意把代北三州古长城以北的部分土地割让给辽国，沈括的努力付诸东流。在出使辽国期间，他依例将出使经过、往来路程、交涉情况及沿途山川地势、民风长物记录下来，上交朝廷，以供参阅。沈括擅长绘画，还绘制了《煦宁使辽国钞》，后来收入他的文集《长兴集》，明朝时又录入《永乐大典》，不过图的部分现已失佚，留下的文字部分，由于记录详尽，仍是我们今天了解辽朝地理的珍贵史料。

割地的责任，只能落在沈括头上，神宗怨他贻误朝廷。但他在河北的工作给神宗留下了好印象，他绘制地图的能力也很受器重，于是受命负责编修全国性的《天下州县图》。他后来在《梦溪笔谈》中记录了绘制方法，以二寸相当于一百里作为分率，然后基本依照晋人裴秀的制图方法:“准望”定方位，“道里”定道路距离，“高下”定地势，“方斜”和“迂直”用来定直线距离等等。这些都不仅要求算学功夫，还有很高的测绘、绘图和统观的地理知识。他把方位分为东南西北四至，再加上东南、西南、西北、西南为八到，更用十二地支加八干再加四卦为细分的二十四至命名。他说，有了这套方位记录办法，即便将来地图遗失，只要按文字所记录的二十四至，把州县地点复制上去，即得一幅新图。可见，他对自己编制地图的技艺是很自信的。用了近十年，地图绘毕，但由于神宗已经离世，差点成了空劳。隔了三年，尚书省

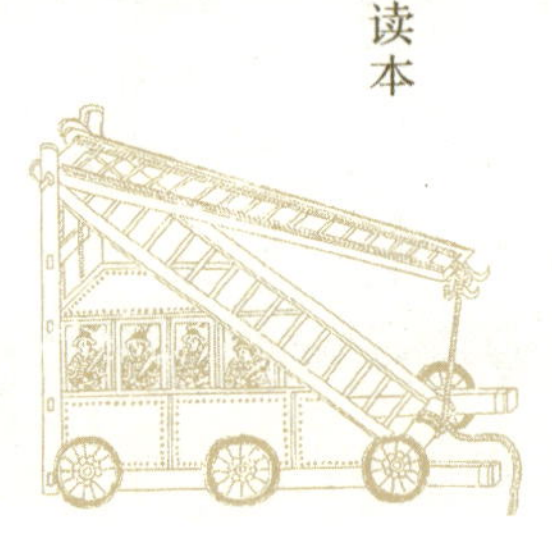

才允许沈括进献这些地图。据记载，《天下州县图》共有二十幅图，最大的一幅有一丈二尺高之巨。不过，中古时代之后的地图绘制，总体在裴秀基础上突破不多，关键是地理测绘技术改进不大。

出使辽国归来，沈括曾被调任淮南两浙灾伤州军体量安抚使，上任途中被召回京，任权发遣三司使，这可能是王安石提拔的。三司使是当时负责财经工作的最高官员，位高事重。在三司使任上，沈括曾对政府收购粮草的和籴问题做过改革。他借鉴唐朝著名的财政大臣和经济改革家刘晏的办法，把数十年来全国各地的收购价格、数量各分定五等，这份数据统计由各地专人掌管。到和籴开始时，以当时粮价对照统计表，若粮价五等，就按第一等数量收购；若粮价四等，按二等数量收购；依次类推。同时，一面收购，一面立即上报粮价和拟定收购数量。经汇总后，如果拟定收购总量有多余，就减少粮价高、地界远的州县的收购数量；如果不足，就增加粮价低、地界近的州县的收购数量。沈括说，自从他实施这个和籴政策后，朝廷收购粮草能和各地的丰歉情况基本一致，民户也不起强征的怨言。刘晏和沈括收购粮草实际上运用了运筹学的方法，将价格、数量分等列表，其实是将历年收购情况做成了数学模型，更关键的是，他俩在用数学方法进行了定量与分析之后，找到了简便可行的合理运用人力、物力、财力应对各地粮食丰歉的最优方案。可谓“大数据”运用的先驱。

沈括仕途的转折点在他去宋、西夏前线的延州担任军事统

帅。灵州一役，沈括策应有功，升龙图阁直学士。但在随后的永乐战役中，宋军完全吃了败仗，沈括和种谔原定筑城防于乌延一带，神宗迟迟不下决断，派来的徐禧决意筑永乐城，沈括在种谔回京禀报军情时，站到徐禧一边，这的确是投机的品性使然，结果永乐城防御无功，落入西夏手中，反而帮助了敌人的攻守。永乐之败，大大挫伤了神宗强硬的边疆政策，军事行动从此全面终止。沈括在此役负有责任，贬为均州团练副使、员外郎、随州安置，没有实际职掌，只能领一半俸禄，而且安置相当于刑事处罚。后来神宗去世，旧党当权，沈括就更无用才之日了。

北宋有很多能臣，也有很激烈的党争，这群能力卓著的文官——古代社会最具活力的阶层围绕经济改革路径的角力，在淡去个人恩怨斗争之后，如今看来是中国古代最后一次主动的体制探索。当然，我们也庆幸沈括晚年被留在秀州团练副使位置上，在这个“不可论国是”的五年里，他写下了《梦溪笔谈》，还有医学著作《良方》。

阅读链接：

何勇强：《科学全才——沈括传》，浙江人民出版社，2005 年版。

葛剑雄：《中国古代的地图测绘》，商务印书馆，1998 年版。

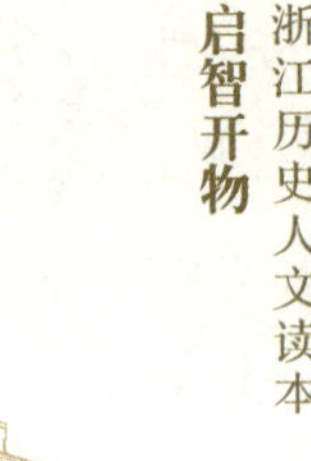

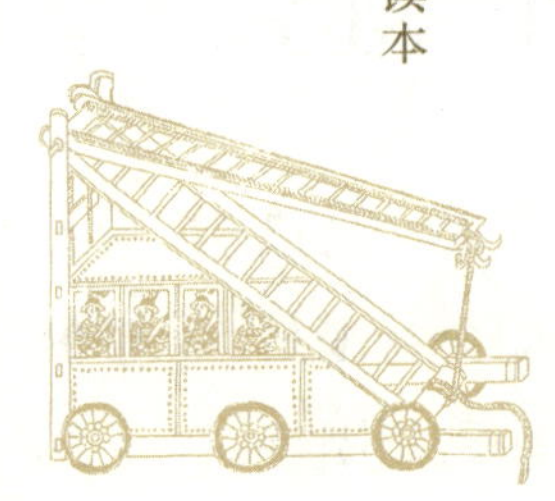

科技坐标泥活字

《梦溪笔谈》中最具科学史价值的记载是活字印刷术。印刷术是中国的四大发明之一，毕昇的活字印刷术是个重大改进，较之西人古登堡用活字印刷《圣经》要早四百年。

宋仁宗庆历年间，时在杭州的毕昇开始用活字印刷术。他先在胶泥上刻好反体的单字，笔画突起要像铜钱边缘的厚度一样细薄，然后将每个字做好一个同一规格的毛坯印子，拿到火上去烧烤，使胶泥硬化成形，活字就制成了。再准备一块铁板，铺上松脂蜡、纸灰，和成灰泥。等排字的时候，往铁板上架一块用来固定排字位置的铁范，把需要的胶泥活字拣出来排进一个个小框里，排满一板就成为一版，再用火烘烤，等灰泥稍微熔化，用一块平板把字面压平。等泥灰冷却凝固，活字朝上齐整地粘在泥灰里，一个书页的版型就做好了。印刷的时候，只要在版型上刷上墨，覆上纸，加压印制即可。有些常用字，如“之”“也”等，一页之内可能多处用到，就备 20 多个活字。在印刷时碰到生字，随刻随用，也很快捷。另外，为了提高效率，可以同时用两块铁板，一块排字，一块印刷，交替使用。印完以后，再用火把泥灰烘化，轻轻一抖，活字就脱落下来，按韵放回木格备用。毕昇对印子的

坯材做过多次试验，他还试验过木活字印刷，但木料纹理疏密不匀，刻制时不好把握，费时费工，且木活字沾水易变形，和泥会粘住后不易分开，所以没有采用。总之，用泥活字排印书籍，如果量少，相较雕刻一个版的成本并没有优势，但如果印成百上千本，就能省时省力省样版，一下子显出活字印刷的神速和经济了。

这些泥活字，在毕昇死后，由沈括的族人留存，但后来为什么没有继续推广使用竟不得考，沈括也没有提及。不过他是从族人口中听说活字印刷故事的，这点应该可以推定。沈括记录活字印刷术的情形，有两项重要意义：一是促进了印刷技艺的推广与革新，南宋周必大所谓“沈存中术”，就是参考沈括记载的活字印刷术做成胶泥铜板，印制自己的《玉堂杂记》。后来又有人发明了锡活字，高丽人则发明了铜活字，皆可溯源至沈括记载的毕昇创制的泥活字印刷技术。在电子排版系统诞生之前，无论是出书还是办报，主要依靠的是铅字排版印刷，其原理跟毕昇的活字印刷术是一样的。

沈括的记载具有更重要的科学史上的意义。我国古代很多有创造才能的发明家和有技能的工程师，大多只有靠他们创造并留存于世的物质财富，才能在历史上留下他们的功绩，没有多少正规文献会收录他们的言与行。即便是《梦溪笔谈》这样

元人所绘活字印刷工序图

的书，也是笔记体的记法，但终究使活字印刷的技艺永存于世。沈括是最早也是唯一详尽记录毕昇和活字印刷术的人，如果没有这位伟大的记录者，不仅是中国，可能整个世界都会错失人类技术进步的重要坐标点。

阅读链接：

韩琦、[意]米盖拉：《中国和欧洲：印刷术与书籍史》，商务印书馆，2008 年版。

张秀民：《中国印刷史》，浙江古籍出版社，2006 年版。

天道落在人世间

《梦溪笔谈》是杂谈式的笔记体著作，记录沈括一生的见闻，虽然包括很多极有科学价值的记述，但不是有意识地为科学研究而写的。连竺可桢这样对沈括有深入研究的现代科学家，都认为仅就《梦溪笔谈》的内容体例来判断，沈括只能算杂家、博物学家而非科学家。这里可能映射了中国古代科学发展中的一个大问题。

《梦溪笔谈》在博物方面比较有代表性的记录是关于指南针，现在认为沈括的记录是最早的明晰记载，比欧洲最早记述指南针的文献要早一些。在沈括的记录里有三种摆置指南针的方法：第一种是水浮磁针，是水罗盘的雏形。30年后的寇宗奭写的药学著作《本草衍义》里也有关于水罗盘的记载。水罗盘是把磁针放在一个中间盛水、边上标有方向的铜盘里，磁针浮在水上自由旋转，静止时两端分别指向南北。水罗盘比司南灵敏，最早用于航海。在古代中国，出海用水罗盘一直很流行。第二种是把磁针轻轻放在指甲或碗口上，这两种方法看似是日常实验，有点像游戏，可能沈括为指南针做过大量的日常调查研究，至少确定磁针在空气里转得更快，但容易滑落，指南的效果不好。他是不是在探索旱罗盘的制作呢？第三种是他发现的悬丝法，取一根新剥出来的蚕丝，一头涂上芥子大小的一点点蜡油，粘到磁针腰部，在没有风的地方，轻轻拎着蚕丝的另一头，让磁针悬置在空中，针常指南。

沈括专门说明用单股的新蚕丝，而不是多股蚕丝缟成的线，也没有用线系住磁针，而是轻轻粘住，可能也是为减小磁针转动时丝线与磁针相互作用力对指南效果

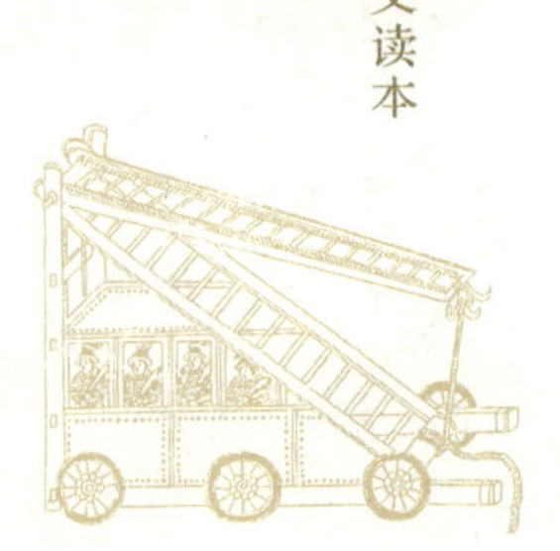

的干扰。不过从实际应用的角度理解，悬丝法太纤弱，没法在实际事务中推广，不过玩家试验而已。但话又说回来，无论是指甲、碗口还是悬丝的实验中，沈括可能有意识在探索解决磁针的支撑技术与指南精确度之间的密切关系。从史料看，宋代已经有人知道枢轴承旋法了，晚于《梦溪笔谈》的《事林广记》中记录了一种指南龟的装置，比沈括的实验更进步，这是一种有旋转支点的装有磁石和指针的木刻指南龟，靠竹钉的支撑，木龟能自由旋转，这个装置基本具备了旱罗盘的雏形。

《梦溪笔谈》中还有世界上关于磁偏角最早的明白无误的记录。沈括说的“方家”在水面置磁针，可能是一种古老的占卜方法，通过磁针投在碗底的影子进行占测，道家炼丹著作《淮南万毕术》里确有相关记载。于是，方家观测到“针不常指南”的关于磁偏角的规律就不足为奇了。磁偏角随时间的变化（先向东然后向西），在方家的堪舆（即相地术、风水学）罗盘中

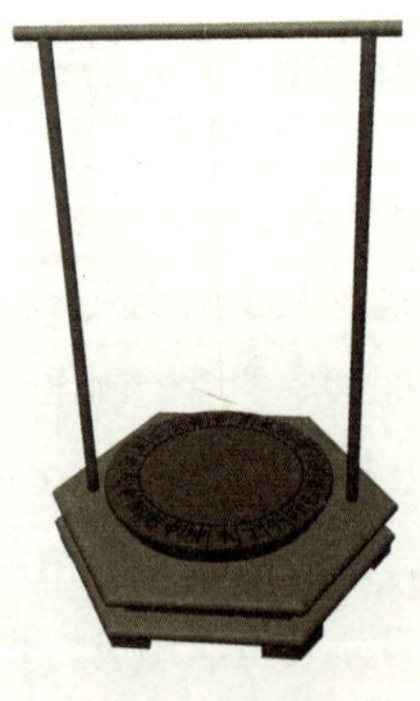

缕悬法指南针模型

水浮法指南针模型

明确地体现出来。至于罗盘技术，在我国用在堪舆上的时间要远早于航海一百多年。连外国的科学家都不禁喟叹，从现代科学观念出发，堪舆术这样的伪科学，竟如同占星术和天文学、炼丹术和化学的关系一样，成为地磁原理最早的发现者和阐释者。

堪舆、占星、炼丹，到底对中国的科技发展是推动还是拖累呢？如果放在我国古代的文化语境里，说它们阻碍科技进步并不完全占理，因为古代西方也有相类似的职业群体，不过他们鲜有自然科学方面的发现和创造。不考虑个别与普遍的关系，不研究自然律，想办法解决实践中的问题，可能是推动中国古代科技进步的根本因子。这是第一个关键点。

第二个关键点是，如果我们把这个情形放到近代以来世界范围的科技应用促进科学发展的语境里，我们不得不承认，我国古代科技尽管取得了辉煌的成就，但的确没在科学与技艺之间建立起某种互促机制。这种建制化程度越高，“理论科学和直接的技术创新之间的联系就日益具体化，从而在教育和商业两个方面极大地扩展了工程专业的范围，并且以前所未有的牢固程度把它捆绑在严格的科学基础上”（《高级迷信：学术左派及其关于科学的争论》，北京大学出版社，2008 年，第 24 页）。在今天，理论科学、技术研发、产业推广（产学研）三个环节的咬合，以及教育与商业两个方面的协同，仍然关联着我国科学发展、创新驱动、转型升级等改革的主攻方向与核心任务。

关键障碍在哪里呢？这是个很复杂的问题。李约瑟博士研究中国科技史的动力也是想解开类似的疑问：为什么直到中世纪中国还比欧洲先进，后来却会让欧洲人领先了呢？为什么公元 1500 年之后，中国不能单独发生一次科学革命？对于这两个著名的李约瑟难题，许倬云先生认为它们的提法相当于缘木求鱼，他反问：是不是世界上所有的各个文明都必须走同样的模式？他的意思是人类关于进步、发展的观念和定义本来就是不同维度上的。所以与其执著地把自己的历史摁到别人的观念

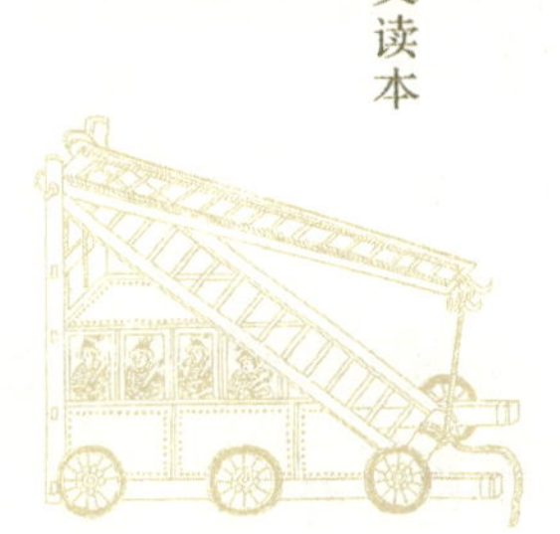

范式里追根究底——历史上没有发生的事情不值得深究，倒不如问，什么条件促成了各自的发展。无论是对古代东方，还是对近现代西方。这个文化相对主义的判断或许能为我们提供多一种理解文明发展的角度。

传统中国文化里所谓“天道人世”的“道”，是古代文化观念之核心，且“道”是落在“人世”里的，天道见于人事，人道见于天象，互相作用，既是玄妙的，也是扎扎实实的。这个“道”确实和西方的“自然律”不一样——人不是自然律的一个部分，竟可以与“道”一样大，即所谓“天人感应”。“道”活泼地横跨在天和人世的两头，能代代相继本身就说明它具有强大的包容现实的能力。在古代，我们的科学可以在本体论上由阴阳五行这套庞大玄机适用天文、地理、算学、医学等等领域，作为它们的理论话语，同时，这些科目的方法论又完全建立在实际问题之上。

“天道人世”的观念架构和“天人感应”的思维方式，可能恰恰为人的事务赢得了和天的事务同等的合法性，进而为解决各种实践问题的技术人员解除了思想束缚。从实践到实践的模式可能是中国古代科学研究与创新发明的源头活水。而这个活源，在历史的后半段，无法适应全球化的现代化逻辑了。

阅读链接：

许倬云：《中国文化与世界文化》，广西师范大学出版社，2006年版。

陈方正：《继承与叛逆——现代科学为何出现于西方》，生活·读书·新知三联书店，2009年版。

万斛神舟明州造

船的外形，应该按照鱼的样子还是按照鸭子的样子来设计呢？如果想想鱼和鸭子游水的形状，我们就不难得出推论：既然船是凫于水面，而不是穿梭水中，那么船型应该更像鸭子而不是鱼，并且，强有力的摇橹通过模仿鸭蹼划水的姿势为行船提供内动力，这是最朴素的仿生学。李约瑟博士在研究中国造船技术时就注意到西方的船像鱼，中国船像水鸟。他确信中国船体最宽的截面在后部这一点已经有足够的考古实证，因为至少有35种船型采用这种型式，甚至有种船型干脆用“鸭梢”来命名。

如果追溯造船史，江南地区河网纵横，又外濒大海，航船的历史几乎和文明史一样长远。在跨湖桥遗址发现的独木舟和造船作坊，不仅在国内是唯一的，在世界上可能也是年代最久远的，证明了我们的祖先在大约8000年前的新石器时代就已能舟楫行船，跨越水域。安史之乱后，江南日益集聚了丰厚的经济力量，全国的造船业重地基本集中到南方沿江沿海重镇。宋元之际，海上贸易成为重要的财政收入来源，海上交通最为繁盛，中国海船几乎垄断了中国到印度之间的航线，足见当时造船业和航海业之发达。尤其是泉州、广州、明州（今宁波）三处，既是南中国三大港口城市，附近也有大型海船制造基地，官方和民间的造船场都很兴隆。这些海船不但要承担漕运、海运，还有外交出使任务。

北宋宣和四年（1122），以奉议郎充任国信使、提辖人船礼物官的徐兢出使高

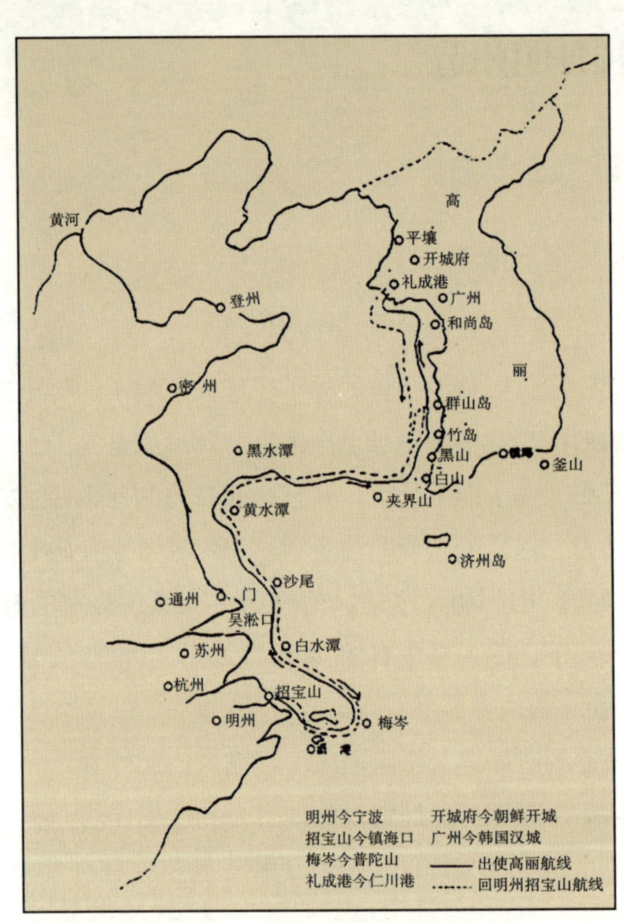

北宋“神舟”出使高丽航线位置图

丽（今朝鲜），朝廷专门建造两艘大型“神舟”。《宋史·高丽传》和《宝庆四明志》都记载说：“万斛神舟造于明州。”斛，是我国古代的容积单位，相当于石，一石是120斤，万斛神舟就相当于600吨载重量，在当时堪称巨轮。同行的还有若干客舟。徐兢的《宣和奉使高丽图经》中，详细记录了客舟的资料，他说，

客舟都是按惯例临时从民间招募来的，到明州的造船厂参照神舟的外形做装饰。这些客舟船长十多丈，深三丈，阔二丈五尺，有篙师水工 60 人，载重二千斛，大约 120 吨。这些船可能出于民间船厂，但依然庞大坚实，全身都用整根木头加工成巨枋，搀叠而成。船的形状上部平直，下侧削尖如刃，适宜破浪。船头是绞车控制的正副碇，船尾有正副舵，还可根据水深提供大小两种适用的正舵。船腹双侧有大毛竹缚成的口袋一样的“橐”，抗拒风浪，稳定船身，还可测量吃水深度，检查载重。关于动力系统，有十支橹橹，另外借风力的头樯高八丈，大樯高十丈，帆则有布帆、竹帆两种。船舱布局复杂有序，上层建筑分三部分，前为厨房和警卫室，中间有四个房间，后面是使者官员的豪华居室。关于神舟，徐兢既没有详述，也没有图注，只说“神舟之长阔高大，杂物器用人数，皆三倍于客舟”，航行起来“巍如山岳，浮动波上”。这神舟客舟，一虚一实，倒尽得中国传统文章之妙。

从徐兢的记录看，当时出使高丽的客舟高大如楼，底尖上阔，船型基本是闽地的福船样式。这类福船还有蜚声世界的水密隔舱技术，就是用隔舱板把船舱分隔成互不相通的若干舱区。在远洋航行中，即使一两个船舱破损进水，也不会流到其他船舱，整船浮力仍能保证，大大提高了海船的抗沉性能。这种在唐代就已经运用的造船技艺当然不仅只有福建的船厂会用，浙江、广东的造船厂也多有制造，但福船的确是古代远洋航行中最优秀的船型。江浙的海上贸易，如果向南海运，福船是最好的选择。

不过，江浙一带如果要沿海岸线北上，福船尖首尖底、吃水深的优势，在水浅、滩多、泥沙深的航线上，就成了劣势，因而长江一带的海船多用沙船。沙船方头方尾，平底，能驶过浅滩，停泊沙洲，往来于淤沙淤泥的浅水上不致被困；甲板平阔，能迅速排浪，船舱也采用了水密隔舱技术。在通往朝鲜、日本的东北亚航线上，沙船多在顺风时才起航，南风航海北风回，由于沿海岸线行驶，可随时靠岸或起航，对

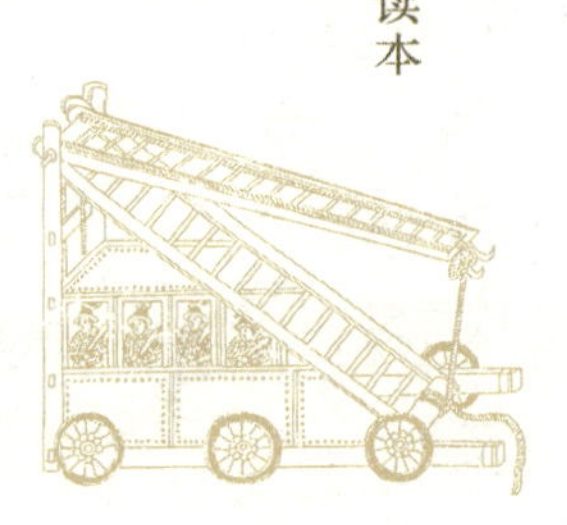

破浪要求不突出，也就不感到平底有多么不便，加之船帆灵活，控风效果灵敏，即便载重三四百吨的大船，也能在沙洲上自由航行。所以，在北洋航线上，沙船是海运主力。

无论是福船、沙船，宋代浙江造船的数量十分可观，宋哲宗年间，温州、明州造船各以六百艘为额度，宋徽宗年间仍维持这个水平，约占全国造船总量的五分之一多。由于温州、明州多造海船，由造船数量可见当时海外贸易的兴盛。到了元代，南北两条海上丝绸之路舟楫繁忙，世界各地的商贾潮来潮往。但这些中国大船，从来都是以官方与民间商用为目的，或如后来的郑和用作外交出使。据说中国船一般都行至印度南端便泊埠卸货，换小船到阿拉伯、过波斯湾，因为风浪凶险，且有狭道，中国船不便通行，在印度南端所纳的过口税要比其他国家的船多百倍甚至千倍。既过不了印度的南端，又怎么到达非洲的南端，进入大西洋呢？我们的大船没能走得更远，不仅仅是生意上的遗憾。

阅读链接：

金秋鹏：《中国古代造船与航海》，中国国际广播出版社，2011 年版。

王冠倬：《中国古船图谱》，生活·读书·新知三联书店，2011 年版。

皇家标格南渡记

南宋浙江境内的著名窑系有临安（今杭州）的官窑和处州的龙泉窑，皆属青瓷窑系。

官窑在宋代“汝、官、哥、定、钧”五大名窑中位列汝窑之后，分南北两系，前后有传承。据南宋顾文荐《负暄杂录》记载，北宋徽宗政和至宣和年间，朝廷在汴京（今河南开封）设置官窑烧造御用瓷器，其釉色以汝窑的天青色为尚。但未历多久，汴京官窑就因北宋灭亡而毁于战乱，王室播迁，器物散毁，加之汴京城后来屡受黄河水患，早已掩埋于厚厚的泥沙之下，距现在的开封地表 8 米到 10 米且层叠历史上七座古城，上面又有很深的地下水层，确切的窑址发掘工作困难重重。因此，北宋官窑存世者极为稀少，陶瓷收藏和研究界有“识得官瓷面，江山坐一半”之叹。

北宋官窑的光辉要在大批量出土的南宋官窑瓷片里重生，而这重生之路由北向南，颇为辗转。两宋之际的官窑技艺得以传承，相当程度上依赖一种叫“修内司营”的官办手工业机制。北宋时，修内司以“营”为建制，故称“修内司营”，隶属“御营司”，是个亦军亦工的机构，往往在战前即作战略转移，一旦王室需要且当地当时条件允许，可旋即复工，且整个团队自食其力，生存力极强。在这种机制下，汴京官窑溃于战乱，唯有修内司窑躲过一劫。

1996 年 9 月，杭州凤凰山南宋皇城遗址附近的老虎洞窑址被发现，从《咸淳临安志》所载《皇城图》看，其所在地恰好是修内司营所处的位置，窑址出土的一些

瓷片底部釉下用褐彩写有“修内司”和“官窑”字样，尽管发掘地有元代、南宋、北宋各时期的地层叠压关系，早期产品属越窑系列，但多数专家倾向于以地址所在确证老虎洞窑址是在杭州乌龟山郊坛下创设新窑前的南宋官窑“旧窑”。此推断也与南宋叶寘《坦斋笔衡》的记述相符，这是关于杭州修内司窑的最早记载，他说：“中兴渡江，有邵成章提举后苑，号邵局，袭故宫遗制，置窑于修内司，造青器名内窑；澄泥为范，极其精致，油色莹澈，为世所珍。后郊坛下别立新窑。比旧窑大不侔矣。余如乌泥窑、余杭窑、续窑皆非官窑比，若谓旧越窑，不复见矣。”可见，官窑始立，浙地土生土长的越窑瓷彻底地式微了。

和越窑青瓷相比，南宋官窑带有非常明显的北方青瓷特质。北宋官窑施釉较厚，釉面成乳浊状，有玉质感。由于器皿口缘处的釉层相对较薄，含铁量高的胎骨在还原气氛下，便泛出灰紫色，由于垫烧底足无釉露胎处则呈黑色，谓之“紫口铁足”。它和青釉配合，既能衬托青釉之美，又使厚釉平添挺拔秀丽之感。这一烧造方法一直延续到南宋官窑。南宋官窑器的胎骨，因为加入了杭州当地的紫金土，胎质虽较细密，较之北宋官窑杂质要多些，而且紫口铁足的特征很明显。

从文化史角度考察，越窑“低岭头类型”可能比南宋官窑更能体现北瓷南传的历史。吴战垒先生在《图说中国陶瓷史》中详述南宋官窑作为北瓷南传的一个典型之后，还专门分析了越窑“低岭头类型”的现象。宋室南渡，飘零无定所，直至绍

官窑青瓷葫芦瓶

兴八年（1138）才正式定都临安，期间祭祀大礼不可废，原来铜玉材质的祭器，这时权且用陶木制品代替了。转战南北的修内司营就常因地制宜地启用周转地的旧窑来烧造皇家祭器。在浙江余姚上林湖的越窑中心产地周围的低岭头一带窑址上，考古专家发现了与传统越窑风格完全不同，而其胎、釉、形制及装烧方法均与北宋汝窑、官窑制品和南宋官窑品相同的大量瓷片，紫口铁足、厚釉等特质明显。吴战垒先生用“借巢生蛋”来形容宫廷用瓷借用民间窑口烧造的情况，他认为，这代表北方瓷业最高水平的汝窑一脉在南方生根开花，开启新的宗风，从而推动了南北瓷文化的交融和发展，意义十分深远（吴战垒《图说中国陶瓷史》，第125页）。

北瓷的风流也为同时期浙地的另一著名窑系——龙泉窑所继承。在南宋至元的全盛期，庞大的龙泉窑系以龙泉县的大窑村（古名刘田，一作琉田）一带为中心，旁及邻近的庆元、云和、景宁、遂昌、丽水、缙云、武义、永嘉、泰顺、文成等县，影响远及江西吉安和福建泉州、同安等地。厚釉的工艺完成青出于蓝的提升之后，

阅读链接：
马骋等：《龙泉窑》（中国名窑遗址丛书），上海大学出版社，2012 年版。
故宫博物院编：《宋代官窑导读》，紫禁城出版社，2010 年版。
熊寥：《美哉陶瓷：官窑名瓷》，山东美术出版社，2005 年版。

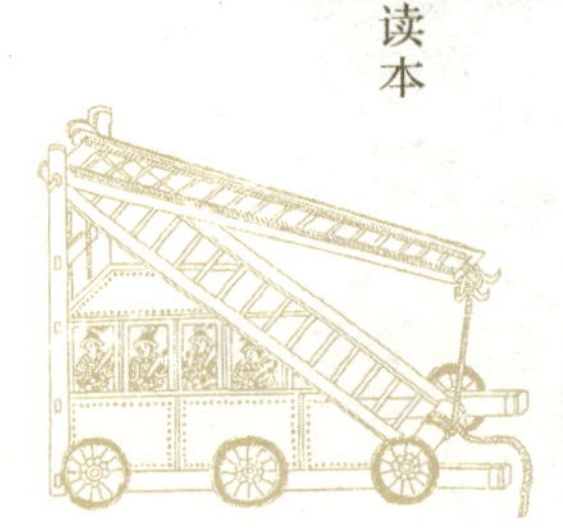

青瓷釉色和质地之美终于达到了历史巅峰，堪称宋代南方青瓷窑系的一朵奇葩。龙泉窑是中国陶瓷史上烧制年代最长、窑址分布最广、产品质量最高、生产规模和外销范围最大的青瓷名窑。受南宋官窑影响，龙泉窑在南宋晚期将传统透明的石灰釉改进为乳浊的石灰碱釉。这种釉的高温黏度较大，烧成过程中不易流淌,釉层易均匀堆积,经多次上釉。釉层甚至可厚于胎骨，釉色从胎色中独立出来，呈现莹润的玉质感，这就是龙泉青瓷独有的梅子青和粉青。在纹饰工艺上，与原来的厚胎薄釉的刻划纹和蔑划纹不同，堆贴、浮雕工艺有了用武之地，不过多数龙泉瓷不用纹饰，纯以青玉釉色取胜，正是不着一笔、尽得风流，与当时的皇家御苑仿江浙白屋、不施五彩的沉静气派一样，崇尚本色之美。而在欧洲，它有一个法语音译名：雪拉同，意为披着绿斗篷的牧羊美少年，是 17 世纪初的一部法国唯美戏剧里男主角的名字。

北瓷南传的过程，也是青釉真正成熟的过程。从河南汝窑淡雅的天青釉，到南宋官窑青翠如玉的厚釉，再到龙泉窑令人心醉的粉青和梅子青，其色泽之美，终得天然。这种淡雅清秀的审美风尚的形成，可能与宋代统治者崇奉“明心见性，立地成佛”的禅宗，崇尚清虚玄远、清静无为的道教，以及讲求“心性义理”为本，追求修身养性、清心寡欲的理学之风声气相通。

运演杨辉三角形

我国古代数学基本是筹算之学，是实用的，以解题为根本目的。与发端于古希腊的西方数学不同，我国古代数学并不重视逻辑运演本身的价值，也不曾将这种价值作为理性解释系统推动文化发展的主导动力。在唐代，我国已经有十种算经成为国立大学的数学教科书。通常一个学生要读通、算通其中一经就要花上几年的功夫，遇到算经中的杂题，要一则一则地算。所有这些算经，都不管抽象思考，也没有所谓推演、定理或公理，全部都是实实在在的题目。通过这些训练的学生就成为算学博士，但算学博士的地位在所有官吏中最低，待遇也最差。筹算之士，即便能在皇宫内院行走，但身份与医师技工一样，不能进入知识分子阶层。

传统数学发展到钱塘（今杭州）人杨辉（约 1238—约 1298）生活的南宋时代，再次放出异彩。宋元之际，杨辉和秦九韶、李冶、朱世杰一起并称“宋元四大家”，四位算学高人合力绘就了近古中国数学发展的绝对上升曲线。他们的努力主要体现在三个方向上：一是纯粹的运演计算有了长足的发展，二是继续简化乘除法的筹算，三是推动数学向民间普及。

在运演方面，杨辉的成就是世界级的。他把北宋沈括首创的“隙积术”发挥为“垛积术”，即高阶等差级数求总和的方法。从《九章算术》中的堆宝塔方式算出等差级数，由此发展级数的观念。在《九章算法纂类》中，杨辉清晰地记录了北宋人贾宪创造的“增乘开平方法”和“增乘开立方法”。特别是在《详解九章算法》（1261）中，详细画出

阅读链接：

王泽妍：《古代数学与算学》（中国文化知识读本），吉林出版集团，2011 年版。

孙宏安：《中国古代数学思想》（数学科学文化理念传播丛书），大连理工大学出版社，2008 年版。

（西汉）张苍著，郭书春注：《九章算术译注》，上海古籍出版社，2009 年版。

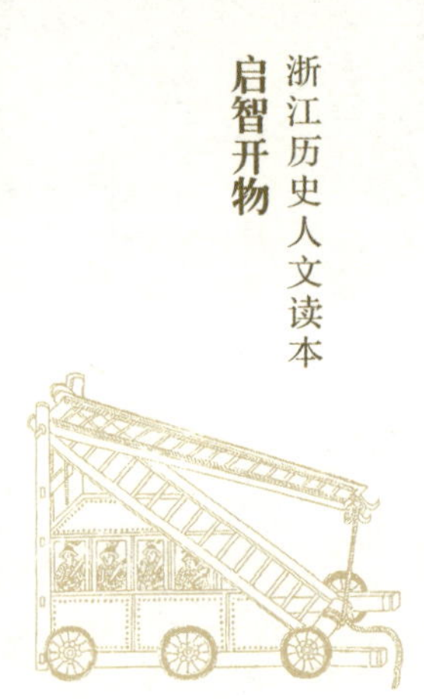

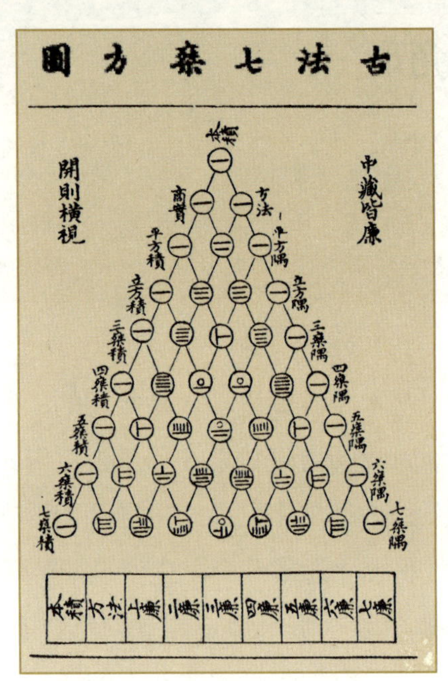

杨辉三角

了贾宪的开方作法本源图、增乘方法求廉草图，以及用增乘开方法开四次方的著名例子。据说贾宪著有《黄帝九章算经细草》一书，但原书佚失，幸有杨辉记下其中的主要内容，才得传世。

那为什么各代数学著作总离不了《九章算术》呢？因为《九章算术》是我国第一部传世的数学书，里面全部都是实用性、事务性的问题，项目包括方田、粟米、衰分、少广、商功、均输、盈不足、方程、勾股，从这九章来看，除了勾股与方程两章与天文比较有关，大多与日常生活相关。由于这部书在中国数学史上是极重要的算经，后世许多数学家不再写书，而只为其作注疏，并把自己独创的研究成果涵括其中。

根据杨辉的记录，我们现在确定贾宪创造了增乘开方法，后来由秦九韶的推进研究最终成形。所谓“贾宪三角”，又称“杨辉三角”，在牛顿的二项式定理中，合于二项展开式各项系数排列。这个系数表，在贾宪、杨辉之后，阿拉伯数学家卡西的著作《算术之钥》（1427）中也给出了一个二项式定理系数表，他所用的计算方法与贾宪的完全相同。德国数学家阿皮安努斯在他 1527 年出版的算术书的封面上刻有此图，但在欧洲一般称之为“帕斯卡三角形”，因为帕斯卡在 1654 年也发现了这个结果。1665 年，牛顿把二项式定理推广到 n 为分数与负数的情形，给出了展开式，但并未给出进一步证明。1811 年，高斯对此进行了严格地证明，结果表明牛顿的猜想是正确的。二项式定理在组合理论、开高次方、高阶等差数列求和，以及差分法中有广泛应用，它的现代数学价值提升了贾宪、杨辉三角的数学含金量。杨辉在纵横图方面的研究也很出名，他记录过九宫图，是一个从 1 ～ 32 的 9 个自然数排成三行三列，其行、列或对角线之和均为 15 的三行纵横图。他还列出四行、五行、六行、七行、八行、九行、十行 8 个纵横图，并解答了三行和四行纵横图的构造方法。无论如何，杨辉等四大家的了不起之处在于，把中国数学实务的计算提升到纯理论。

对当时来说，杨辉的数学成就可能主要在算法改革方面，主要是简化乘法，将多位数乘法简化在一个横列里进行，与现今珠算的方法一致。由于传统筹算摆置很占地方，大型计算一快，筹码移位就易误算，所以简化算法本身就有利民间。在《乘除通变本末》（1274）中，杨辉列出了六种速算乘法和五种速算加、减法。另外，他还编著了一些商用算学书籍，有便于学习的计算歌诀，供商人学习使用数算，商用数学的出现是前所未见的现象。杨辉的书里，包括宋元四大家的书里都未提到珠算。其实绳子串珠的算法，宋代已经有了，只是用起来和带起来都不便利。元末陶宗仪《辍耕录》记载了从珠算引申的谚语，可知当时珠算已经常用。但随着珠算的算盘出世，中国的数学盛世也终结了。

不为良相为良医

朱震亨像

义乌人朱震亨（1281—1358），尊称丹溪翁，生于元朝初年，逝于元朝末年，他前半生的理想是入仕出相，后半生的职业是治病救人，以中医“金元四大家”的声名和“人身阳常有余阴常不足”的滋阴派理论遗泽后世。“不为良相为良医”的人生计划，虽然在他40岁以后才展开，竟也耐得住行医实践的经年积累，终至大成。他63岁开始收徒弟，门生众多，诸得意弟子或收录他的医案，或者阐释他的学说。他67岁应弟子再三请求开始写医学著作，有《格致余论》《局方发挥》《本草衍义补遗》《金匮钩玄》等书遗世，在医学理论、病案方剂、药学知识等方面皆有论述。

和苏轼不同，朱震亨研究医学不是闲来有雅兴，可能连济世一方的宏愿也未必是一开始就抱定的。他为什么弃文从医、端起技术的饭碗呢？不过职业选择而已。在他出生前的1276年，

元朝攻占了临安，3年后，又在广东海上的崖山一役将南宋彻底灭亡。忽必烈时期的许多制度都沿袭了宋朝，但科举制度迟迟没有恢复，事实上被废止了。读书的汉人，在政府停废科举的时期，有许多做了胥吏，就是专职的吏员，吏的地位次于官，但吏可以被拔擢为官。朱震亨在20岁时做过义乌双林乡蜀山里里正，是个胥吏的职位。《四库全书总目提要》有说“元初罢科举而用掾吏，故官制之下次以吏员”，可见，年轻的朱震亨还是有意于仕途的。可快到30岁时，他改变了理想，跟自己说“丈夫所学，不务闻道，而唯侠是尚”实在有愧，就辞职不干了。当时，他母亲患病，久治不愈，他自学医术，历5年，有所成，还自己开方治好了母亲的病。

元皇庆二年（1313），朱震亨32岁，这一年，深受汉族文化影响的元仁宗，批准了中书省的请求，恢复科举取士，并颁定考试程式和内容。朱震亨在接下来的几年里，参加过两次乡试，都没有中。他拜朱熹弟子许谦为师，学习四书五经应试，也在这个期间。尽管学业有长进，但科举之路和胥吏之路一样，出仕之日渺茫茫，且科举之事在元代行行停停，考试的间隔短则两三年，长则相距十余年，实在不靠谱。又蹉跎了几年，46岁的朱震亨，北渡钱塘江，到苏州拜当时已年近九十的名医罗知悌为师。

朱震亨在理论上的建树奠定了他在中医学史上的地位。中医传统理论，与天文学的情形相似，以形而上学的宇宙论为理论之源，相信人体经脉是大宇宙系统中的小系统，与自然大系统互相感通。在此理论悬念之下，若没有从临床诊断用药结集的经验，中医未必能数千年行之有效。在诸多先人良方中，著名的有葛洪的《肘后方》（《肘后救卒方》，又名《肘后备急方》）、陶弘景的《肘后百一方》，以及被后人奉为“药圣”孙思邈的《千金方》等等，都是将诸种病症的症状分类，开列已经证明有效的“验方”。但另一方面，朱震亨的“相火论”和“阳有余阴不足论”之所以在后世备受重视，恰恰因为他提供了一种具有较广泛地适用于医学实践的中医理论，并且这种理论从

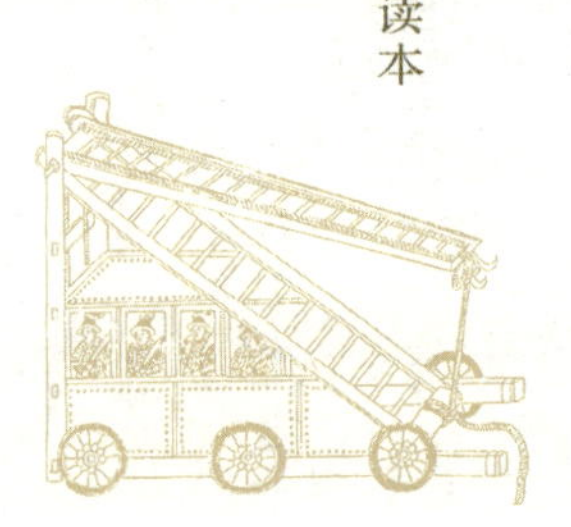

最高端的阴阳分合开始，到五脏对应的五行运行，到天地之气与人的气血互继，到五谷蔬果的食疗养生，一路贯通一个思想：滋阴护阳。这种系统的学说，对实践为主的中医来说，是一个不可多得的理论溯源地。

在中医发展史上，朱震亨（滋阴派）和刘完素（寒凉派）、张从正（攻下派）、李杲（补土派）一起，并称“金元四大家”，他们的共同点是在理论上独树一帜，仿佛一条大河辟出若干支流，为中医别开了生面。不过，病理学上的突破始终没有发生。当然，病理数据也不能完美地说明病情，但至少是一种标准化的判断依据，它可以提供尽量客观的描述，并有助医者依此确诊。而中医的诊疗几乎完全依赖于医者个人的判断力。这种判断力因人而异，即便是名医本人，也会因精力、环境等内外要素变化而导致判断力的偏差。金元之际，中医各分流派，也正昭示了诊断标准不一、共识难得的局面。据说朱震亨临终前，无他言，只唤来后辈子嗣说：“医学亦难矣，汝谨识之！”

阅读链接：

刘力红：《思考中医：对自然与生命的时间解读》，广西师范大学出版社，2006 年版。

罗大伦：《古代的中医：七大名医传奇》，中国中医药出版社，2009 年版。

束水攻沙治黄河

在我国古代，治河始终是政治大事。河是黄河的专称。黄河年水量变化很大，汛期水量往往是平时的几十倍，下游河道善淤、善决、善迁，或疏或堵，特别考验治河官员的胆识。明代时，浙江出过一位著名的督河大臣，湖州人潘季驯（1521—1595）。他先后四次出任总理河道，治理黄河历时 27 年，他“筑堤束水，以水攻沙”的治河方略和实践，为明清治河开辟了新路。其实，浙籍官员治河出名者不少，前有沈括治汴河，后有陈潢治黄河，这几任技术性官僚都有共同的特点：个性缜密，善于协调多方关系。

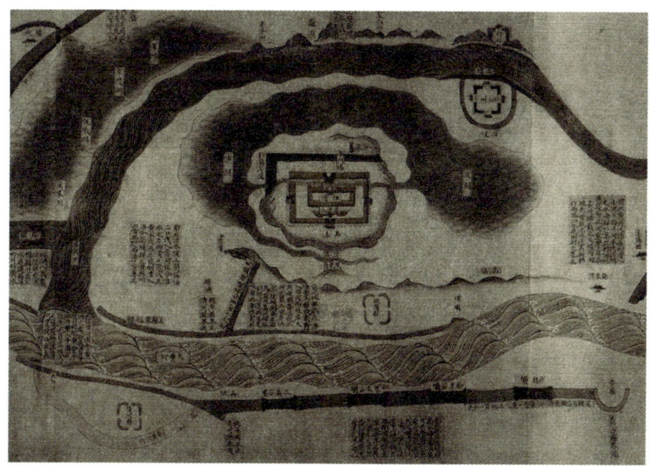

潘季驯作《河防一览图》

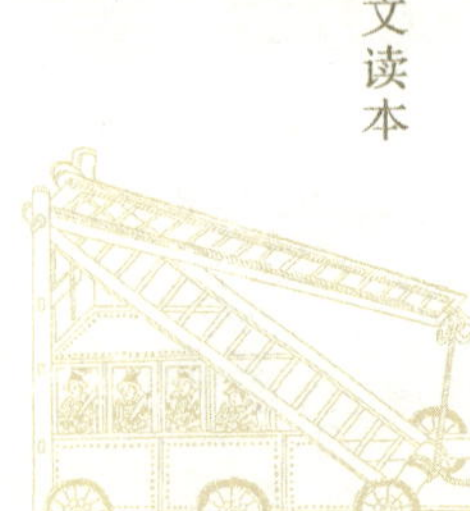

治水宜疏不宜堵，这点很好理解。但黄河流经黄土高原地区，河流含沙量极高，水患只是表象，根本问题是泥沙堵塞河道，遭逢汛期，疲于防堵，稍有疏治，因泥沙淤积而容易南北摆动的河道就徙决改道，河水满溢，黄河中下游平原就大面积遭灾。西汉末年黄河常有决口，豫东、冀南、鲁西北大片土地动辄被淹，河道紊乱，归流不易。当时有个大司马史张戎，熟知黄河河水特性，有“河水重浊，号为一石水而六斗泥”的断言。王莽问他治河之法，他就提出不如顺从水性，让疾水自动冲刷河道，冲掉淤沙，降低河床，加深河道，自然不会泛滥。为集中水量，张戎甚至主张在有些河段不再用黄河水灌溉，集聚水势，冲刷河道。但遗憾的是后来治理黄河都不大重视清沙，而常常采取分流以煞水势的办法，多少忽视了黄河水质特性。

潘季驯治河，再次认识到攻沙对治河的重要性，积极贯彻

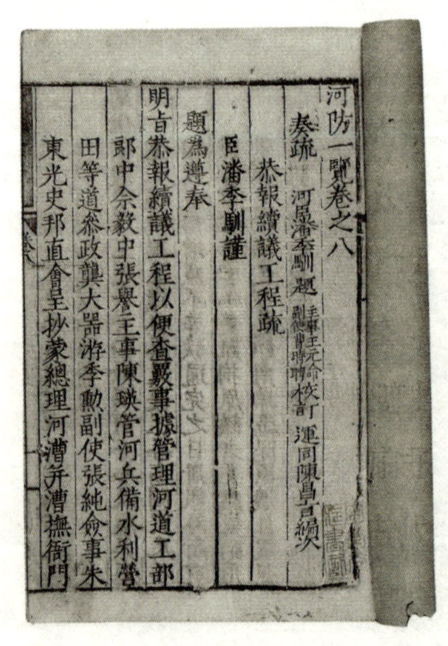

河防一覽卷之八
奏疏　河臣潘季馴題　運同陳昌言編次
恭報續議工程疏
臣潘季馴謹
題為遵奉
明旨恭報續議工程以便查覈事據管理河道工部
郎中佘毅中張譽王事陳瑛管河兵備水利營
田等道參政龔大器游季勳副使張純僉事朱
東光史邦直會呈抄蒙總理河漕并漕撫衙門

潘季驯《河防一览》书影

筑堤束水、冲击淤沙的治河思想。束水攻沙的理论是建立在河流搬运力与流量、流速关系这一地理学基本原理基础上的，河流流速、流量越大，搬运（冲积）泥沙能力越强。由此出发，潘季驯对黄河泛滥根本原因的分析与西汉张戎如出一辙。他说，水流分散，水势就缓，携带的泥沙就容易停滞淤积，沙淤导致河床抬升，即使水流量小，尺寸之水流经沙床，水面都变得很高，何况汛期的大流量呢？至于如何冲沙，潘季驯的办法也与张戎一脉相承，偌大黄河，含沙量高，且源源不断随水东下，人力有限，排不胜排。而水力无穷，将它集中起来冲积沙，就像热水倒在积雪上，淤沙问题迎刃而解。他说的束水就是合并水势；攻沙，就是以迅猛的大水冲击淤沙。淤沙一旦冲走，河床得到清理，水流经由河底而不再行于高位，这时再来防堵，成效就比较可观了。

明朝前期的治河实践，主要实施北堵南分的方针。北堵，就是在黄河下游北岸，修建长堤，防止黄河决堤北迁，切断南北漕运。南分，就是让黄河分道南下，与淮河合漕入海。潘季驯虽然仍继续推行北堵的方针，但反对黄河分道南下、开挖旁支的做法，不同意听凭河水分流南下，而是将从决口旁出的河水堵住，集中到干流。他先后堵塞数以百计的决口，终于结束了长期以来黄河下游多股分流和洪水横溢的局面。

当然，堵决之外，最大的工程量、最多的智慧仍集中于筑堤束水。东汉的王景、王昊治河时曾建起荥阳到千乘海口的千里长堤，确定了黄河下游水道，这条水道地势较低，流路较直，加之三国两晋南北朝时期黄土高原水土植被保存较好，黄河安流八百年，河道没有大迁。潘季驯也以主要力量在黄河下游的河道两岸，紧逼水滨，建筑坚固的堤防。这两道南北大堤被称为“近堤”或“缕堤”，是束水攻沙的最主要工程。不过由于南北两堤逼水太近，即使建得坚固，如遇特大洪水，黄河也会溃堤泛滥，酿成洪灾。为了防范，他们又在南北缕堤之外，再各筑一道远堤，又称“遥堤”。这种近远两重堤岸普遍建于黄河下游（接近入海口的河段除外），其中某些险

阅读链接：

葛剑雄、胡云生:《黄河与河流文明的历史观察》，黄河水利出版社，2007 年版。

［荷］柏林克编著，江恩惠等译：《荷兰境内的莱茵河：一条被控制的河流》，黄河水利出版社，2009 年版。

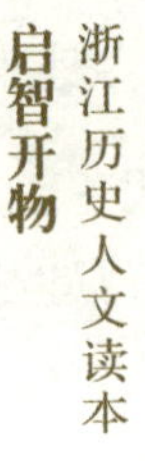

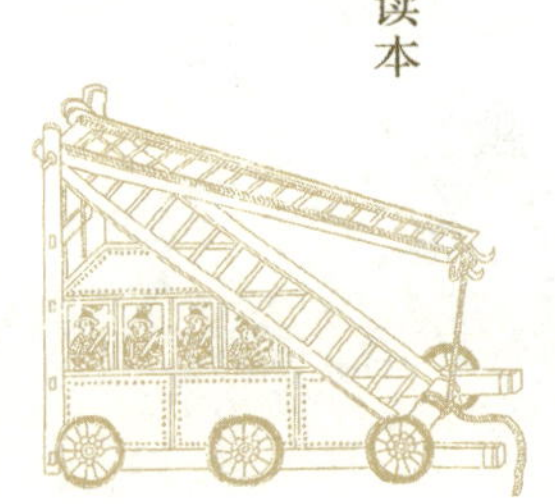

要河段，又给缕堤加筑外拱形的月堤固防。后来，为让泥沙沉积于遥、缕两堤之间，同时使清水归流大河加强攻沙，还在两堤之间修筑挡水格堤，能起到加固双堤作用。另外，还在长堤上建溢流坝调节排洪。

黄淮合漕的治理也一直是个难题。北宋初年，黄河决堤于濮阳东面的商胡埽，自此北迁到天津入海。到南宋末年，金兵南下，开封留守杜充决开黄河南堤御敌，酿成豫东、鲁西、苏北大灾，黄河冲入泗水、淮水河道，合漕入海。合漕的河道很难容纳汛期的黄河水流，频繁决口泛滥。潘季驯在黄河、淮河合槽的清口（今江苏清江市西南）附近建筑蓄清刷浑工程。他加高加厚高家堰大堤，蓄淮水于洪泽湖，抬高洪泽湖水位，使含沙量小的淮河水注入黄河冲刷浑水，通畅河道。但由于淮水量小，不敌黄河，清水很难入河，而抬高高家堰大堤，淹地太多，反而徒增治淮压力，所以蓄清刷浑的工程成效不大。

无论是束水攻沙，还是蓄清刷黄，潘季驯在地理学理论上的贡献都是卓越的，但由于当时尚无专门的泥沙运动定量研究，他的理论只限于定性分析。在复杂的黄河防洪中，他设计的缕堤、遥堤、格堤、月堤等系列堤防工程，虽然发挥了有益的作用，但并未达到理论上的刷深河床、有效防洪的目标。至于近代泥沙运动理论体系则要到 20 世纪中叶才由欧洲科学家陆续提出，但即便借助先进仪器实测，目前仍无法观测制约泥沙运动最关键的边界区域——床面层的变化。至于实现束水攻沙治黄河，更要有待来日。

人文地理备我心

我们勉励自己读万卷书，行万里路，最后一定不想只做个邮差，而是要达到“万物备于心”的境界。理论与实践的关系并不如我们概括的那么明晰，易分辨，可驾驭。

生活在明代晚期的临海人王士性（1547—1598），不仅广览河山，著游记《五岳游草》，晚年还一气挥就地理名著《广志绎》。那是万历二十三年（1595）到万历二十四年（1596），他担任鸿胪寺少卿的闲职，半生游历所见祖国山川形制此时已成竹于胸，不仅仅是对山水地理形貌的整体把握，更有统辖江山、治国行政的思考，他计划以一种别于游记的形式，写一部全国地理备要。50 岁这年，他开始日以继夜地写作，仅一年时间，《广志绎》正式完稿。但没等到刊印，他就病逝了。书中诸多人文地理思想，数百年来历经地理学科方法论的变迁，仍闪烁着探索自然与人关系的理性光辉。

他有一段很著名的关于浙江地区人文地理的叙述，至今还或多或少影响我们对浙北、浙西南、浙东南三地风土人情的判断。他先以钱塘江为界，把浙江分为浙东、浙西两个文化区，再以地理要素把浙东文化区进一步细分为宁绍、金衢、台温三处。在他笔下，浙江人按三大地貌区域概分三类：杭、嘉、湖平原水乡，是为泽国之民；金、衢、严、处，丘陵险阻，是为山谷之民；宁、绍、台、温，连山大海，是为滨海之民。杭嘉湖地区鱼米丰饶，富贵奢侈，有钱人常常压制老百姓。西南山区的人，生活俭素，却性格刚烈，老百姓一旦聚集起来，地方缙绅也拿他们没办法。渔民出海，

阅读链接：

张兰生：《中国古地理：中国自然环境的形成》，科学出版社，2012 年版。

白郎：《中国人文地脉》，成都时代出版社，2011 年版。

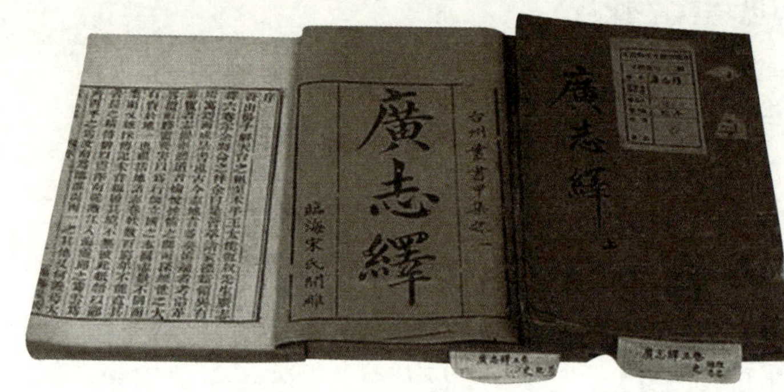

王士性《广志绎》书影

百死一生，既穷不死，也富不至奢靡，大家相安无事。这番论述，实际上包含了地理对文化影响的两种机制，一是地理环境对当地人性格脾气的影响，二是地理环境通过作用于经济生活间接地影响民情民风。其实，早在《五岳游草》中，他就指出，两浙兼吴越之分，土地山川风物迥异。浙西泽国无山，俗靡而巧近苏常，因为原来属吴地管辖。浙东负山枕海，民风俗朴，与瓯越同属一区。法国年鉴学派史学大师布罗代尔在其巨著《菲利普二世时代的地中海和地中海世界》将人文地理的历史研究放到中长时段框架中进行，以探究地理对农业经济、人文社会的缓慢却巨大的决定力量。王士性虽然是三言以蔽之，但思路方法与布罗代尔是相近的。

他对明代行政区划与自然区划一致性的论述也非常精彩，他分别以晋中、关中、蜀中、楚、江右、两广、闽、滇、贵州、中原、山东、两浙、南都、北都等十四处地理形制来对应明代

全国的两都十三布政使司的行政区域划分，详析两者在自然地理、历史沿革、风土人情上的一致情况，只缺广东省，以“五岭以外为两广”一句带过。他以地理考察为依据，批驳了九州分野与二十八宿、十二星次之间的早已流于形式的分野家言。因此，尽管他依然沿用传统三大龙说作为我国山脉分布解说，但提出“以水为断、问水知山”的方法。虽不比现代科学以地质构造、地质时代来划分山系，但他的划分与现代山系划分基本一致。

王士性有如此宏阔的视野、御控南北的才略、贯通自然人文的理想，但为什么现代人熟知的是徐霞客，而不是他呢？谭其骧先生对此有过精辟的分析，一是乾嘉考据学的兴起，二是五四以后地理学界的“重自然、轻人文”之风。《四库全书》评价《广志绎》的缺点恰恰在于其主观论断较多，以致山川险易、民风物产之类大多是随手记录下来证明其观点的，而《徐霞客游记》则以耳目所亲，见闻较确。因为《四库全书》在近世流传很广，这个评价对《广志绎》的打击很大。另外，从中国近代地理学作为学科发展来看，地理学研究方法转向实测，并从史部独立出来，直接打断了人文地理的研究脉络。

的确，参照现代地理科学，王士性对我国地理形制的有些认识、论断已经被证明是不准确的，不再具有地理学上的知识意义，但他将人文科学与自然科学通观研究的方法，以及善于从复杂的现实中捕捉规律、得出判断的魄力，对我们现在认识和应对复杂的社会现实问题仍然有启发。即便有人说，三十年以后，再棘手的社会问题肯定转成另一个问题了，或者我们现在的结论和措施会被证明有不完备、甚至错失的地方，都不能成为我们现在不去正视问题、研究问题、应对问题的理由。更何况，如果撇开地理学科研究的话题，就读书行路这个相对运动而言，我们和王士性一样，何尝跳出过万物皆备我心的宏愿呢？

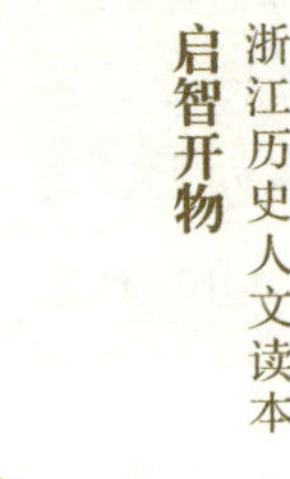

大明要在球中央

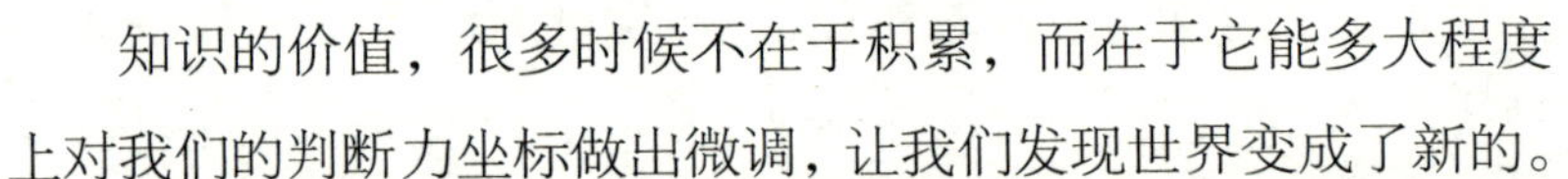

知识的价值，很多时候不在于积累，而在于它能多大程度上对我们的判断力坐标做出微调，让我们发现世界变成了新的。

1601 年，当明代仁和（今余杭）人李之藻（1565—1630）在他的新朋友——天主教传教士利玛窦那里，看到标有经纬线的世界地图时，他被怎样的新世界震撼了呢？世界不是天下，而是全球。事实上，利玛窦的这张世界地图之前已经在中国公众前展示过了，那是 1584 年在广东肇庆，他在那里建了一所西洋房子，并开始传布天主教。在传授古希腊的地圆说时，他的地图不仅引起了在场人强烈的好奇，还引发了强烈的抗议，因为大明王朝竟然不在世界的中央。

李之藻可能并不是第一次看到世界地图，因为元代已有专门绘制世界地图的地理学家。他是一下子被地球这个球体概念、平面投影的画法和经纬线刻度的使用深深吸引了。他在 20 岁时曾绘制过比较精确的《中国十五省地图》，对中国的地理勘测和制图比较了解。中国古代的地图绘制技术基本由三国魏时的裴秀拟定，以平面地面为基础，以矩形网格体现比例（比如一格相当于 100 里）。裴秀提出的“制图六体”中，除分率指

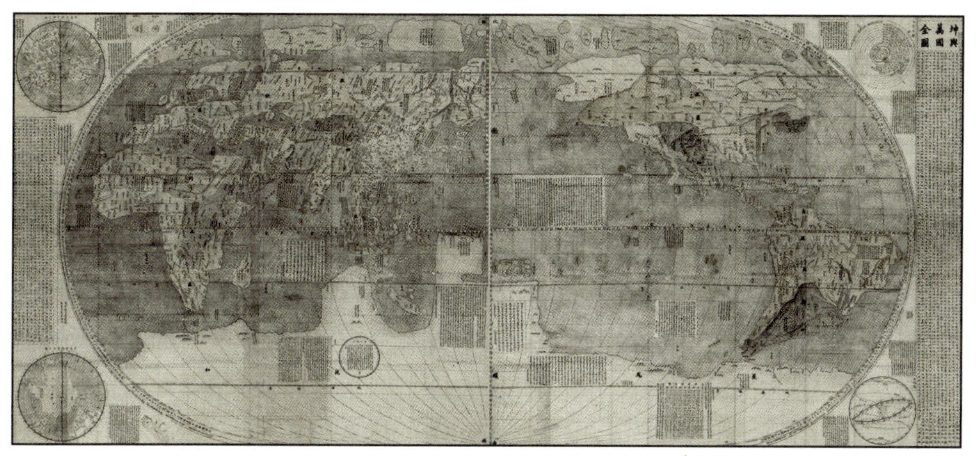

坤舆万国全图

称制图比率外，所谓望准、道里、高下、方邪、迂直等五种办法，都是平地测量法。它们给出了两地间道路可能存在的非水平直线状况，提出要做相应校准和取舍。就是说，当两地间人行的道路里程不是水平直线距离时，要通过“高取下”“方取斜”“迂取直”的办法，将此道路里程通过数学运算变成水平直线距离。后来沈括用“飞鸟术”更指明了地图要准确标注的是两地间直线距离。这些认识和解决制图问题的观念都是陆地的平面观念，到了茫茫大海上就完全失去意义了。

利玛窦的这幅地图采用平面投影绘图法，纬线是平行线，经线是曲线，画出了美洲，很可能是以亚伯拉罕·奥特柳斯（Abraham Ortelius）1570年的世界地图作为依据的。奥特柳斯曾和现代地图制图开山者墨卡托一起旅行，并深受当时最先进的海图绘制法——墨卡托投影法的影响。西方的制图技术从古希腊开始就以球形地面为基础，其制图关键在于如何把球形面投影到一张平面的纸上。墨卡托投影法的原理是等角正切圆柱投影。简单地打个比方，我们假设地球被紧密地围在一个中空的圆柱体里，其基准纬线与圆柱相切处拟定为赤道，然后再假想地球中心点上有一

阅读链接：

梁二平：《谁在地球的另一边：从古代海图看世界》，花城出版社，2007年版。

俞强：《鸦片战争前传教士眼中的中国》，山东大学出版社，2010年版。

盏灯，按等角条件，把球面上的图形投影到圆柱体上，再把圆柱体展开，就是一幅选定基准纬线的墨卡托投影地图。它解决的正是球形到平面的投影问题，李之藻被制图中的现代科学观念和方法震撼了。

正如他看到的，地图上的经线是一组竖直的等距离平行直线，纬线是垂直于经线的一组平行直线，各相邻纬线间隔由赤道向两极增大。这种投影法有个明显的误差弊端，主要由于一点上任何方向的长度比均相等，即没有角度变形，所以区域面积变形会比较显著，且随远离基准纬线而增大。不过，它的优点也很明显，就是能保持方向和角度的正确，由于任两点间的方位都被定准，只要循着图上两点间的直线航行，方向不变就可以一直到达目的地，因此有利航海。今天仍有很多深海地形图借助墨卡托投影法来绘制。

除了了解墨卡托投影法，李之藻还实践了一种日晷投影计量纬度的方法，这也是利玛窦教的。利玛窦到北京没多久，就用日晷首先测得了北京的纬度为北纬40度（现代数据为39.9度），后来结识了李之藻，利玛窦就把这副欧式石制日晷送给了他。几年后，李之藻以工部分司之职赴山东章丘治河，就是用这副日晷测得章丘纬度为北纬35.5度（现代数据为36.75度）。

1602年，两人一起绘制了历史上第一张中文版的世界地图——《坤舆万国全图》，李之藻凭借对中国地理及地图绘制工作的了解，在图上做了很多历史和地理方面的注释，而且两人决定把明王朝的版图放在地图中央。

织罗只为他人衣

“遍身罗绮者，不是养蚕人。”宋诗中那个进城的养蚕妇，叹息穷人劳动而富人享受，她看到的是人类社会从古到今一直存在的穷人和富人的差距。哪怕我们熟悉的阶级分析提供过解释，并推动过社会的变革，但目前我们不妨实事求是地承认：贫富差距，无论对于人类种群、还是对于文明社会，都始终是一个要认真应对的矛盾。

浙江省婺州（今金华、兰溪、永康、义乌、武义、浦江、东阳一带），在两宋之际，盛产婺罗。罗，与锦缎绣缂的富丽华贵不同，它质地更轻盈，花色也相对素雅。在上流社会，比锦绣低一级，比绢棉要高端，用途很广泛，不仅有罗衣、罗袜，还有罗帐、罗茵。罗织品的需求量大，织罗人的工作量和贡赋负担也就大。王明清所著《挥麈后录馀话》中，载有南宋初年左丞叶梦得与高宗一段对话，当时的婺州知府苏迟进奏，恳乞朝廷减轻年度上贡罗织的额度，叶梦得面请皇帝体恤民情。从对话获知，婺州是当时上贡罗织的重要基地，北宋时年上贡 1 万匹，南宋时增加到接近 6 万匹，而且“岁无本钱，皆出科配”，婺州百姓实在承造不起了。谈到最后，高宗皇帝倒也爽快，答应减半到每年上贡 3 万匹。

婺罗之所以珍贵，是因为织造技术要求较高。婺罗的特色是花罗，就是罗地上起本色花，花地同色，还有非常秀雅写意的套花和串枝图样。这种暗花婺罗比一般的染色罗织品更珍贵，只有婺州出产。织罗本来就要比一般织物复杂一些，它需要用特殊的绞综装置，织造过程中要分普通梭口和绞转梭口，让经线两两绞转，形成

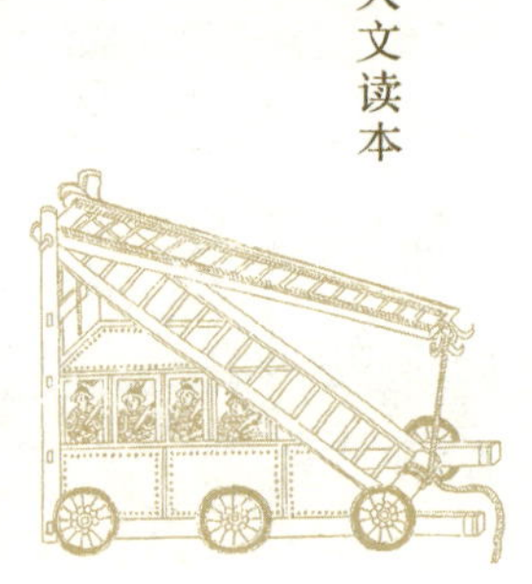

孔眼，才够透气。而提花罗比平织罗更复杂许多，织造的时候，最要紧的是操控罗机上的起绞装置，再用斫刀比较原始地一格一格地打纬，还要用一种叫“文杆”的挑花杆逐一挑织花案，要这三件用具配合起来工作，至少得两个人操控，才能织出花罗。加上花罗的经线要事先浆经增加强度，且木制织造器具很重，劳动量非常大。可能因为技术改进缓慢，花罗费时费工，元代以后，王公贵族不欣赏这类织料，作为高档贡品的婺罗无法适应新兴的市场需求，也就沉寂了。

明清之际，杭罗的兴起，有鲜明的商业底色，它是和整个近代杭州丝绸业发展同步的。纺织业无疑是明代生产事业中最发达的产业。从产业布局看，官方的织造业分布全国各地，江南最多，也最重要。民间的纺织业，不论丝织、棉织，也以长江三角洲为生产中心，密集于一地，技术改造可以从竞争中、切磋中发展出机会。纺织业的地区性分工，也带动了国内市场的交换网络，发达的制造业越来越需要完善的商业和交通物流网络来承载，这可能也是婺罗在商业环境里无法再次崛起的原因之一，因为杭州的物流条件比婺州要好。

首先说杭罗依托的城市商业环境。《西湖老人繁胜录》记录了南宋杭州城中的29个行市，其中丝绵市、生帛市、枕冠市、故衣市、衣绢市、银朱彩色行6个行市是专门的丝织衣服交易市场。另外，所谓坐贾行商，除了店铺生意外，民间的转运贸易越来越发达，尤其依靠的是杭州运河、钱塘江两条水路。婺罗曾走钱塘江送到都城临安。到了明清，杭州不仅有商业之便，且杭罗产品

的大众化路线为民间织造产业的发展创造了条件。尽管省内的嘉湖地区盛产全世界最好的土丝原料，以“辑里湖丝”畅销全球，有“湖丝遍天下”的美誉，但杭州的机织户主要用本市自缫的土丝和临近桐乡、石门的土丝，取其丝质坚硬，有利起绞。

同时经历简化改造的还有织造工具和程序。《天工开物・乃服》记载，凡织杭西罗地等绢、轻素等绸、银条巾帽等纱，不必用花机，只用小机……故名“腰机”。也就是说，织平纹的手工木机，上面有两片综框织平纹，下面两片踏脚板提综，筘前加装一副绞综装置，就能一个人织杭罗了，但劳动量还是非常大的，基本上每机一张，日出绸一匹。

由于民间手工业的发展受限，“一户一织”的家庭机坊，一直是明清两际江南纺织产业的原始终端。有学者在追溯明代民间织坊规模发展的停滞时，曾喟叹：在一朵小小的棉花里，藏着一个巨大的“明代秘密”，每年 6 亿匹的织料居然绝大部分是由一家一户的农村家庭织就的。没有规模化的纺织场，却照样有如此巨大的产能，靠的是每个机织女工巨大的超常的劳力付出。如果说资本主义精神里有“为职业劳动献身”的要素，那么，中国明清时期江南机织女工的谋生里，既没有某种非理性的信仰要素，也从未在理性的经营投资和理性的劳动组织里工作过。“不足生理所需的薪资无论如何都会使劳动效能下滑，长此以往，这甚至意味着‘最不适者生存’的后果。”（马克斯・韦伯著，康乐、简惠美译《新教伦理与资本主义精神》，广西师范大学出版社，2011 年）有学者将这种局面称为“内卷式”的畸形发展。从小的方面说，它阻碍了产业内部的技术改革；从大的方面说，阻断了产业发展与科技革命之间正常的联动关系。商帮在这种产销体制下奇异地发达起来，但销售环节的利润要通过更大范围的融资运作才会反哺制造环节的扩大生产和技术改造，可惜难有合适的条件和时势去催生他们自主创建一个促进资本流动的市场体系。

在分析宋代以后中国科技进步迟滞的原因时，有外国经济学家认为，人口第一

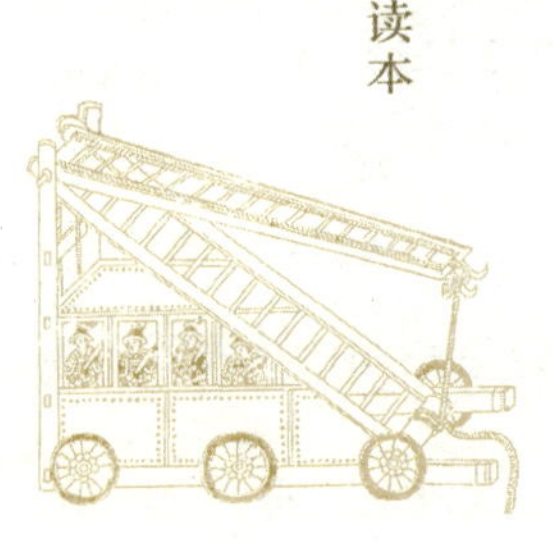

个过亿的中国，有足够大的内需市场，因而没有提高质量、降低成本、革新技术的动力了。其实更准确的根源是，当时的中国有巨大的、而且是被稳定在农村的劳动力群，那些明清之际的乡村纺织女，比宋代的养蚕女更惨，其资本价值是非常低的。无怪当代学者痛心疾首：对中国男耕女织的赞美，其实是一个唯美主义的诅咒。

阅读链接：

严中平：《中国棉纺织史稿》，商务印书馆，2011 年版。

[英] 哈里斯编，李国庆等译：《纺织史》，汕头大学出版社，2011 年版。

长锋羊毫数湖笔

毛笔是我国独有的书写工具，在传统文房四宝（湖笔、徽墨、端砚、宣纸）中，湖笔居首位。湖笔兴起于元代，以湖州善琏为代表，以长锋羊毫闻名天下。

在介绍湖笔之前，要先说毛笔笔制在唐宋时的重大改进。唐代以前的毛笔是有心笔，也就是笔心中加一个枣核状的小桩子，有利笔头挺直牢固，但这样一来，笔头吸墨少，书写时仅有笔尖部分着纸，挥洒不开。横跨唐宋两代的宣州制笔世家诸葛氏试作散卓笔，突破了枣心制式，无心散卓的制法免去了加桩工序，将笔毫理得长一点，散立扎成较长的笔头，且将大部分藏在笔管里，含墨的性能卓越。这个改进适应了宋代以后水墨画的兴起，以及纸张在书画中的广泛应用。因而宣城诸葛笔在宋代备受文人钟爱，几乎席卷朝野。宋元更替之际，宣城制笔业在战乱中凋敝，湖笔名声蜚起。

湖笔的特色在羊毫。山羊毛是最早的制作毛笔的原料之一。晋代崔豹的《古今注》中就提到以羊毛为披、鹿毛为柱的制笔法。王羲之的《笔经》、北魏贾思勰的《齐民要术》所载“笔墨方”中都提到兔毫杂以青羊毫制笔。北宋时已有羊毫笔代替兔毫笔，按沈尹默的分析，这种变迁是由墨汁的变化引起的。开始人们只知以天然石墨研粉调用，这种有渣滓的墨汁要借力枣核式的硬毛笔头和短颖方能运用自如。唐末五代时，易水祖氏、奚氏，相继制作了加入轻胶和油烟的烟墨，就和现在所用的

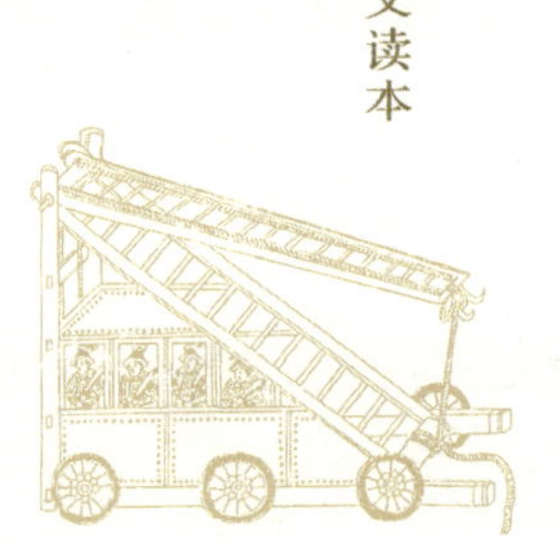

墨汁差不多了。羊毫笔虽不如兔毫劲健，但吸水力强，蓄墨较多，笔锋弹性适中，耐磨性好，使用寿命较其他毫材都要耐久。

到了明清之际，书画写意风格的流行不仅带动了宣纸的生产，也使湖州的长锋羊毫更加盛行。生宣纸质地紧密而柔软微涩，吸水性强，浓淡燥润，层次分明，墨色变化丰富，与之相应地，羊毫笔细腻柔顺，含墨充分，出水有节制，能保持书写绘画的气韵连贯。尤其对当时备受青睐的高轴大幅作品来说，羊毫几乎是必备的。所谓“笔要软，软则遒；笔头要长，长则灵；墨要饱，饱则腴；落笔要快，快则意出”，就是对长锋羊毫以柔克刚效果的得力描述。潘天寿从书法之“笔力”出发，认为长锋羊毫是训练书法技艺的难度挑战。他指出，笔力通过指力、腕力、肘力贯穿，经由笔端达于纸面上的方寸点画。硬毫笔可以借力，而软毫笔完全依靠写者的笔力功夫，不易掌握。以初学者打好基础起见，除最软的鸡颖、鸭颖之外，羊毫可算最柔软的毫料，应是初学者的首选。

湖笔的兴起，也得益于当地浓厚的人文氛围。元代，湖州笔工与赵孟頫、钱选为代表的“吴兴八俊”及后来的“吴兴画派”多有往来，向他们征求使用毛笔的建议和意见，切磋改进的方法。据说赵孟頫之叔赵与簒住在湖州时，曾亲自把制作湖笔的元老徐信卿的技艺传授给冯应科，但凡不合徐氏制法的笔管，一概当即折裂，直到完全能如法炮制为止。在严格的训练下，冯应科成为湖州笔派的开创者和缔造者。据《归安县志》记载，元冯应科制笔妙绝天下，时称赵子昂字、钱舜举画、冯应科笔

为“吴兴三绝”。可见，笔工在书画史上的地位。后来，赵孟頫将亲眼见过的叔父传授制作湖笔的绝技，描述给另一位胡笔传人陆文宝听，陆文宝深悟徐、冯之法，制笔技艺得青蓝之势，与冯应科齐名。冯陆制笔遂成为湖笔的祖传技艺，一直流传至今。

在业内，制笔之法以尖、齐、圆、健为四德，即笔锋坚韧、修削整齐、丰圆劲健。具体说，笔头锋芒如锥不开叉；笔毛垂直整齐，散开后顶端平齐无参差，吸吐均匀；笔头浑圆匀称，回转自如，笔锋不脱不败，整笔富有弹性，收放合意，收笔后笔头即恢复锥状如初。四德中尤以“圆”“健”的整体要求最难得。由此可知，笔之贵在毫。而湖州正有非常出色的毫料——山羊毫，毛细色白，柔软有弹性，毫端常有一段透明尖挺的锋颖，笔工们称为“黑子”，有弹性，易濡墨，制笔最佳。湖笔的名品用的都是这种毫料，锋颖透明，故又称“湖颖”。湖颖与早前的毛笔制式——枣心、散卓一样，成为毛笔一个划时代的标志。说到湖笔的笔管，传统采用邻近安吉灵峰的鸡毛竹，节稀竿直，竹竿内空隙小，且货源充足，便于采办。无论毫料，还是笔杆，都要在冬季采集。因为冬季的兽毛刚刚更换一新，锋颖锐利，而冬竹清白坚硬，不蛀不裂，正可入料。

湖笔从选料到出品，须经笔料、水盆、结头、装套、择笔、蒲墩、刻字等 12 道工序，其中每道工序又分作若干小工序，合计起来大小有 120 多道工艺。最复杂又关键的是水盆环节，又叫水作工，经初步拣选，半成品的笔头就制作完大半了。白居易用“千万毛中拣一毫”来形容一支好毛笔的毫料难得。要将千万根细小的动物毫毛整理成笔头，决定了只能凭肉眼、手感和经验操作，无法机械化，其繁复精细在中国手工艺中可谓首屈一指。

好技艺当然传千里。明代时，湖笔已是宫廷贡品。明、清两代，湖州成为全国制笔中心，最负盛名的是“王一品斋笔庄”。有开拓精神的湖州笔工从清初开始纷

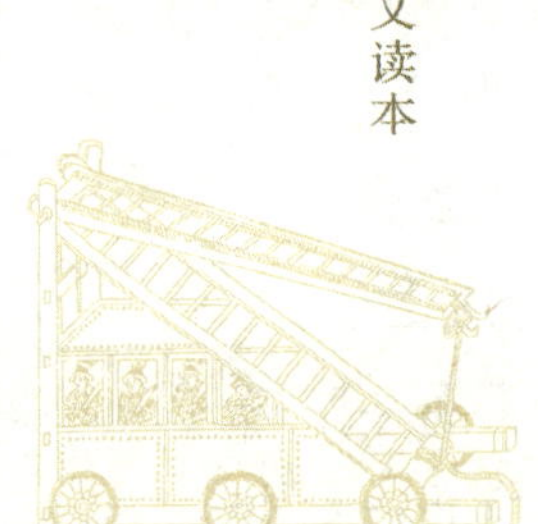

纷到全国各地开设笔庄，如北京的“贺青莲”“戴月轩”“李玉田”，上海的“杨振华”“李鼎和”“周虎城”“茅春堂”，南京的“陆继翁”，苏州的“贝松泉”，还有杭州的“邵芝岩”。

智言慧思

书有三戒：初学分布，戒不均与欹；继知规矩，戒不活与滞；终能纯熟，戒狂怪与俗。

——（明）项穆《书法雅言·取舍》

阅读链接：

马青云：《湖笔与中国文化》，北京大学出版社，2010年版。

程建中：《湖笔制作技艺》（浙江省非物质文化遗产代表作丛书），浙江摄影出版社，2009年版。

玲珑传神青田石

青田石雕是以青田石为材料精雕而成的民间传统工艺品。在中国石雕文化中具有一定的代表性，堪称“中华一绝”。最早发端于公元3世纪的六朝，早期以冥器和印纽制作为主；五代，流行佛像雕刻；元明时期，引发中国篆刻史用材大革命，开创了“石章时代”；清代，出现大批青田石雕陈设艺术品；至十七十八世纪，随着国际商贸和文化交流的广泛推广，远销海外，名扬天下。

青田石雕作品《春风得意》

话说青田石雕，不能不说到青田石。有关青田石的发现和开采，据青田林家族谱《谷口图书石记》记载：“唯故老流传云，此山之始曾有二白鹤来止，飞鸣旬日，后而舍去，好事者陟而按之，遂得此石。是山当以鹤山命名，而顾因其石为图案印章之用，即名之曰图书山……”清康熙《青田县志》将青田石称为“图书石”，列入《物产志·货类》。地质专家指出其成因为：

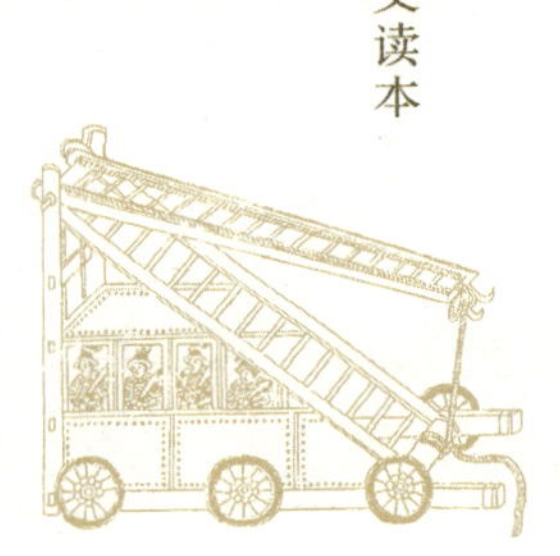

“显由流纹岩与凝灰岩所变，为中级高温溶液与火山岩互起变化而成。”换句话说：青田石矿床属火山——中低温热液矿床，成矿形式以交代为主，充填为次。矿区处于青田——寿宁火山裂隙喷发带。

大自然对青田的恩赐是最为慷慨的，它几乎把所有的色彩都泼洒在青田石上，从而使青田石足以令玉称臣。青田石中的矿物成分及组合复杂多样，多数属叶蜡石型，也有少数以迪开石、伊利石和绢云母为主要矿物成分的品种。在青田石中，还混生少量刚玉、蓝线石、红柱石、蓝晶石、黄铁矿等，形成了丰富的玉相学特征。矿物成分、化学成分的差异，使青田石不仅呈现出各种类型，同时也使其质地、色彩、花纹千变万化。

在中国同类“名石”中，青田石质地坚而不硬，柔而不粉，色彩丰富，清丽雅致，品质高贵，具清纯、温润、细腻、凝重、敦厚之美，主调尚清尚淡，褪尽火气，雍容娴静。如按矿区分，则有山口、方山、双垟、北山、下堡、塘古、旦洪、尧士、季山、塘古等十几大主要矿区。按色彩分，有青色类、黄色类、白色类、红色类、蓝色类、绿色类、黑色类、褐色类、棕色类、花色类等10大类100多个品种。其中以灯光冻、封门青、黄金耀、金玉冻、蓝星、龙蛋等为珍品，并有着各自的风采。灯光冻，晶莹剔透，有着寒夜挑灯时的光耀和温馨；封门青，淡雅温润，给人以似烟似雨般的缥缈感；金玉冻，金玉相间，富丽堂皇……地不爱宝，沉睡千万年的美石就这样从地心被唤醒，鲜活地呈现于世而攫人心魄。

青田石位居中国四大印石之首，可亲近，可摩挲，可手镌，素为历代书画篆刻家、收藏家所钟爱、所向往、所珍藏，被历代帝王、文人称为“石中之君子”。而“石宜青田”，则是明代以来篆刻家们在艺术实践中形成的共识。明代著名篆刻家、印学理论家沈野在《印谈》中曾说：“石之贵重者曰灯光，其次鱼冻。灯光之价，直凌玉上。色泽温润，真是可爱。灯光之有瑕者即鱼冻，鱼冻之无瑕者即灯光，最是易辨。”明清时中国篆刻艺术的崛起，与青田石被引进印坛有不可分割的关系。清人韩锡胙在《滑疑集》中记载：“赵子昂始取吾乡灯光石作印，至明代而石印盛行。”明代文彭是青田石的真知音。文彭（1498—1573），长洲（今江苏苏州）人，国子监博士，长于诗、书、画、印。因偶遇青田石而开创文人自篆自刻风气，使宋元以来有治印雅兴、面对坚顽铜印又兴败气馁的文士群，终于寻觅到了自篆自刻的理想印材，激发出他们前所未有的刻印热情，创造了中国篆刻史上的一项奇迹。

这些史实可在皇宫和文献典籍里得到印证。明万历四十五年（1617），太仓张灏编集的《承清馆印谱》中见印664方，其中有青田冻石498方，占四分之三；在《西泠后四家印谱》中见印334方，青田石216方，占70%。在浩如烟海的文物宝库故宫博物院里，就有被选为皇帝、皇后玉玺的400余方青田石印章，其中最为珍贵的当推文彭篆刻的“光风霁月”印章。由此，青田石披上了“印石之祖”的神奇光环。历代帝王和文人集石、品石成风，青田石的材质美与艺术美魅力无穷，点燃了人们审美收藏的欲望，倾倒了无数的石迷、石痴。

青田石雕之艺术价值，第一是在青田石的不可再生资源的稀有性，其次体现在艺人的鬼斧神工，即技艺和创意之中。

青田石雕的雕刻工具非常传统，与木雕工具相近，主要有凿子、雕刀、车钻、刺条四种。青田石雕的工艺流程大致分为选料布局、打坯戳坯、放洞镂雕、精刻修光、配垫装垫和打光上蜡等六道工序。

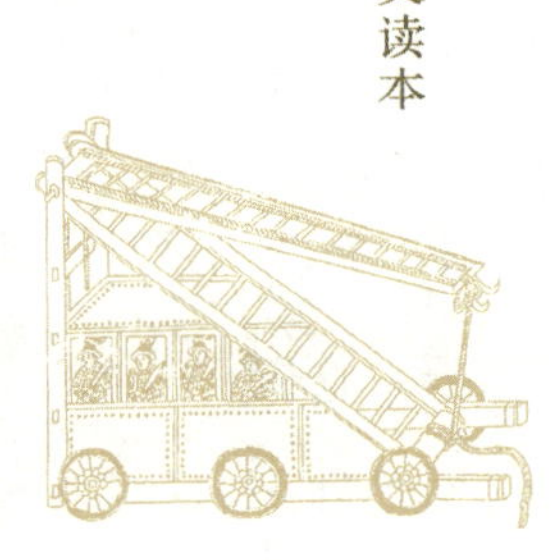

“选料布局”是至关重要的基础，再高明的艺人若无好石料也难以雕出好作品。选料大致可分按料选题和按题选料两类。按料选题是指根据石料的形态、质地、色彩，苦心经营，精心设计。艺人往往将石料摆在案头，横摆斜置，仔细观察，反复构思，一旦面前的石料与脑中的某一灵感图像相契合，便挥锤握凿，确立作品雏形。按题选料则不同，艺人先有主观构想，形成某个新颖构思，然后苦心寻找合适的石料，一旦不期而遇，自是惊喜万分。有了构思布局后，便“打坯戳坯”，用打坯凿在石料上劈削出作品的外轮廓、景物的大块面，以简练概括的手法将构思变成视觉形象。“放洞镂雕”是一道费时最多、技艺最复杂的重要工序，雕刻过程采用减法，不断剔除作品实体外层的多余石料，逐步显现景物实体，表现实体的空间和里层的丰富层次。“精刻修光”是指深入刻划细部，修饰外貌，着重刻划景物的细微之处，使作品显得更有生气、更为美观、更加传神。“配垫装垫”是作品不可缺少的有机组成部分，一个与主体自然和谐的好装垫，不但可与主体相互映衬，更能起到突出主体的重要作用。最后一道工序是“打光上蜡”，使作品外表光洁明亮，充分显现石料的材质美、色彩美。

青田石雕的雕刻手法分圆雕、镂雕、浮雕、线刻等数种，以圆雕最为常见，尤以镂雕最具特色。在具体操作上，圆雕、浮雕在布局后用斜口刀尖勾勒出景物的轮廓，用平口刀削刮空余石面，再用刀浅刻，以表现景物的结构、层次。“线刻”是以刀代笔，在石雕上刻划出阴线。主要用在人物的须发，服饰

图案，动物的皮毛、鳞片，山水的屋宇瓦楞，花卉的叶筋，炉瓶、印盒上的装饰图案等处，可以达到鲜明醒目的效果。镂雕广泛使用于雕刻山水、花卉作品中，能使作品层次丰富，玲珑剔透。主要有放洞和镂雕两个环节。放洞给镂雕创造条件；镂雕是在放洞的基础上，经过凿、刀、刺的镂刻，使圆洞成为实体之外的形态多变的空间，能使作品层次丰富，玲珑剔透。

青田石佳，付之巧工，益得锦上添花之妙。其雕刻工艺大致有：自然式，不施雕琢、纯朴天然；图案式，精雕细刻、人胜天工；画纹式，点、线、面结合，精美雅致；写生式，因材施艺，奇妙至极。风格兼有“写实、写意”两大类，以“巧妙、变化、精细”为三个基本要素，形成了“因材施艺、因色取巧”的显著特征。

青田石雕是中国工艺美术百花园中的一朵奇葩，兼融“天工与自然”，符合“道法自然”的古典审美理想。在漫长的岁月里，一代代艺人默默地以自己的血汗和才华创造了青田石雕艺术的辉煌历史，承载着传达人类崇高精神的使命，发挥了社会教化的作用。（陈墨撰）

阅读链接：

周百琦、张澄之：《青田石雕技法》，浙江科学技术出版社，1994年版。

陈墨：《千金寸璧青田石》，海潮摄影艺术出版社，2005年版。

诸葛村建筑史记

中国古建筑是集科学、技术、艺术、文化、历史于一身的奇葩，兰溪诸葛村则更像是天造地设的一个奇迹。

从浙江兰溪市区出发，向西18公里，便可抵达诸葛村。这里处在千岛湖和黄山之间，湖和山都早已成为人头攒动的旅游胜地，诸葛村依然不求闻达，高卧于浙西的丘陵起伏、满山风露之中。

据方志记载，村庄的历史可以追溯到元代。三国蜀相诸葛亮后裔第二十七世孙诸葛大狮生活在元代中前期，平生好阴阳堪舆之学，深明建筑原理，嫌祖居葛塘环境狭隘，局面窄小，子孙不能发达，因而四出踏勘新居地址。公元1340年前后，他觅得地形独特的高隆岗，亲自规划，披荆斩棘，以钟池为中心，营造房舍。为纪念先祖诸葛亮，他按九宫八卦阵图式精心设计构建村落。明朝中叶，诸葛氏族子孙不断繁衍，经济日益富裕，建房愈来愈多，村落愈来愈大，但是总体格局一直未变，而大公堂、丞相祠堂等十八厅堂建成之后，八卦村格局越趋明显。

诸葛村村落布局十分奇巧罕见，高低错落有致，气势雄伟壮观，结构精巧别致，空中轮廓优美。位于九宫八卦图中心的钟池，一半水塘一半陆地，两面各设一口水井，形成极具象征意义的鱼

形太极图。以其为中心，四周拱卫着大公堂、怀德堂、崇信堂、丞相祠堂等楼宇建筑，八条弄堂向四周辐射，形成内八卦，使村中的所有民居自然归入乾、坤、坎、离、震、艮、巽、兑八个部位。更为神秘的是村外八座小山环抱诸葛村，构成天然的外八卦阵形。当游客步入村中纵横交错的古巷时，大有似连非连、半通不通、曲折玄妙之感。置身其中，更加感悟到杜甫的“功盖三分国，名成八阵图。江流石不转，遗恨失吞吴”的内涵。

诸葛村被国家文物局专家组称为“传统民居古建筑的富金矿”，村内以明、清建筑为主，现有保存完整的明清古民居及厅堂200多处。虽历经数百年，但村落九宫八卦的格局一直未变，其“青砖、灰瓦、马头墙，肥梁、胖柱、小闺房”的建筑风格，极富古典韵味和历史感。今天的人们行走在其中，恍若穿越时空，回到那个日出而作、日落而息、男耕女织、远离尘嚣的田园时代。

诸葛村处于八座连成弧形的小山包围之中，地势隐蔽，地形复杂，房舍巷弄布局变化无常，具有迷宫特点，有很强的防御功能与观赏价值。据传盗贼进村会因巷道交错复杂、难觅出路而被捕获。抗战时期，日军从高隆岗下大道经过，由于四面环山，茂林修竹，未能发现这一繁华村落，从而免受劫掠之灾。北伐期间，国民革命军肖劲光部与军阀孙传芳在诸葛村附近激战三天，村庄竟安然无恙。

在这座古村落中最重要的建筑要数纪念诸葛丞相的大公堂和丞相祠堂。大公堂正在村中央的“龙穴”上，与前后远近的山峦、池塘呼应，阡陌交通，泗泽汇流。为了保护这种得天独厚的风水形势，诸葛家族的宗谱里规定：“不得损坏阴阳两宅。”这座村庄里最恢弘的建筑，有一座朝向正南的头门，白墙青顶，轻灵秀丽。暗红色枋柱的正门是牌楼式，四个翼角高高翘起，仿佛要凌空飞去。中央高悬白底黑字：“敕旌尚义之门”。这是明英宗在1437年降下的旌表之辞。后厅的太师壁，书写着诸葛亮的《诫子书》，作为诸葛氏世世代代的族训。而与大公堂相对的丞相祠堂，则体现了诸葛亮“静以修身，俭以养德”的训诫。

阅读链接：

陈志华等：《诸葛村》，清华大学出版社，2010 年版。

墨岩：《浙江古村落地图》，浙江人民出版社，2004 年版。

诸葛家族的祖训是，不为良相，便为良医。诸葛村人经营药材，在明清之际享誉江南。《高隆诸葛氏宗谱》中说，诸葛氏的药材生意“南则广州香港，北则津沽牛庄，运输贸易半中国”。极盛之时，诸葛村人在外经营药业的有 350 家以上。

到了清代康、雍、乾时期，诸葛氏子孙因善于经营中药业，财富积累迅速，而最大的投入莫过于营建家园。一时间，华堂、厅堂、楼阁、祠堂遍地开花。当时有大型建筑二百多座，厅堂共十八处，庙宇四处，石牌坊三座，宏伟精致建筑环绕十八厅堂，鳞次栉比。到了清末民初，各居民小区初步形成，有田园风光式的，有闭合式的，有沿山沿路沿街式的，形式各异，风采纷呈。20 世纪 40 年代，诸葛村的商业中心由旧市路迁移至交通便利的上塘附近，热闹繁华。

八卦源于中国古代对基本的宇宙生成、相应日月的地球自转（阴阳）关系、农业社会和人生哲学互相结合的观念。来源西周的《易经》，记录了“易有太极，始生两仪。两仪生四象，四象生八卦”。《易经》所说的卦，是宇宙间的现象，宇宙间共有八个基本的大现象，而宇宙间的万有、万事、万物，皆依这八个现象而变化，这就是八卦法则的起源。一个小小的诸葛村便囊括了宇宙间的奥秘，怎能不让人惊叹！

今天的诸葛村，白墙黑瓦的典型建筑结构，蜿蜒曲折的小巷中，依然散发着浓郁的质朴、古雅的味道，也蕴含着“天人合一”“人与自然和谐相处”的中国古典哲学思想。这些古建筑静静地守望着历史，守护着今天的人们。当人们身处诸葛村那玄妙、优美的古镇风景中时，“宁静致远，淡泊明志”的诸葛氏传统遗风便弥漫在心灵最深处。（吴久久、庞茹撰）

细纹刻出美世界

“翦彩赠相亲，银钗缀凤真。双双衔绶鸟，两两度桥人。叶逐金刀出，花随玉指新。愿君千万岁，无岁不逢春。”这是唐代杭州刺史李远所做的《翦彩》，描绘的是正月初七那天，古人将剪好的人物花鸟，制成“华胜”贴在鬓角或粘于门屏上的习俗。

刻纸的缘起，据说可以追溯到《史记》中“剪桐封弟”的记载。周成王将一片梧桐叶剪成玉圭的形状，封地给他的弟弟叔虞。

远在纸张产生前，古人已在树叶、金银箔、彩帛、皮革等平面上进行镂空刻花的创作。而剪纸技巧得到发展之后，也衍生出了皮影戏、蓝印花布等艺术门类，甚至是吉州永和窑的纹饰都与剪纸有着不可分割的关系。

而就在这承前继后的演进之中，同一门“纸上功夫”也因着环境与乡情的差异，发生了“龙生九子”式的分野——相较于北宗的粗犷豪放，南宗剪纸繁茂细腻。而被称为“南宗代表”的乐清细纹刻纸，更是将“细”之一字发扬到了化境。

纸张保存，忌讳潮湿多水，可是乐清细纹刻纸，却与水有着解不开的联系。它的故乡——乐清象阳镇一带，南邻瓯江、东眺东海，恰是浸润在了江南水乡的柔波之中。

蜿蜒丰沛的瓯江同样繁衍出了灿烂的农耕文明。而随着中原文化的渗入与融合，具有吉祥寓意的各种图腾，花、鸟、人物图案开始在乐清民间流行。村妇们在白纸上剪出这些吉祥图样，并以此为底样缝制绣花。因此这种剪纸作品也叫做“铰花”。

阅读链接：
张雁洲等：《乐清细纹刻纸》，浙江摄影出版社，2008 年版。
乐清市地方志编纂委员会编：《乐清县志》，中华书局，2000 年版。

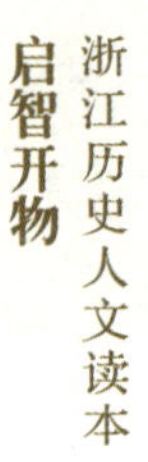

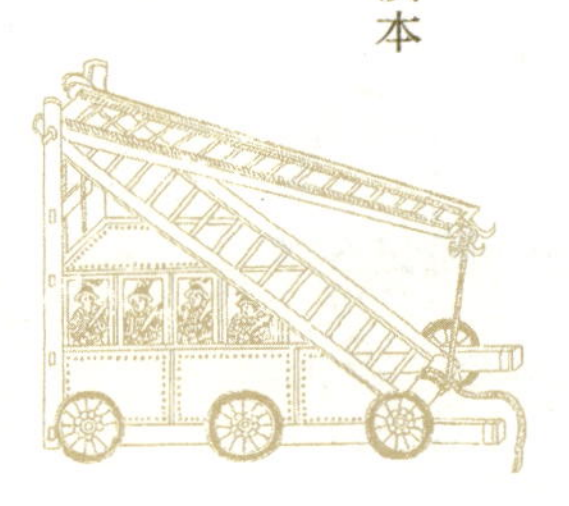

与此同时，海洋也在不断地发出召唤。早在明朝，乐清人便为祭奠抗倭而牺牲的三十六名将士，在正月十五制作龙船灯，并将成百上千张刻有繁复纹样的刻纸作品“龙船花”粘贴在龙船灯上作为装饰。

与“铰花”不同，这些“龙船花”纹样细腻，大多为传统建筑窗棂等处经常出现的二方连续、四方连续图案，精巧而工整。当充满感性、曲线、具象的铰花图案与理性、硬朗、抽象的龙船花图案拼接组合时，产生的无声节奏，就让细纹刻纸成为了一首凝固于纸上的民歌。

农耕与海洋，这两种截然不同的文明形式，在乐清细纹刻纸这项民间艺术中融汇、统一了。

细纹刻纸究竟细到什么程度？拿出一枚一元钱硬币，想象在与它差不多大小的方形纸上，刻画出 31 根线条，若不算上彼此之间的空隙，则每根的宽度仅有 0.08 厘米。

“工欲善其事，必先利其器”，如此精湛的技艺，必有利器辅助。而细纹刻纸所用的工具，如刻纸本身那样，透出传统的智慧。

首先是油盘，它是刻纸的承载与依托。油盘往往是一个长方形的木框，浅浅的框内盛着由牛羊油和粉末材料所调和成的混合物。

粉末材料大抵有三种：其一是制香用的枯叶碎末；二是松树的花粉；三是蛀虫的虫沙。油与粉调和之后形成油泥，用卵石或玻璃瓶均匀地抹在油盘里。最后，为避免油泥与放置其上

的纸张粘连，在使用之前，还要加扑一层红薯粉。

其次是刻刀，它是赋予刻纸灵魂的“法器”。这些厚约1毫米、宽约5毫米、长约5厘米的尖头小刀，无论刀锋的锐利程度或是软硬都有着严苛的讲究，与钢铁淬火的时间长短和打磨技巧息息相关。

在开始刻纸之前，起样稿是必不可少的。相对于讲求生动的花鸟、人物等“铰花”图案，由“龙船花”所传承下来的几何细刻图案的难度更高。针对于此，老艺人们留下了“打白格”的技巧——利用竹篾和竹片，在纸上压出经纬纵横的格状印痕，然后根据这些若隐若现的压痕，得心应手地刻出几十种不同的几何纹样来。

将装订成叠的连史纸摊平在扑好红薯粉的油台上，再加覆打好白格的样稿，便能开始刻纸了。这项比拼刀工与耐性的工艺，有着诸多的禁忌、技巧和口诀。最细致的刻纸需半个月才能完成，一般的也要三四天。

一刀断，满盘皆输。刻成出关，天下皆惊。这似乎与武侠小说里的“高手闭关”颇有些类似——坚持着细纹刻纸的民间艺人们，也有了“吃英雄饭”的自嘲。

早在两百年前，美国的第二任总统约翰·亚当斯说过一句令人印象深刻的话：“我要研究政治和军事，让我的儿子能在自由的环境下，学习数学、地理、历史、工业和农业，好让他的后代有权利研习书画、诗歌、礼乐、雕刻、针织与陶瓷。”

文化艺术是如此奢侈，在经济活动和社会发展的压力下，它的损耗和坚守的博弈始终是让人既怅且忧。当坚守至今的“寂寞高手”于内心的静好之中，安然地捉起笔刀、勾抹挑剔的时候，“阴阳生万物”这一亘古的东方哲思，也在纸张的一刻一留之间，一遍遍流传与重演。（王科撰）

精雕细刻立体画

刻刀在木板上游走，一笔一笔，滑动每一次都嵌入工匠的心血，画是立体的木雕走在木板上，在漫长的手工雕饰中，无疑渐隐着一段深黯寓慧的故事。距今约7000年以前，中国的木雕装饰已经诞生，从众多汉墓中发掘出土的木雕彩漆座屏、木雕卧狗俑、立马俑、博弈俑及四灵（朱雀、玄武、青龙、白虎）瓦当等实物，以及《鲁灵光殿赋》上所示“云粢藻棁，龙桷雕镂，飞禽走兽，因木生姿”的文字描述看，木雕艺术在秦汉时期已普遍地应用于建筑装饰中。到了明末清初，东阳木雕达到鼎盛时期，其技艺延续至今，与浙江乐清的黄杨木雕、福建的龙眼木雕、广东潮汕金漆木雕合称为“中国四大木雕”，同被誉为“国之瑰宝”。

相传在唐朝，活鲁班华师傅为冯宿、冯定兄弟营造厅堂，准备接楹上梁时，复查发现楠木大梁短了一尺二寸，活鲁班大惊！适有一老翁上门要鱼要肉，活鲁班款待之，老翁把两条鱼尾分移在两碗上，像两个鱼头相互对应，伸出一截，然后用筷子往两嘴一套，扬长而去。活鲁班突然领悟，立刻命匠工做了360个鱼头，固定在柱头上，接住了缺短的大梁。柱上按鱼头，

新颖又美观，且鱼头与“余头”谐音，大吉大利，后人又在鱼头上加上牛腿，这便成了最早的东阳木雕。

几千年来，东阳木雕在国内外形成了很高的艺术影响力，成为造型艺术中的一个重要门类，推动着中国的木器雕刻世代相沿。经唐宋元明清历代木雕工匠们的不懈努力，东阳木雕逐步成熟，成为中华民族最优秀的民间工艺之一。

东阳木雕十分讲究木料选取，以天然的木材为原料，主要选用纹理细腻、质地坚韧的香樟木、柚木等材质。在题材内容上，木雕的图案多与民间传说有关，喜欢采用中国古典图案的寓意，画面布满纹饰，形成独特的艺术风格。在构思布局上，亦十分缜密，它不仅影响木雕作品的审美效果，还是决定价值的重要环节。在表现手法上，以平面浮雕为主，以多层次浮雕、散点透视构图、鸟瞰式透视、保留平面的装饰手法，雕刻技艺精益求精，形成了自己鲜明的特色，主要工艺环节有“图稿设计”“打坯”“修光”等。而能雕善画、功底深厚、技艺高超的老艺人，则可以不用起稿，直接雕刻。由于其精雕细刻的独特工艺，也决定了其雕刻工具的繁复多样。著名艺人有杜云松、黄紫金、楼水明，他们分别被称作“雕花皇帝”“雕花宰相”“雕花状元”，合称“三杰”，是东阳木雕老一代艺人中的佼佼者。

东阳木雕的传统风格主要有“雕花体”“古老体”，以后又产生了戏文化的“微体”“京体”和画谱化的“画工体”。总体上讲究布局满，散不松，多不乱，层次分明，突出主题，具有以小观大的艺术效果。“画工体”讲究安排人物位置的疏密关系，人物姿势动态变化多而生动，景物层次丰富，又有来龙去脉、重叠而不含糊。东阳木雕尽管吸取其他木雕艺术的特点，有向“画工体”发展的趋势，但毕竟不是画画，精雕细刻才是它的基本要求。

在两三厘米厚的木料上，呈现灵动的人物、花鸟、故事，在古代被视为“雕虫小技”的东阳木雕，在现代成为了活着的文化——它不仅凝固了时光，更在其中凝结了人

们对生活的见解和希冀。精致的雕琢、繁复的修饰，亦是对梦想的追逐、斟酌和雕琢，将精神完美地物化。

随着时代的变迁和社会物质化的快速浸染，东阳木雕作为非物质文化受到全球化和现代化的冲击，越来越少的年轻人会放下姿态去安静地学习这项面临着后继无人境况的古老艺术瑰宝，而精湛掌握这项木雕艺术的老艺人们则大多进入古稀之年。

让我们静心聆听木雕艺人们内心的声音，以此细细品味东阳木雕这件艺术瑰宝的精华之所在。（杨佳虹撰）

阅读链接：

龚明伟：《东阳木雕》，浙江摄影出版社，2008 年版。

金柏松：《东阳木雕（东阳市工艺精品馆馆藏作品）》，中国美术学院出版社，2008 年版。

扇面的书情画意

1920年的舞台上，梅兰芳正在演出经典的《贵妃醉酒》，手里一把画着牡丹花的扇子上下翻飞，一开一合，把杨玉环从欢乐到悲伤再到幽怨的情绪都说尽了。

2011年，更现代的舞台上，青春版《牡丹亭》中，杜丽娘在游园，仅靠一把折扇，牡丹、芍药……这满园的鲜花就跃然显现了，一把扇子扇出满台的花花草草来。

跨越近100年，却始终在舞台上展现无尽韵味的扇子，都是杭州的王星记扇厂出品的。

小小一把扇子，其实已经有100多年历史。1875年，王星记扇子由王星斋创立。生于三代扇业工匠之家的王星斋，年纪轻轻就已成为杭州扇业中制作黑纸扇的砂磨能手。一段天作的姻缘让他迎娶了制扇贴花能手陈英。婚后两人珠联璧合，所制的高级花扇成为朝廷用品和珍贵国礼。当时杭城有张子元、舒莲记和王星记三大扇业名庄，竞争激烈。舒莲记老板舒青莲出入官府，结交显要，几乎垄断官府所需之扇。于是，王星斋和陈英被迫撇开高级花扇，面向市民，生产经久耐用、浸水而不走样的黑纸扇。没想到这一为生存的掉头转向，不仅打开了销路，还使这种黑纸扇后来成了王星记传统名扇而名扬天下。民国之初，王星斋的儿子王子清继承父业，开发了一种檀香木绢面扇，使得王星记不仅赢得国内市场，还远销海外。发展到现在，王星记的扇子已有25大类、10000多个品种。

南宋赵彦卫的《云麓漫钞》载："宋人用折叠扇，以蒸竹为骨，夹以绫罗，贵

家或象牙为骨，饰以金银。”又据南宋吴自牧的《梦粱录》记载，“杭城大街，买卖昼夜不绝”，其中就有各种扇子，如“细画绢扇，细色纸扇，影花扇，藏香扇及漏尘扇”等等。而从古至今，文学上关于扇子的描写更是长盛不衰。扇子在中国人的心目中，绝不仅仅是个物品，而是有着许多的象征意义。汉成帝时的后宫妃嫔班婕妤，本来很受君王宠爱，但随后因赵飞燕姐妹而被冷落，借秋扇以自伤，作《团扇诗》，又称《怨歌行》：“新裂齐纨素，皎洁如霜雪。裁作合欢扇，团团似明月。出入君怀袖，动摇微风发。常恐秋节至，凉飙夺炎热。弃捐箧笥中，恩情中道绝。”这里，扇子已经等同于她自身。后来，杜牧的“轻罗小扇扑流萤”更借一把扇子把后宫女子的幽怨寂寞写得入骨三分，其实何尝不是怨艾自己的人生？几乎涵盖了中国人市井、贵族生活的四大名著中，都有扇子出现。而在孔尚任的名剧《桃花扇》中，李香君血溅定情扇，点点鲜血被勾画成桃花，这扇子又承载了许多的历史。

众多文学作品中对扇子的描写，其实都源于扇子在人们生活中的广泛应用。在盖头还没出现前，古代女子用扇子遮面。新婚之夜，慢慢移开扇子的“却扇仪”，对面的新郎官看着这如画的美人，那一刻香氛萦绕。而未嫁的女子，则喜欢用团扇遮面，遮挡住一份娇羞，更遮挡住一份期盼。除了女子爱扇，文人书生和庶民百姓也喜欢扇子，在集市上相遇，如果不想打招呼，就用扇子遮挡，这在古代叫“便面”。

王星记扇子采用棕竹、檀香木、红木、宣纸、丝绸等为原

料，再以清矾、黄蜡、柿漆、水牛角、黄鱼胶等为辅料，分别加工制作扇骨和扇面而成扇，工艺极其复杂，尤以黑纸扇和檀香扇最为突出，黑纸扇至少需要86道工序。扇面的装饰极为讲究，有泥金、泥银、剪贴、绘画、书法等形式。

鉴于扇面扇骨的倾斜度，扇面书法有特别的要求，比如字与字的间距很有讲究，要上疏下密。而扇面的绘画也要求绘画者心中无扇又有扇，需要完全把扇面想象成一张方形白纸作画，不能顺着扇骨画山水人物，否则扇子展开，山会倾斜、人会躺倒。扇面的限制，给创作者带来挑战，可同时这限制又让他们借助这独特的载体有更特别的发挥。

卢梭说过，人生来是自由的，却无往而不在束缚之中。而在中国古典哲学中，也有类似观点，孔子说过："从心所欲，不逾矩。""从心所欲"就是无限自由，"矩"就是限制。在限制中能够"从心所欲"，就像古典诗词一样，有了格律反而留下了许多精品。正是这限制，让人能找到更具广度、深度的自由。在扇面上绘画和写书法的美术大师，找到了被限制之后更广泛的自由，难怪经由他们灵巧双手描绘的扇子，美妙得无以复加，且具备白纸上绘画和书法所没有的独特韵味。（黄莺撰）

阅读链接：

（南宋）赵彦卫著，傅根清校注：《云麓漫钞》，中华书局，2007年版。

（南宋）吴自牧著，刘坤等编：《梦粱录》（中国古典名著民俗集粹），黑龙江人民出版社，2003年版。

郭贵兴：《扇画》，河南美术出版社，2010年版。

牛头苗梁将军柱

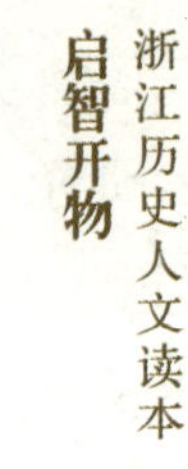

2009 年 9 月，在阿联酋首都阿布扎比召开的联合国教科文组织保护非物质文化遗产政府间委员会第 4 次会议上，中国传统木结构营造技艺被正式列入《人类非物质文化遗产代表作名录》，同时中国木拱桥传统营造技艺被列入《急需保护的非物质文化遗产名录》。这意味着中国传统木结构营造技艺和中国木拱桥传统营造技艺正式进入世界级遗产的行列。浙江省不仅颁布了《浙江省非物质文化遗产保护条例》，还设立了保护木拱廊桥的专项资金。我国现存廊桥不足百座，浙江省的庆元、泰顺两地山水之间，仍多有分布，大多建于明清两代，被列入各级文物保护单位。

木拱廊桥，在世界桥梁史上是绝无仅有的，其技术含量也是中国传统木结构桥梁中最高的，主要分布在浙闽两地的丘陵地带。这些地区山高林密，谷深涧险，且山水流量的季节变化明显，建造木拱廊桥既有独特的自然地理环境因素，也是势所必然。

木拱廊桥的传统营造主要包括选择桥址、建造桥台、测量水平、搭建拱架、上剪刀苗、撑立马腿、架设桥屋等主要步骤，

其核心工艺当然是搭建拱架。桥址的选择首先要考虑两岸的岩石条件，要足够坚固以利砌筑桥台，当然两岸相距尽量窄一些可以大大降低跨拱难度。古代造桥还讲究风水，一般选在乡村的水尾，据说在村前小溪的出口处建桥，能补溪流形成的风口，不过便捷通行还是最主要的。

建造桥台好比起高楼之前要打桩做地基，直接关系桥梁的稳定和牢固，可由石匠承包，也可由造桥木匠承建，不过整座桥的主木匠对桥台基的建造有绝对指导权。因为木拱桥产生极大的侧推力，都要由桥的起拱高度、桥面板高度、横跨宽度来决定，只有主木匠才对这些数据了然于心，由此确定两岸桥台的中心位置。测水平的方法叫“竹梗水平法”，先取大口径毛竹，劈开为二，溜掉竹节，用三脚撑把竹竿对接架设到对岸，接头处泥封，中空朝上，加注清水，调节竹竿和三脚撑，使各段毛竹里的水保持水平，由此测得各水平点。

接下来出场的是古代架设桥拱的两台专用设备，秋千架和天门车。秋千架两岸各一，先立一根长柱，两边用两根杉木撑住，用麻绳或蔑条缚紧，因为杉木一般较直，利于借力。两岸的柱架竖好后，架上一根横梁木。秋千架的作用一是供木工建桥拱时上下往来，二是支撑后面三节苗、五节苗等所有上架木料。天门车是座木制的绞车，建高屋和高塔时都常用，用来起吊木料的。

前期工作结束后，搭建木拱的关键工作开始。先上三节苗。在石桥台上安置三节苗底座，又叫“牛眠木”或“牛眠石”，三节苗下端要做好凹口，行话叫“鸭嘴巴”，上端作燕尾榫。然后将三节苗斜起吊放到秋千架柱上，叫“斜苗”。斜苗上端燕尾榫顶撑横梁，多用松木，行内叫“大牛头”，上斜苗就叫“牛吃水”，斜苗下端插接到垫苗木的鸭嘴巴里。除了斜苗，还要放平苗，只是角度不同，方法一样。三节苗一般用料是 9 根，也有用 7 根或 11 根的，垫苗木与若干根斜苗、平苗组成稳定的平面支撑，构成桥主体受力结构的第一系统。第二个系统是辅助三节苗的交叉五节

阅读链接：

梁思成：《中国建筑史》，三联书店出版社，2011 年版。

唐寰澄：《中国木拱桥》，中国建筑工业出版社，2010 年版。

吴齐正：《浙江古桥遗韵》，九州出版社，2011 年版。

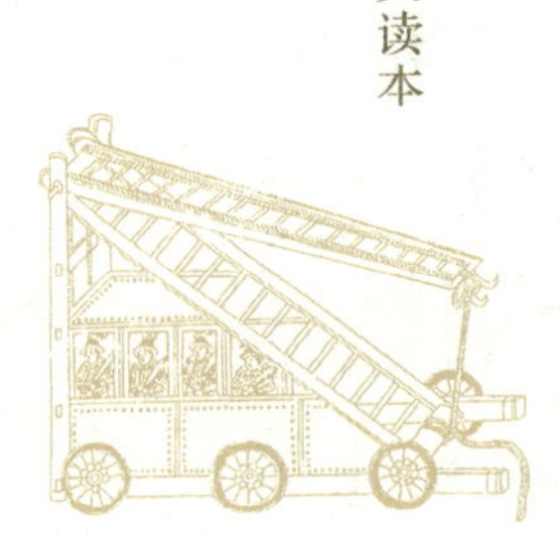

苗。先在立柱和三节苗的夹角地面放置五节苗的垫苗木，与三节苗的斜苗交叉放置，再架“下小牛头”，要紧贴三节苗的斜苗，小牛头用木料抵撑，下端抵住垫苗木的鸭嘴，上端和小牛头入榫，这样就完成了五节苗的下斜苗架设。然后要在三节苗的平苗和“大牛头”之间架设上斜苗、上平苗和上小牛头，这部分是三节苗和五节苗两个系统相互咬合成整体、共同承载荷重的关键。两套系统要紧密编搭，将不稳定的若干平面结构交叉抵撑组合成超强力立体结构，提高拱架的承载力，这个结构的编排是最考验主木匠的创造力和专业水平的。

三节苗和五节苗工序中间，要立将军柱，立在三节苗垫木两边，有透柱和半柱两种。透柱受力较好，两柱间加横梁作为以后桥面板铺设的起点，横梁下用 7 至 9 根杉木作端竖排架支撑。将军柱紧贴桥台，其间缝隙用短木塞紧。至此，拱架搭建完毕。

与《清明上河图》里汴河上的虹桥相比，浙闽廊桥在架设步骤上增加了“上剪刀苗”来减少木拱的左右摆动，稳固桥体。具体做法是在大牛头和将军柱之间、大牛头和小牛头之间都添加斜苗撑，将军柱上用透榫，牛头上用燕尾榫。为加强固定，剪刀苗之间交叉处还用铁箍缚住，或钻孔扦扣铁条。

接下来，架桥板苗前要先在五节苗的下牛头上安装一个“π”形木撑，又叫“马腿”。木撑主体是一根横梁，横梁下面四根木头，两根稍短插入小牛头，两根稍长扦住将军柱。横梁上方的桥板苗，一头抵大牛头，一头撑桥板横梁。两头桥板苗间，

庆元廊桥如龙桥

即可铺设桥面，木板的、砖的、石材的都有。

最后是廊桥的特色——架桥屋。桥屋从当中先做，然后两边逐渐向中间靠紧，多为四柱九檩的穿斗式，做大木的木匠都会做。桥屋的高度和宽度没有统一规定。但有“七轿八马”的说法，就是桥中间人行道宽七尺六，高八尺六。至于屋脊部分，各个廊桥都各有姿态，完全是木匠的创造，八角尖顶、四柱牌楼都有。盖完屋顶，做好神龛，两侧钉上挡风板，整座廊桥就建造完毕了。

不用钉子建大型桥梁和建筑，是中国大木古建筑技艺在世界上独一无二的最强力的传统营造技术高标。实地建造廊桥当然远远难于如上描述，而且由于城市化进程、木料受限与建筑空间不足等原因，廊桥建造技艺的传承和大木结构营造技艺的传承一样，受到严重威胁，濒临失传。

步算中西际风云

李善兰像

20 岁上下的李善兰正到处求书拜师，研习各种算法。他的八股文章写得不太好，从家乡海宁硖石到杭州城里参加乡试，结果落第。不过他并不在意，他的兴趣不在诗文论道，而在算学。逛书摊的时候，他淘到了两部算学书，一是宋元四大家之一李冶的《测圆海镜》（12 卷），二是戴震的《勾股割圆记》（3 卷）。这两部书都基本摆脱了中国传统数学著作的实用宗旨，不再罗列增补有关测田亩、称重量、算路程等实际问题，而把重点放在方程、勾股两项，以例题的方式详细介绍相关的演绎推理方法，这正有助于李善兰的研究。他后来说，他能信笔直书地翻译西方的代数、微分、积分等数学书，《测圆海镜》为他打下了扎实的中西算学功底。

正弦、余角当然是换不得功名的，李善兰后来没在科举上有所前进。这项存在了 1400 多年的制度已近末路时，他和当

时不少年轻人一样，索性直接选择了设馆教书，当然，暂时还离“耕读传家”的传统读书人的生活模式不远。1845年前后，他在嘉兴陆费家收学生上课，渐渐认识了一些周边州县的志同道合的朋友。其中有个年长他十多岁的金山县人顾观光，也是个弃科举自谋生路的散人，以行医为职业，医道甚精。顾观光后来负责校订过李善兰翻译的《几何原本》(9卷)，足见两人形同师友，交往甚笃。最初的朋友圈里还有湖州人汪日桢、金山人张文虎，他们常在一起探讨和演算，有点像现在的头脑风暴。这期间，李善兰完成了《方圆阐幽》《弧矢启秘》《对数探源》《四元解》《麟德术解》等书。在有限的西方数学知识引导下，他在三角函数、反三角函数、对数函数、解析几何、定积分等方面，都有了初步的探索。若干年后，这些积累成为他能贯通中西、翻译西方数学著作的学术基础。1851年，在结识了研究对数算法的钱塘人戴煦之后，李善兰的同好圈子更大了，有精通“四元术”的安徽人罗士琳，还有擅长历算的地方官徐有壬等。戴煦将为李善兰的人生道路带来第一个重大的契机——去上海。

现在看来，剪不剪辫子可能真的只具有革命的象征意义，晚清之际，这位开中国现代科学风气之先的玲珑翘楚，正待抓住中西合璧、风云际会的一刻。

李善兰的人生高峰在刚过40岁时到来，他的新工作是上海墨海书馆的中文翻译。这份翻译工作让他成为最早尝试现代知识分子职业转型的读书人。许倬云先生曾提出，现当代知识分子的新样式是“律师医生型”，他们通过出售知识和技能来维持自己的生计和社会地位。对转型中的晚清中国来说，这条新道路将一大批读书人的智慧和精力从实现内圣外王的理想和阐释经典以利道统社稷的儒生专业里解放出来，让他们成为一个社会发展的自觉的听风者，不再需要在“庙堂之高”和“江湖之远”间做心态平衡。李善兰没有走科举之路，与50多年后科举制的终结，两者的意义可能是相通的，就是在社会结构与社会发展的关系上，把“士农工商”之“士”

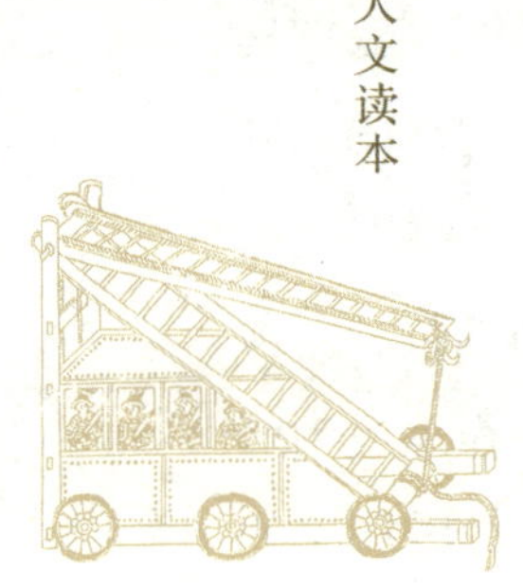

直接打散到农工商阶层中去，特别是打散到推动现代工业社会进步的最活跃的工商阶层中去。然而，在这条路上，我们进进退退了好几代人。

李善兰是1852年夏天到墨海书馆的，这是几个英国传教士在上海创办的最早用西式汉文铅字印刷术的现代化出版社。和翻译工作的中西合璧一样，当时的印刷机是牛车带动传动带的。而李善兰的翻译速度可不是牛车，简直堪称火箭。短短7年，他和传教士伟烈亚力、艾约瑟合作翻译了《几何原本》（9卷）、《代数学》（13卷）、《代微积拾级》（18卷），还有天文学著作《天文学纲要》（汉译为《谈天》）、植物学著作《植物学基础》。翻译期间，李善兰恰切地创译了一大批科学名词，例如：代数、常数、变数、已知数、未知数、函数、系数、指数、级数、单项式、多项式、轴、切法、法线、渐近线、微分、积分；分力、合力、质点、刚体；细胞、植物等等。近两百年来，这些科学名词不仅在我国流传，还在日本等国沿用至今，足见当时李善兰的专业理解力和翻译功力。在他的广译基础上，加之后来徐寿、华蘅芳在化学和地理学领域的翻译成果，19世纪中叶的20年间，西方近代科学中数、理、化、天、地、生等各学科知识都已引入我国，为我国近代科学发展奠定了坚实的理论基础，具有不可磨灭的历史意义。1859年，他在《垛积比类》中首次提出组合数学的一个恒等式，后来被命名为李善兰恒等式，这是国际上第一个以我国学者名字命名的数学公式。

墨海书馆在1863年停业，译书的工作也基本结束了。不过，

在上海，李善兰认识了比他年轻的徐寿和更年轻的华蘅芳，这两位无锡人后来引荐他到曾国藩的安庆军械所。再后来的几年间，洋务派重臣曾国藩、李鸿章、张之洞都慕李善兰之名，资助他出书，曾国藩还请他兼主书局。他也推荐了老友张文虎。曾国藩广揽一流的科学技术人才直接进驻国营军工企业，大大缩短了产学研的路径，国产的坚船利炮不断生产出来，洋务派的确抓住了制造业发展的一个关键环节。

至于怎么开着这些大家伙去打胜仗，就远远不是技术问题，也不仅仅是人才问题了。1861 年，洋务运动开始时，美国的林肯正决定打一场南北战争。在日本，稍晚几年，明治维新也开足了马力。但中国的改变始终停留在工业化的层面，“中学为体、西学为用”的辩护，或许还有摇摆、投机的封建官场积习，束缚了具备决策影响力的高层官员的思想。等到 20 多年后吃了大败仗，洋务运动的实绩沉入黄海，体制改良的第一个历史时机已经过去了。

洋务派只做到了先进的机器、技术、知识的层面，李善兰大概也最合适这个层面的工作。1864 年，他跟曾国藩到了南京。1866 年，京师同文馆添设了天文算学馆，广东巡抚郭嵩焘上疏举荐李善兰为总教习。1868 年，他北上就任，尽管一路钦赐到三品卿衔，但同文馆的教职最适合他，他孜孜不倦教书育人，埋头做数学研究，在总教习的职位上，一直做到 1882 年去世。

阅读链接：

夏东元：《洋务运动史（修订本）》，华东师范大学出版社，2010 年版。

李兆华：《中国近代数学教育史稿》，山东教育出版社，2005 年版。

浙路公司争路权

如果回到百年前的1912年，我们走进杭州钱塘江边的闸口火车站，那是浙江省第一条铁路“江墅铁路”的起点站。要是正好来得及搭乘上午10点50分的火车，我们会在11点10分到达下一站南星站，11点30分到达杭州城站，11点50分到达艮山站，12点05分到达终点站拱宸站。全长约16千米的路程，跑1个小时15分钟。这个速度看上去不比自行车快多少——事实上当时火车最高时速的确只有40千米，但它强大的运载力使得铁路线堪称经济命脉。尤其在工商业历来发达的浙、苏、沪一带，将宁波、杭州、上海、苏州四大城市串接起来的铁路线，其经济效益及政治上的控制力是传统的驿道运输网络无法比拟的。

江墅铁路建成于1907年，是当时为数不多的由中国自力更生修筑的商办铁路。在外国列强经营和控制的铁路差不多占到八成的情况下，这条自主修建的铁路及后来整条苏杭甬铁路线经历了民间、官方和外资之间的激烈争夺。

早在1897年，英国在建成中国第一条铁路——吴淞铁路后，就向清政府提出修建沪宁及苏杭甬铁路。1898年10月，英商

怡和洋行与清政府签订了《苏杭甬铁路草约》，但浙江、江苏两省士绅和民众强烈抵制，拒不承认合约。1903 年 9 月，清政府设立商部，兼管铁路，颁布了《铁路简明章程》，规定“无论华、洋官商”，均可“禀请开办铁路”。1905 年 7 月，为抵制英国掠夺浙江铁路权，浙江省绅商成立商办浙江省铁路有限公司，并公举开缺盐运使汤寿潜为总理。1906 年，商办江苏省铁路有限公司成立。浙江、江苏两省公司协商联合建造苏杭甬铁路开始启动。但清政府迫于英国的压力，同意路由中方建造，款向英方筹措，实际上还是丧失了路权。

得知这一消息，浙江铁路公司随即在杭州召开“拒款会”，号召社会各界为铁路筹款，拒借英款。时年 50 岁的汤寿潜顶住来自清政府和列强的压力，动员工商各界，缩衣节食，勉尽公义，认购路股。短短数月，省内从绅商到普通百姓认购极为踊跃，至 1906 年 5 月，浙江铁路有限公司共筹资 400 多万元。1907 年，为保证浙江铁路顺利自办，南浔首富刘锦藻等人发起成立了我国最早的商办银行之一——浙江兴业银行，共集资一百万股。刘锦藻及南浔当地的周庆云、张澹如、庞元济等为主要股东，其中刘氏家族个人及堂号认购一万元以上者有近二十户之多。南浔“四象八牛十二金狗”各大家族均多有认购一万元以上者，连工人、学生、店员、挑夫、僧道、优伶、妓女、乞丐均踊跃认购路股，浙路公司股未满五元的小股东户数达 16574 户。浙江省的路权运动得到了全国人民的支持和响应，以浙江为中心的全国铁路风潮随之而起。

在此情形下，汤寿潜决定马上动工，先造杭州境内的江干至湖墅线，然后再从江墅铁路的一个支站通到“吴根越角”的枫泾，跟上海造过来的铁路汇合。先造江墅铁路不仅沟通钱塘江和运河的水运交通，还为今后建造沪杭铁路累积经验。铺设江墅铁路有两条线路方案备选。一条绕西湖而行，越万松岭抵闸口，因途经古墓较多，又可能破坏西湖风光，清政府下示：永远不准在此筑路。第二套方案是沿城东侧城墙而行，由江干的闸口起，经南星桥、清泰门、艮山门，到湖墅的拱宸桥而止。

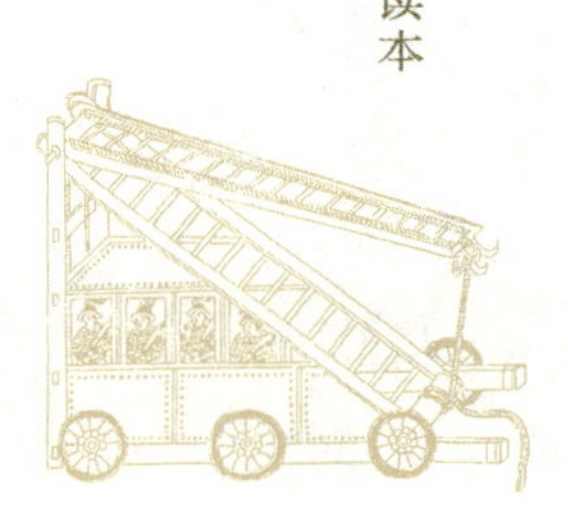

因所经之地皆平原垦地，工程进展很快。

汤寿潜原想把沪杭铁路终点站定在艮山门，并准备从艮山门再铺一条支线到拱宸桥。他的女婿马一浮很反对，说中国人造铁路要为中国人着想，为什么把终点站定在艮山门，铺支线到拱宸桥租界去方便日本人呢？应该把终点站定在羊市街（现江城路）闹市区附近，再铺一条支线到南星桥，以便水陆衔接，并方便今后铁路向南延伸。汤寿潜觉得言之有理，但不出其所料，这个建议被清政府打了回票，理由是，城墙乃一城之防卫，岂可轻易破之。不过周折一番后，清政府批准了这个方案。汤寿潜就先在城内建造火车站，同时将铁路线改道，等一切就绪，择日破墙，当天就将铁路线连通了，原来的清泰门站移到城内，改称“杭州站”，但老百姓习惯称“城站”。江墅铁路的建设费用为 168.6 万元（银元），其中铁轨由汉阳铁工厂制造，其他机车等设备从英、日两国购得。到 1909 年 8 月，商办沪杭铁路全线建成，经过各界的力争，苏杭甬铁路终于没有被英帝国主义者所控制。

虽为功臣之首，汤寿潜任浙江铁路公司总理时不取薪金，不支公费。他也常在江墅铁路上坐火车，却常常坐三等车厢，厕身贩夫走卒之中，缩在壁角看报。1914 年袁世凯政府将沪杭铁路收归国有时，感于汤寿潜自 1905 年起督办铁路不取分文工资，奖励汤寿潜 20 万元，他推辞不受，予以退还。再送到他家，他仍拒绝，最后全部捐给浙江教育会，后来就是用这笔巨款在杭州建造了浙江省最早的公共图书馆。其实他当时债务

缠身，很需要钱，1915 年杭州地方审判厅还在审理他的债务纠纷案。

1910 年秋，苏杭甬线行车次数为每日客运列车 3 对，定期货车 1 对，杭嘉间客货混合区间车 1 对，江墅间客货混合列车 4 对。行车最高时速为 40 千米。当时沪杭铁路所运载的主要货物有水果、蔬菜、大米、豆类、茶叶、煤、煤油、丝及丝织品、木材、柴、纸张、文具、蚕茧之类，大大促进了江浙沪的工商经济发展。

阅读链接：

丁贤勇：《新式交通与社会变迁：以民国浙江为中心》，中国社会科学出版社，2007 年版。

王瑞芳：《近代中国的新式交通》，人民文学出版社，2006 年版。

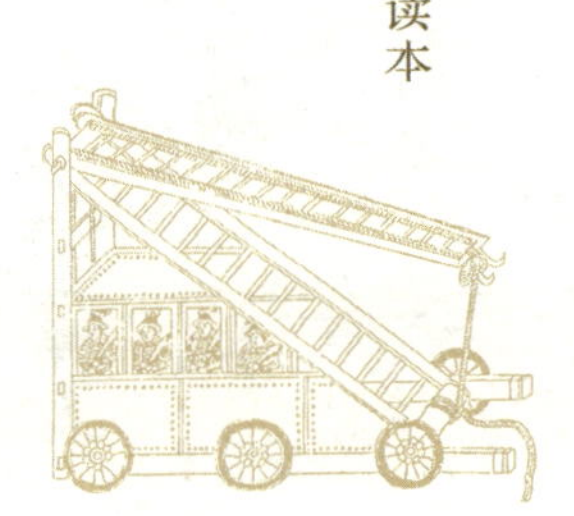

民资推动工业化

中国近现代的工业化进程是以技术引进为先导的，而技术的进步需要资本的投入。1869 年，苏伊士运河通航，东西方之间的海上航程大大缩短。1871 年，从伦敦到上海的海底电缆铺设完成。无论清政府愿不愿意，中国已然被纳入到飞速扩容的全球化贸易和电讯网络中去了。这是近代中国迎来的第一个与世界同步的科技变革期和经济发展期。150 年前风风火火的场景，当代人完全可以想见，因为引进先进技术和设备，创建或改进机械化生产能力，在 20 多年前的东部沿海也是遍地开花。

与当时官办的安庆军械所、轮船招商局、开平矿务局、江南造船厂、汉阳铁厂等超大规模的军工机械等事关国计的资源垄断产业企业相比，浙江的特色在于以民间资本和民间企业推动工业化的进程，但浙江民间企业引进先进技术设备规模要小很多，启动时间也稍晚一些，且集中在具有传统优势的民生产业。这两股上下游产业路径非常分明，直到现在依然决定、甚至限定了浙江的产业结构。

1882 年，海宁县硖石镇创办了省内首家用机器加工大米的泰润北米厂，因为当时的硖石有杭嘉湖地区最大的米市。1887

年，严信厚创办了国内第一家机器轧花厂——宁波通久源轧花厂，1894 年扩建为通久源纺纱织布局。1895 年，吴兴丝商庞元济和杭州丁丙等从英国订购纺纱机器，在杭州拱宸桥畔创建世经缫丝厂，购置意大利直接式坐缫机，生产西泠牌生丝。次年，自备发电机发电，开创省内电力生产之始。1896 年，杭州德隆油厂开始机器榨油。1905 年，孙梅堂在宁波创办美华利时钟制造厂（工场），专造各式时钟，是国内第一家制钟厂。1908 年，杭州人金敬秋筹备官商合办的杭州大有电灯公司，1910 年 7 月建成，有蒸汽发电机 3 套，总装机容量 750 千瓦，是杭州电厂的前身（浙江省科学技术志编纂委员会《浙江省科学技术志》，中华书局，1996 年，第 1015—1016 页）。

随后几年里，杭州的纺织工业进行了整体工业化改造。1911 年，杭州绸业会馆董事金溶仲从湖广总督处购得 10 台新式日本绸机，创办振兴绸厂。同年，省立中等工业学堂招生，其中设有机织科，聘请日本教员授课。1912 年以后，杭州各丝绸商如纬成公司、袁震和绸庄都纷纷引进新式织机。与杭州丝织业的机器化和电力化同步进行的，还有织机的国产化研发生产。1914 年，毕业于杭州中等工业学堂机械科的阮季候与范钟瑞等人集资在刀茅巷创办杭州武林铁工厂，从修理织机起步，到 1917 年时，已能成功仿制提花织机，扭转了杭州乃至省内丝织机器依赖进口的局面。1920 年，杭州铁工厂已成为省内最大的铁工厂。

1914 年爆发的第一次世界大战，为中国民营轻工业特别是纺织业、粮食加工业带来了发展机遇。在此条件下，中国的这轮开始于 1914 年前后的实业投资热，和上一轮的洋务运动不同，是民营资本为主力的技术化和工业化改造，其推动力是市场、利润和效率，而这些产业的特点正是“进口替代型”。据《中国近代经济史统计资料选辑》的数据，以棉纱业为例，1916 年每生产一包 16 支粗纱的利润是 7.61 元，1917 年猛升到 36.93 元，1919 年竟达 70.65 元。在这样的利润面前，没有理由不投资办厂，没有理由不添置机器，没有理由不革新技术。到 1927 年，杭州的电力织

机有 2700 台，基本实现了近代工业化。

不过，丝织业在经济萧条、战乱骤起时，最先一蹶不振，因为比起棉纺织业的基础民生地位，丝绸产品完全不具备生命线的产业位置。1929 年开始的世界经济大萧条，很快波及到杭州丝绸的对外贸易。更严峻的是到了 1931 年“九一八事变”和 1932 年“一・二八事变”之后，生丝外销停滞，丝织业较棉纺、面粉、橡胶等产业急转直下更甚，几近停产。等到 1937 年中日战事全面爆发，战火迅速在东南沿海蔓延，杭嘉湖一带积蓄发展了 20 年的民族资本、商业财富、厂房机器、技术工人，几乎毁于旦夕。

阅读链接：

[日]森时彦著，袁广泉译：《中国近代棉纺织业史研究》（日本京都大学中国研究系列），社会科学文献出版社，2010 年版。

尹铁：《浙商与近代浙江社会变迁》（浙商文化研究丛书），中国社会科学出版社，2010 年版。

首届西湖博览会

博览会在近代传入中国，到了互联网时代，展会的主题设计和活动组织都有了新方向，异域风情的内容减少了，科技新理念的展示明显成为主流。现代策展，成为技术和艺术领域最先锋的载体，从创意到管理，都是一门需要很强的综合能力的技术活儿。对办展会越来越熟络的策展人，是否了解第一届西湖博览会的营建和组织模式呢？与之相比，当代展会是否因为具备了互联网时代的特质而发生质的飞跃了呢？

1928 年 12 月，东北易帜，国民党在形式上统一了中国。稍早些时候，最早最得力地支持孙中山革命、不久前又力挺蒋介石上位的张静江有点委屈地二度就任浙江省政府主席。几乎同时，浙江省政府委员会通过了举办西湖博览会的议案。西湖博览会成为张静江发展浙江经济、提振浙江实业的第一个举措，宗旨是提倡国货，

西博会明信片

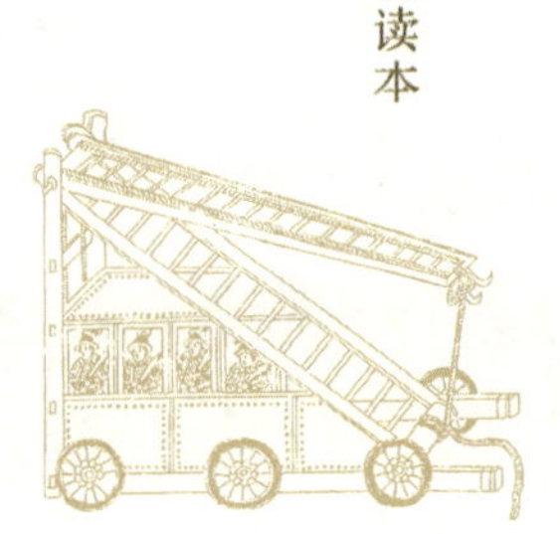

奖励实业，振兴文化。

出身南浔四象巨贾之家、经历多年政坛商界风云的张静江从来都是大手笔。他把筹办博览会当作一件关系国计民生的大事来做，他亲定的筹备委员会主席是革命老友吴稚晖举荐的、学者出身的程振钧，时任省建设厅厅长，兼任省府秘书长、民政厅厅长。筹办委员会是个庞大的组织，分会议部和执行部。会议部设10组，包括事务组、征集组、场务组、宣传组、运输组、警卫组、游艺组、交际组、工务组、财务组等，每组有正副主任两名，皆由主席指定。执行部下设9个部分，包括秘书与主任秘书、参议、工程处、驻京办事处、驻沪办事处、两所八馆、总务处、工料审查处、各组馆所联席会议等。其中两所八馆设筹备主任1名、参事若干、总干事1名、干事若干。由于机构大，所需办事人员从省府各厅处以及市政府调用，各大学在校学生及大工厂职工都在调动之列。

各组领衔的都是得力实干的人才，如工程组副主任徐世大是留美的海归，曾先后任职省建设厅视察、技正、省钱塘江工程局总工程师、省水利局工务处长兼总工程师，负责主要场馆工程建设。教育馆主任刘大白是“五四浙江四杰”之一，教育名流，先后出任省教育厅秘书、浙江大学秘书长、南京教育部次长。工业馆主任李熙谋有美国麻省理工学院电机工程硕士学位、哈佛大学哲学博士学位，是浙江大学工学院首任院长，曾兼任省首任电话局局长、省广播电台台长，全省长途电话网就是他一手督办建立的。

机构和人员就位之后，最要紧的是经费筹集。会费大部分由省政府投入，两次拨款共计投资 337517 元。然后是酒店、茶馆、车桥船、商办游艺场所等商业场所缴纳费用，如预定旅馆抽取营业额的百分之十，酒店抽取百分之五，参展商缴纳场地租金等。第三部分是门票及游艺券收入。拟定各馆门票每张 10 个铜元，八馆通用券每张 50 个铜元，一个月的通票每张银币 4 元，全程通票 10 元。团体 10 人以上 9 折，20 人以上 8 折，30 人以上 7 折，50 人以上 6 折，100 人以上 5 折。最后结算的门票收入为 13544.437 元。筹备会还借鉴法国属地物产国际展览会的经验，发行有奖游券。最后结算游券实际收入是门票收入的 40 倍，达 549714.88 元，成为博览会的主要收入。另外还从铁路部门抽取了一定费用，原定按 20% 提成，但沪杭甬铁路局没有按这个比例拨付，这项结算收入 21890.074 元。另有广告收入 271.073 元。

展品的征集和运输，也是浩繁的工作。张静江曾亲自给孔祥熙发电报，确保把刚刚结束的上海中华国货展览会展品先悉数运抵浙江西湖博览会，待闭幕后再发往武汉的国货展览会。在运资方面，张静江为让展品最快运抵，又出面请工商部签发空白五联免税证书暨五联减费运单各两百份给浙江政府随时签发。

1929 年 6 月 6 日，西湖博览会在杭州西湖举行。断桥、孤山、岳王庙、北山、宝石山麓以及葛岭沿湖地区，周长达 4 千米，面积约 5 平方千米，开设有革命纪念馆、博物馆、农业馆、教育馆、卫生馆、丝绸馆、工业馆，还有特种陈列所、参考陈列所、铁路陈列室、航空陈列处、电信陈列室等展馆，参展展品 1476 万件。

10 月 1 日，陈列品审查委员会成立，聘请各方面实业专家 336 人评定展品等级，并严格按照西湖博览会振兴国货的宗旨，只有国货参评。评定产品优良，旨在观摩学习，促进交流，激励各厂商钻研技术、改造革新、改良产品的竞争意识，提升国货品质，实现中华的经济发展和经济独立。浙江和江苏的产品是博览会的重头，也

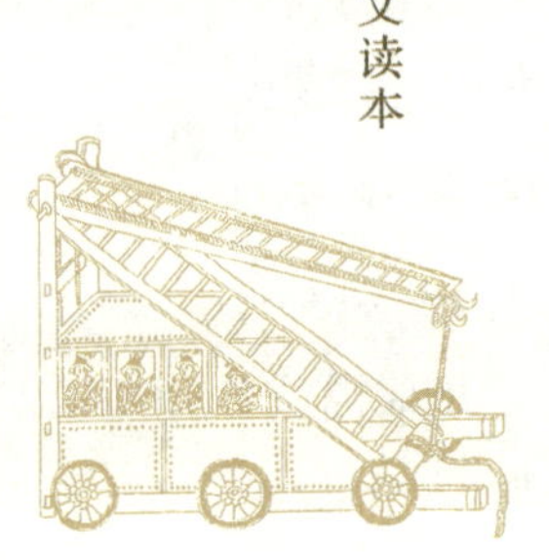

是获奖产品的重头，其中浙江省获特等奖85项，江苏省获32项，排在第三的是河北省，获特等奖3项。这里也可见江浙工商界对此次博览会的鼎力支持。

史无前例的西湖博览会到10月10日闭幕，历时137天，接待国内外团体1000多个，参观者达2000万人次，但总计亏累金额在40万元以上，这是张静江所始料不及的。

阅读链接：

马伯庸等：《触电的帝国：电报与中国近代史》，浙江大学出版社，2012年版。

潘国旗：《民国浙江财政研究》（民国浙江史研究丛书），中国社会科学出版社，2007年版。

百年基业钱江桥

钱塘江大桥开工于 1934 年 8 月，为浙赣铁路与沪杭铁路贯通而建。卢沟桥事变爆发不久，主持设计和修建工程的茅以升下令在靠南岸的 2 号桥墩上，留下一个长方形大洞，这个洞是用来放置炸药的。如果战事不利，杭州不保，就炸掉尚未通车的钱江大桥，阻断敌人迅速南侵。从 1937 年 8 月 14 日开始，日军轰炸机来大桥附近投炸弹，但始终没有伤及大桥，工程在战火中继续推进。

1937 年 11 月 16 日，南京工兵学校一位姓丁的教官秘密拜访了茅以升，向他出示了一份南京政府的绝密文件，并告知杭州失守，即刻炸桥，炸药已直接由南京运来。茅以升很冷静，当场将钱塘江大桥的所有致命点一一标识出来。他说，炸掉这样一座桥墩和五孔钢梁，需要 100 多根引线接到放炸药的各处，布线工作需要 12 小时，等到兵临城下再进行恐怕措手不及。办法只有一个，就是先把炸药放在预留的空洞内，然后再将引线从炸药处引至南岸的一所房子里，等到要炸的时候，接通引线，一声令下后，将爆炸器的雷管通电引火，大桥的五孔一墩便立刻爆炸。

这是一座即将在战火中诞生的公路铁路双层桥。建桥采用上下并进的方法，基础、桥墩、钢梁三项工程一起施工，全部做到了半机械化。造桥开始时，遇到种种困难，步履维艰，茅以升的技术团队承受了很大的压力。这时果断出面为他“挑肩搁”的，是时任浙江省建设厅厅长的曾养甫。他是力主修建钱江大桥的最早也是最有力的地方行政官员，从建桥的可行性论证，到邀请美国专家设计，再到最头痛的筹款

阅读链接：

茅以升：《桥梁史话》，北京出版社，2012 年版。

陈述：《杭州运河桥船码头》，杭州出版社，2006 年版。

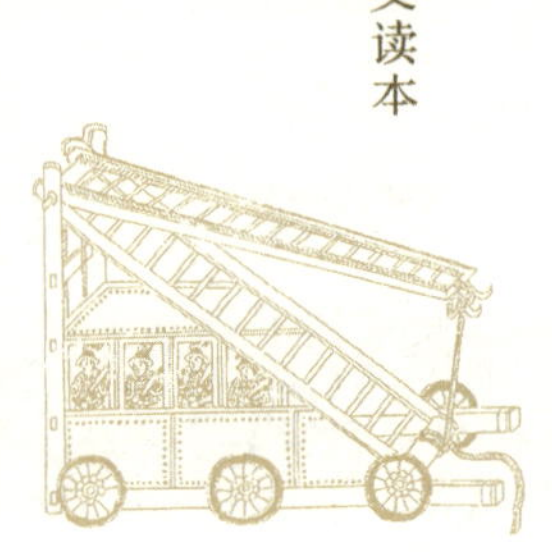

事宜，他都竭尽心力，多方奔走。茅以升也是他亲自挑选邀请来的。他对茅以升说："我一切相信你，但是，如果桥造不成，你得跳钱塘江，我也跟在你后头跳！"

三年里，茅以升和 80 多名工程技术人员、900 名工人群策群力，攻克了 80 多个难题。比如打桩，由于江水湍急，潮涌剧烈，江底岩石上有深达 40 米的泥沙层，打好第一根桩，足足用了一天，而按设计要打 1400 根桩。茅以升特制了江上测量仪器，解决了木桩定位问题，再用"射水法"，先把钱塘江的水抽到高处，通过水龙带将江底泥沙层冲出一个洞，然后往洞里打桩，一昼夜可打桩 30 根。再如浮运沉箱，一个钢筋混凝土沉箱长 18 米、宽 11 米、高 6 米，重达 600 吨，将它从岸上运到江里，再准确地放在木桩上，难度极大。后来有位工人建议借助潮汐之力来运沉箱，把 6 个铁锚从每个 3 吨加到每个 10 吨重，在海水涨潮时放沉箱入水，落潮时赶快就位，结果一举成功，600 吨重的箱子稳稳地站上木桩。

1937 年 11 月 17 日凌晨，埋放炸药的工作全部完毕。丁教官在大桥南岸设了前沿指挥所。与此同时，通知凡过桥的火车司机和司炉，过桥时不得捅炉，严防漏下火星。安放炸药的事，对外严格保密。可是这天，他们却得到命令："即刻开放大桥。"因为"八一三"淞沪战役爆发后，南撤的人越来越多，每天有数万人渡江，渡船不够用了，甚至还发生了翻船事故，形势严峻，不得不开通大桥。当天，茅以升和总工程师罗英，乘坐 12 号小汽车，第一次在大桥公路上驶过，两岸数十万群众掌声雷

屹立七十多载的钱江桥

动，“两脚跨过钱塘江”的梦想终于实现了。很多人迫不及待地涌上大桥，大桥从早到晚都被挤得水泄不通，但过往的人都不知道大桥下面埋着炸药。

到了 12 月，日军攻克武康，杭州告急，公路桥更忙了，铁路运输也紧张起来。据铁路部门估计，12 月 22 日这一天，过桥撤退的火车有 300 多辆，客货车 2000 多辆。23 日下午一点钟，立即炸桥的命令下来了，但北岸仍有无数逃难的人涌上来，一直等到下午 5 点钟，大桥禁止通行，一声巨响，大桥被炸断，这时已能望见日军的骑兵队。

钱塘江大桥从建成到通车，再到炸毁，存在了 89 天时间。建桥时，总工程师罗英曾出过一副上联“钱塘江桥，五行缺火”，因为“钱塘江桥”四个字的偏旁是金、土、水、木，唯独没有火，下联一直没有对上。炸桥后，心绪难平的茅以升赋诗一首：“斗地风云突变色，炸桥挥泪断通途。五行缺火真来火，不复原桥不丈夫！”

日本人随后花了整整 7 年，才于 1944 年将大桥勉强修通，期间抗日游击队员为阻止日军南侵，先后两次将日军修复好的大桥炸毁。1946 年，茅以升开始修复大桥。1949 年 5 月 3 日，杭州解放那天，国民党在败退前，再次炸断大桥。等大桥修复完毕，全面通车已经是 1953 年了。

这是一座经历战火洗礼的钢铁大桥，有人甚至说这是一座炸药不放对位置都炸不掉的桥。大桥有两个桥墩在 1937 年、1944 年和 1945 年被炸过，但至今仍能正常使用。当初大桥的设计标准是 20 千米的时速，计荷载铁路面轴重 50 吨、公路面 15 吨。当时平均每天仅有 150 多辆汽车、4.9 对火车通行。70 多年过去了，如今在这座桥上，动车可以跑到时速 120 千米，汽车也可以跑到时速 100 千米，40 吨甚至 60 吨重的汽车也在桥上行驶。这样一对比，钱塘江大桥不仅超期服役，而且也超限、超载，但工程班子每次为大桥做完评估，都肃然起敬。遥想当年的茅以升团队，真把修桥当成百年基业在做。

汇通宇内

浙江自古以来就是我国对外交往的重要窗口，
也是中外文化交流汇聚之地。
究其原因有三，
一是拥有得天独厚的地理环境；
二是开发较早，社会经济相对较为发达；
三是浙江人有敢于开拓的开放精神和
吸收外来文化的伟大胸襟。

引　言

浙江自古以来就是我国对外交往的重要窗口，也是中外文化交流汇聚之地。

从历史长时段的角度来看，浙江中外文化交流是一个持续的过程。史前浙地先民於越民族就是一支富有开拓精神的海洋民族，早在8000年前就习于舟楫，不断开辟广阔的海内外生存空间，把越文化的种子播撒向世界。唐宋以降，海上丝绸之路迅速发展，中国的儒家文化和以天台宗、禅宗为主的佛教文化也通过日本遣唐使以及中日僧人从浙江沿海传播到朝鲜半岛、日本列岛和东南亚等地，逐渐形成东亚儒家文化圈。在明清两朝几度实行“海禁”“闭关”政策之时，浙江仍然在对外交往和文化交流中发挥着重要作用。这个时期的中外文化交流出现了一个新的亮点，那就是西方耶稣会士的到来。这些耶稣会士客观上充当了中西文化交流的桥梁，他们一方面把中国介绍给西方，另一方面也把西方的科技和思想传到中国。面对先进的西方科学思想，中国知识分子也提出了中西会通的理念，要求学习和引进西方科学。李之藻就是其中的佼佼者。到了鸦片战争之后，西方殖民势力东来，宁波、温州、杭州先后被辟

为通商口岸。这个时期，新式的教会学校、教会医院、近代市政和公益事业都在浙江蓬勃发展。浙江得以“领风气之先”，促进近代思想观念的弃旧趋新，形成一种开放、务实的理念和社会环境，对近代浙江社会产生深远影响。

浙江是中外文化交流的主要舞台之一。唐宋以来，浙江宁波、天台、杭州等地都是中日文化交流的主要地点。宁波港是海上丝绸之路的主要起点之一，具有重要地位；宁波的天童寺、天台的国清寺都是中日佛教交流的圣地；径山寺的径山茶宴还被奉为日本茶道的薮源。鸦片战争后，宁波作为首批开放的五口之一，更是深受西风浸染，成为西方文化在浙江乃至中国传播的重要窗口。杭州更是一个文化交流的中心。元朝著名的旅行家马可·波罗就誉称杭州为“天城”，为世界瞩目；明清耶稣会士把杭州当作活动的重点，殷铎泽、卫匡国等著名传教士都在杭州传教；民国时期，印度著名诗人泰戈尔、西方哲学双雄约翰·杜威和罗素都把杭州作为访华的重要一站。

浙江中外文化交流史上可谓人才辈出。唐朝随鉴真东渡日本的思托把天台的干漆夹苎技艺传入日本，创立“唐招提派”；元朝一山一宁奉国书赴日，以中国文化播撒中日友好的种子；明清之际，李之藻翻译西书，力求会通，被称为明朝天主教三大柱石之一；陈元赟创日本柔道之术，被尊为柔道之祖；更有舜水先生续圣学于东瀛，化中国儒学为日本道德的基础。近代，陈琪被誉为中国博览会事业第一人；还有中国奥运之父王正廷，备受景仰。

浙江之所以在我国中外文化交流史上具有重要地位，究其原因有三。一是浙江拥有得天独厚的地理环境。浙江地处我国东南沿海，有六千多千米海岸线，岛屿密布、港湾众多，还有钱塘江、甬江、瓯江、浙东运河以及京杭大运河等众多内河水网，沟通大江南北。二是浙地开发较早，社会经济相对较为发达。自中唐以来，浙江地区的社会经济发展迅速，商品经济发达，茶叶、丝绸、瓷器等主要大宗出口产品丰富，

有力地促进了海上丝绸之路的发展，从而也促进了中外文化的交流。三是浙江人民自古就有敢于开拓的开放精神和吸收外来文化的伟大胸襟。有了这种精神，中西文化才能在浙地充分交流会通。有了这种宽阔的胸襟，浙地文化才能在广泛吸收其他文化精华的基础上，不断创造文化奇迹。

交流与传播是文化传承的内在特性。没有交流和传播，就没有地域文化发展的生命力。从史前到近代，浙江中外文化交流的过程历数千年而不变，可谓成果丰硕，在中西文化交流的光辉历史中，谱写出一曲华美的乐章。

早期越文化传播

越文化称得上是中华民族传统文化中宝贵的组成部分之一。

越文化的先民於越民族是中国古代各民族中最富有开拓精神的民族之一，也是中国最早的海洋民族之一。在跨湖桥遗址中出土的独木舟，经科学测定，距今8000年左右，不仅是目前我国发现的国内最早的独木舟，也是现知世界上最早的船。在河姆渡遗址中，出土了六支木桨和两件夹碳黑陶质的小桃舟模型，还有大量的鱼类骨骼等水生动物标本。这说明早在六七千年前，於越民族就开始了航海和捕鱼生产。在海洋渔业开发史中，於越民族的海洋文明性质得到了充分地体现。而且，那种敢于进行远洋航行，敢于不断向远方航行和种族迁徙的开拓精神也代代相传。於越民族在开辟广阔的海内外生存空间的同时，也把文明的种子播撒到东南沿海、东亚、东南亚，甚至远到密克罗尼西亚群岛、伊里安岛、澳大利亚和美洲各地。

考古学家张光直认为，台湾大坋坑文化与河姆渡文化有着相似的生态环境，包涵了吴越地区的河姆渡文化因素，可以视为河姆渡文化向台湾传播的结果。大坋坑文化是迄今为止台湾发现的最早的新石器时代遗存。在其后的圆山文化中，更是发现了於越民族文化的特征之一——有段石锛，进一步证明了越文化在台湾地区的传播。

越文化渡过东海传到日本。吴越地区的方言与日语有许多相近之处。浙江大学陈桥驿教授在对宁绍地区的俚语方言和日语作了比较之后指出，日语数字中的“二”的发音“ni”,现在主要流行在宁绍地区。日本的地名中有许多含有“越”字的地名，

阅读链接：

费君清：《中国传统文化与越文化研究》，人民出版社，2004 年版。

潘承玉：《中华文化格局中的越文化》，人民出版社，2010 年版。

蔡丰明主编：《吴越文化的越海东传与流布》，学林出版社，2006 年版。

这些都是古代越地先民到达过这个地区的证明。日本的水稻种植也与越人的水稻栽培有着渊源，在日本北九州的板府，考古学家发现了距今约 3000 年历史的日本最早的稻作遗址，这些水稻品种是由中国长江下游地区传过去的，在河姆渡发现的稻作遗址与其有着不可否认的承继关系。

越文化跨越南海，在东南亚广为传播。至今马来－波利尼西亚人还保留着一些越人的文化习俗，他们以捕鱼为生，日常生活、制造舟船的手艺和纹身的习惯都与越人有相似之处。早在 6000 年前，马来－波利尼西亚人的祖先开始从中国的福建省出发进行长途的迁移运动。他们向南行进，穿越菲律宾和印度尼西亚，接着分两个方向迁移：一路向西，到达马达加斯加；另一路向东，到达夏威夷和伊斯特岛。

经过海内外学术界的努力，不断有新的考古发现和文献资料证明早期越文化在海内外的传播所具有的重要影响，而且这一结论也被海内外学术界所广泛接受和承认。日本学界认为越文化和日本列岛的原始文化之间有很密切和深厚的关系；越南学者编著的《越南古代史》也声称“我们的祖先勾践”，公开承认是於越民族的后裔；美国的文化人类学家也承认越国人的后代与马来－波利尼西亚人有着悠久的文化联系。我国台湾学者甚至还在包括北美印第安民族在内的环太平洋原始部落里，发现了在於越民族中盛行的羽鸟崇拜和鸟图腾屋顶柱。

卫温浮海到台湾

2010 年 2 月 24 日，“卫温从台州远航台湾 1780 周年研讨会暨首日封发行仪式”在北京举行。随着研究成果的一一发布，曾经有过的一段辉煌历史，逐渐呈现在我们的眼前，一个足以增进两岸人民民族认同和感情融合、促进两岸关系和平发展的历史壮举，显示出了她巨大的历史价值和现实意义。

早在公元 230 年，东吴孙权为了实现“普天一统，开拓海疆”，便派遣大将卫温、诸葛直率领精壮甲士万余人，从浙东古港章安出使海外，远航台湾。这是中国古代航海史上一次伟大的壮举，也是历史上第一次以中央政府名义出航台湾、和台湾大规模交往，并在台湾首次行使国家权力。在中华民族发展史上，卫温、诸葛直此行对开发台湾，密切东南沿海文化和经济联系，开拓我国东海以及南洋群岛和东南亚各国的海上航道，具有重要政治和历史意义。七世承传南明家风的台湾著名史家连横就在《台湾通史》中，称赞这次出航台湾“为子孙万年之业者，其功伟矣”。

同时期的东吴人沈莹所撰的《临海水土异物志》，是我国海运史上第一部关于海港和海上交通的著作。书中对夷洲（台湾古称）的方位、地理、民情风俗有简要介绍，还浓墨重彩地记述了卫温这次万人出航台湾的事迹。卫温、诸葛直率领的万人船队到了台湾，并没有重大的军事战斗，而是以和平的方式远规和合了当地人民，并进行了短暂的政治统治和行政管理。

沈莹在书中对台湾的历史、风俗民情和山海物产等作了具体生动描述。他说，

阅读链接：

（三国）沈莹著，张崇根辑校：《临海水土异物志辑校》，农业出版社，1981 年版。

连横：《台湾通史》，广西人民出版社，2005 年版。

（西晋）陈寿：《三国志》，浙江古籍出版社，2003 年版。

夷洲在临海的东面，距离临海郡约二千里，而且古越人还在夷洲留下了“山巅有越王射的”的历史遗迹。高山族仍处于原始社会阶段，阶级已经产生分化，王者分划土地，人民隶属各地王者和酋长统治。又称夷洲土地肥沃，草木繁盛，海产丰富，还出产铜、铁和煤矿。书中记录了夷洲人民骁勇善战，用鹿的骨骼制成长矛作战，把青石磨得锋利作为弓箭的箭头。而且，还详细描述了具有浓烈海洋习性的生活习俗，比如把生肉放置于瓦罐之中，用食盐腌渍，过了一个多月，就做成了咸肉，便于储存和食用。书中还提到夷洲人民能歌善舞，在父母逝世的祭礼上，要宰杀家犬作为祭品，饮酒唱歌，载歌载舞，一人唱，众人和。这种风俗民情和浙闽沿海地区十分相似。

20 世纪 30 年代，日本考古学家在台北发现东吴时期砌筑城郭的指掌型古砖，砖面刻有线纹、鱼状纹、席状纹。这与现今临海等地发现的多处两汉魏晋的砌砖墓穴上的砖面上线纹、鲤鱼纹、席状纹和绳纹等惊人相似。我国封建王朝，特别是三国时期的魏蜀吴，为争夺地盘，实现天下一统，每征服一地，必“治城郭，置楼台”，以示国家政府正式管理。所以说，今天在台湾台北发现的东吴的古砖，应该是卫温、诸葛直远航台湾时留下的有力物证。

东吴卫温浮海至夷洲不仅是我国航海史上的壮举，而且从历史上证明了我国在东海的主权，也充分说明台湾自古为我国不可分割的领土，两岸人民的交流自古有之，中华民族的统一大业也必将完成。

思托与日本唐招提派

在日本古都平城（今日本奈良）保留着一座距今1200多年历史的古寺，它就是在中日佛教交流史上具有重要地位的唐招提寺。至今，这座古刹仍以其美轮美奂的盛唐风格建筑群和完整保存的大量干漆夹苎造像闻名世界，是中日佛教交流悠久历史的主要见证之一。

唐招提寺的创建人是中日文化交流史上鼎鼎有名的鉴真大师。唐乾元二年（759），鉴真大师历尽千辛万苦，第六次东渡扶桑成功之后，便开始兴建唐招提寺，直到大历五年（770）前后竣工。唐招提寺东北区的开山堂内，安置着鉴真和尚的坐像，这是鉴真逝世前由其弟子思托受命塑造的。坐像高二尺七寸，高大等身，采用干漆夹苎技艺，把鉴真大师生前的姿态、神情，栩栩如生地再现于人们面前。这座塑像神态生动，造型优美，线条柔和，刻纹简练，夹苎技术也达到十分纯熟的地步。在日本美术史上，这尊鉴真大师的坐像是最早的肖像雕塑，被定为日本的国宝，受到特别的珍视和保护。

思托，俗姓王，山东沂州（今山东临沂）人，自幼出家，曾至台州开元寺，习天台教规。后从鉴真大师研习律疏，成为鉴真大师的高足弟子，一生曾随鉴真大师六次东渡终不悔。唐天宝二年（743），他第一次随鉴真大师东渡日本。天宝三年（744）在准备第四次东渡日本时，渡海队伍在浙江黄岩禅林寺被扣，接着被强行解散。于是，思托便留居临海的龙兴寺，入天台之门。从此，思托长住临海

龙兴寺，成为临海龙兴寺的高僧。临海龙兴寺也因思托以后的东渡成功，在日本闻名遐迩。天宝七年（748），思托再次应鉴真大师之召，赴扬州，准备第五次东渡日本。此次东渡也未成行，思托郁郁返回临海龙兴寺。天宝十三年（754），思托随鉴真终于东渡成功。鉴真前后六次东渡日本，思托是唯一“始终六度，经逾十二年”追随的中国僧人，经历了“四度造舟，五回入海”的磨难，虽历尽艰辛，备尝漂泊之苦，但终无退心，最后与其师一起埋骨异邦。

到达日本之后，思托始终追随鉴真大师身后，和日僧普照具体主持执行唐招提寺的初创工作，在寺内宣讲天台教义，兼弘律宗。除了授戒、讲律之外，他还积极参与造寺、写经和雕塑佛像等佛事活动。应道璇之请，思托前往大安寺唐院为其弟子忍基、常魏等讲解《四分律疏》和《饰宗义记》(即《镇国记》)等。他还多次为僧众讲述天台教义，播撒“天台”种子。期间，为反击代表顽固保守势力的日本旧教团对鉴真大师的诽谤攻击，思托以自己的亲身见闻和经历，撰写了《大唐传戒师僧名记大和上鉴真传》,驳斥旧教派的谣言。鉴真大师圆寂之后，思托邀请当时被称为“文人之首”的淡海三船,利用他所写的《鉴真传》为底本，改写成《和上东行传荃》一书，也就是我们今天所见到的《唐大和上东征传》。唐贞元四年（788），思托又撰写《延历僧录》五卷、目录一卷,这是日本历史上最早的僧传。

思托除在日本弘扬天台宗和律宗教规之外，在艺术史上也占有一席之地。我国塑造夹苎像的历史颇为悠久，早在东晋时期就有了这种技艺，到了唐代更是盛行。干漆夹苎法分脱胎干漆和木心干漆两种。前者系在泥塑上敷以麻布，再涂漆反复多次，待干燥后去泥土而空余外壳。后者系在木型上涂漆而成。这种干漆像分量轻，造型厚实、稳重。思托将此法传到日本，成为当时日本制作佛像、雕塑等造像的主要工艺。思托制作的鉴真干漆夹苎坐像，在日本美术史上备受推崇，由于唐招提寺的佛像多为干漆夹苎像，史称“唐招提派”。

宋雍熙元年（984），天台工匠张延皎、张延袭兄弟用此法制成的一尊“伏填王释迎瑞像”由日僧带回日本，现仍供奉于清凉寺。此后干漆夹苎技艺之精湛名扬天下，在日本广为流传。除日本外，朝鲜、巴基斯坦、尼泊尔、越南、柬埔寨、缅甸、泰国、马来西亚等国，都将干漆夹苎技艺制作的以宗教文化艺术造像为主体的作品视为国宝。

阅读链接：

［日］中野玄三：《続々日本仏教美術史研究》，思文阁，2008 年版。

［日］道端良秀著，徐明、何燕生译：《日中佛教友好二千年史》，商务印书馆，1992 年版。

刘晓路：《日本美术史纲》，上海古籍出版社，2003 年版。

释普义编著：《天台山干漆夹苎技艺》，浙江摄影出版社，2009 年版。

荣西与中日文化交流

唐宋交替之际，中日两国民间交往十分频繁，贸易繁盛，商人、僧侣的往来尤为活跃，日本僧人赴中国修学禅学者人数甚多，荣西算是其中的佼佼者。荣西为研究禅学，曾经不畏艰辛，两度入宋求法，参谒天台山万年寺虚庵怀敞禅师，承袭临济宗黄龙派的法脉，回到日本后逐渐发展成日本禅宗的主流。日本禅宗虽早在奈良时代就开始流传，但并不兴盛，真正独立成宗、造成广大影响者，不得不说到荣西所开创的临济宗。在他不断推进下，日本禅宗呈现出朝气蓬勃的景象，其后又陆续有宋、元高僧来到日本，使临济宗愈见兴隆，所以荣西被尊奉为日本临济宗的祖师。

荣西像

南宋绍兴十一年（1141），荣西出生于日本备中（冈山）国吉备津。他自幼聪敏超群，八岁就能跟随父亲读《俱舍》《婆沙》等深奥的经论。及年长，出入佛门，

师事日本高僧静心上人。十四岁登比睿山出家受具足戒。十九岁时，跟随比睿山有辩法师修学天台教义。二十一岁时，全国流行疫病，荣西遂归乡觐省双亲，并随基好法师学习密乘法义，尽得其旨。尔后，返回比睿山，得显意法师的密法灌顶，闭关八年，苦读经藏。

荣西虽年少入佛门，深入经藏，兼修天台与密宗，但仍常感叹所学不足，素闻中国禅法兴盛，便憧憬前往中土求法。于是在二十八岁这一年，也就是公元 1168 年 4 月，荣西乘商船由博多出发，抵达明州（今宁波）。求法途中，与日本高僧俊乘房重源相遇，两人相伴上天台山巡礼。这一年秋季大旱，众人请荣西做法祈雨。修法之时，荣西身发千光，直冲云天，顿时滂沱大雨，旱情缓解，因而世人称他为“千光祖师”。9 月，他与重源同船返回日本，带回天台新章疏三十余部、六十卷。他还随身携带天台时彦写给日本天台宗座主明云僧正的书信，僧正见信，不禁大喜，赞叹他到中国去弘扬天台之教，是日本国的荣耀。

荣西初次由宋归国，大约有二十年时间致力于禅宗与密法的研究和实践。这段时间，他曾巡行备前、备中两国弘法布教，传授灌顶法会，并埋头撰写《誓愿寺缘起》《教时义勘文》《盂兰盆一品经缘起》等密教典籍。荣西自幼专力于密教，曾受穴太流派的基好法师灌顶，又从川流派的显意法师灌顶，一身承继两流之密法，并自创一流。由于荣西挂锡于睿山东塔东谷佛顶尾观泉房及叶上房，故称为“叶上流”，后来所谓的叶上派，即奉荣西为祖师。

南宋淳熙十四年（1187），荣西在四十七岁时再次入宋，并希望经由中国转赴印度求法。但是，荣西到达临安，参见知府，表奏拟赴印度之意，不料知府却以“关塞不通”加以回绝。荣西无奈转往赤城天台山，跟随万年寺虚庵怀敞禅师学禅。虚庵禅师是临济宗黄龙派第八代嫡孙，德高望重，学识参天。荣西在虚庵禅师的教导下，尽心钻研，参究数年后，终于悟入心要，尽得虚庵禅师的真传，继承临济正宗禅法。

阅读链接：

王晓秋、[日]大庭修主编：《中日文化交流史大系·历史卷》，浙江人民出版社，1996年版。

[日]荣西：《吃茶养生记》，贵州人民出版社，2003年版。

[日]铃木大拙著，陶刚译：《禅与日本文化》，生活·读书·新知三联书店，1989年版。

归国后，荣西在日本筑前建造报恩寺，行菩萨大戒布萨，成为日本最早的禅戒布萨。其后，荣西以肥前、筑前、筑后、萨摩、长门及九州为中心，展开布教活动，全力倡扬禅法，亦开创寺院、制定禅规、撰述经论等，渐受教界的瞩目，禅风日盛，却引发南都北岭旧宗派僧徒的嫉妒。其中筑之筥崎有良辩嫉其禅法，遂诱睿山僧徒上奏朝廷，污蔑禅法，导致朝廷下令禁禅。荣西据理力争，弘扬禅法之精妙，当时朝野有识之士听其辩，皆以荣西之言为善，于是都积极辅助宣扬禅法。公元1195年，荣西在博多建立日本第一座禅寺——圣福寺，顿时参禅者四方云集，声名远播。公元1198年，荣西又撰写《兴禅护国论》三卷，是为日本最早的禅书，说明禅法对国家的重要性以及佛法与王法的相依相关，主张佛法的终极就是禅，深受欢迎。

荣西对中国文化东渐日本所起的作用很大，除禅宗外，许多中国文化都是由他一手传入日本。比如说，禅宗的建筑式样是荣西最先移植到日本的，如京都建仁寺、镰仓寿福寺等都是日本著名的禅寺。而且，荣西爱好书法，在宋时学过黄庭坚书法，后传给弟子道元，为镰仓时代唐样书法兴起的先驱。荣西还在日本积极传播汉文学，为五山禅林文学的先驱者。还值得一提的是，中国的茶在日本传播也要归功于荣西。在日本，荣西被尊奉为“茶祖”。荣西还将宋朝禅院的“禅茶一味”的茶风带到日本。其所著《吃茶养生记》使日本从平安时代以来一度衰落的饮茶风气再度兴盛起来，对整个日本文化生活产生了很大的影响。

天台山与中日佛教交流

天台山蜿蜒起伏于浙江沿海、东海之滨，以其绚丽多姿的形貌和深邃厚实的内涵，令历代文人墨客竞折腰，“天台四万八千丈，对此欲倒东南倾”“龙楼凤阙不肯住，飞腾直欲天台去”，唐代诗仙李白留下的千古佳句，表达了对天台山的向往和赞叹。除了幻如仙境的奇峰、怪石、幽洞、异瀑，天台山还孕育着华夏文明苑囿中一朵散发着独特芬芳的奇葩，这就是“天台山文化”，她以神秀的山水为依托，以宗教文化为特色。自唐宋盛行迄今，以天台宗为代表的佛教文化对日本文化产生重大影响，在中日文化交流史上具有重要的地位。天台山是天台宗的发祥地，是世界佛教徒的朝圣之所。

“台山一万重，帝割为佛国。刹院如星罗，国清最雄特。”中国汉化佛教第一宗——天台宗的祖庭国清寺就坐落在天台山主峰华顶之麓。国清寺始建于隋朝，距今已有1400多年历史，有“丛林四绝”之称。在唐代，日本、高丽（朝鲜半岛）僧人来山求法礼佛者络绎不绝，国清寺成为日、朝、韩天台宗的祖庭。佛教天台宗远播日本始于唐代。鉴真（687—763）大师曾从天台宗五祖章安灌顶的弟子弘景律师学习戒律和天台教义，是灌顶的再传弟子。唐天宝十三年（754）鉴真第六次东渡日本成功。他在日本传播律宗的同时，也大力弘扬天台教义。其弟子台州高僧思托随师东渡日本，在招提寺内宣讲天台教义，兼弘律宗，扩大了天台山佛教在日本的影响。

鉴真大师逝世后不久，他传播的天台宗教义在日本京都比睿山得到传承。日本僧人最澄（767—822）研习鉴真等人东渡时带去的天台宗教典，并于唐贞元二十年

（804）带弟子义真渡海入唐到天台山，先后跟随天台宗第十祖道邃及行满学习天台教义，后又随天台山禅林寺僧潇然习牛头禅。唐贞元二十一年（805），最澄学成归国。最澄回国后创立日本天台宗。唐长庆二年（822）最澄圆寂，嵯峨天皇批准在比睿山建立天台宗太乘戒坛。最澄弟子圆仁、圆载等也先后入唐求法，发展了日本天台宗。到宋代，日本天台宗寂照率徒 7 人前来中国求法，得到宋真宗接见。师徒前往天台山谒天台宗十七祖知礼，代其师源信提出 27 个问题，知礼遂作《问目二十七条答释》。

南宋时期，佛教在日本渐趋大众化。由中国传入的禅宗和依据善导的念佛法门而形成的净土宗等以及由天台法华教义分衍的日莲各宗，勃然兴起。天台山与日本的文化交流由天台宗文化转向禅宗文化。日本禅宗正式的弘传，始于入宋参学归国而首创日本临济宗的明庵荣西。荣西是日本佛教临济宗创始人。他一生两次入宋求法，曾随万年寺禅宗大师虚庵怀敞受临济宗黄龙派禅法，并重建万年寺的山门和佛陇山真觉寺智者大师塔院。

元代初期，中日文化交流曾因元世祖东征而一度中断。重新打开 14 世纪中日文化交流友谊之门的则是台州籍高僧一山一宁。一山一宁曾入四明山普光寺学习《法华经》，又受律宗及天台教义。元成宗铁木耳即位后，决定恢复中日睦邻关系，就派时任江南诸路释教总统一山一宁出使日本。元大德三年（1299）三月，一山一宁和弟子石梁仁恭乘坐日本商船到达九州博多港，受到日本朝野人士的欢迎。他在日本所传的禅学，也发展成为日本禅宗24个流派之一，号“一山派”。

以天台山文化和天台宗为核心的中日文化交流自唐迄今，源远流长，“睿台承相照，万古兄弟情”，赵朴初先生的两句名诗，见证了天台山长达1000多年的中日文化交流史。

阅读链接：
曾其海：《天台宗与日本文化》，中国国际广播出版社，1995年版。
王晓秋、[日]大庭修主编：《中日文化交流史大系·历史卷》，浙江人民出版社，1996年版。
许尚枢：《天台山历代名人传》，浙江人民出版社，2000年版。

径山茶宴与日本茶道

南浦绍明像

越地是中国茶文化的发源地。1990 年在湖州发现的汉代青瓷茶瓮，表明至迟在汉代，越地就已流行饮茶风气。另据宋朝孔延之所著《会稽掇英总集》、诸多唐宋文集和笔记记载，到唐代，越地至少已经出现会稽云门寺茶宴、天目山径山寺茶宴和湖州境会亭茶宴等三大驰名天下的茶宴。茶宴作为一种借沏茶、品茶以陶冶情操、联络感情的艺术化的生活礼仪，实际上也就是日本茶道之滥觞。有学者对日本茶道进行深入研究，认为中国是日本茶道的故乡。日本茶文化的发展一直受到中国茶文化的影响，中国茶文化在各个历史时代所创造出的新形式都逐次波及日本茶文化。可以说，日本茶文化的历史是随着中国茶文化的历史发展而发展起来的。

径山作为佛教名山，其历史可追溯至唐代中期。唐大历年

间，唐代宗诏令杭州府创立“径山禅寺”，法钦被迎为开山祖师，但在唐武宗灭佛时，径山佛教一度衰落。至南宋的大慧宗杲中兴后，径山信众日增，多时近3000人。南宋嘉定年间，径山被列为五山十刹之首，冠盖丛林，被誉为“天下东南第一释寺”。南宋开庆元年（1259），南浦绍明赴宋寻师求法。南浦在雪窦山（位于今浙江宁波）第一次拜谒宋朝高僧虚堂智愚（1185—1269）。南宋景定五年（1264），受宋理宗敕命，虚堂智愚任五山之一的净慈寺住持。此时，南浦航海至宋，前往净慈寺礼谒虚堂，二人从此开始了近十年的师徒生涯。

南宋咸淳元年（1265）八月，虚堂智愚再奉宋度宗敕命，住持径山兴圣万寿禅寺。为继续培育日僧南浦绍明，虚堂智愚允其随往参学。到径山后，虚堂智愚对南浦绍明的教诲更尽责尽力，南浦本人也苦修精进。南浦绍明在径山不仅勤修佛禅，而且认真考察学习径山种茶、制茶技术以及茶宴礼仪，回国后广为传播。径山茶最初专用于供佛，后推广至请客礼仪。请客饮茶有专门仪式和茶具，名曰“茶宴”。据传，“茶宴”专门仪式包括献茶、闻香、观色、尝味、论茶、交谈。“茶宴”有专用茶具，茶桌上放一精制的茶台子，内有紫砂壶、精制瓷盏、锡制茶罐等。日本至今尚在流行的“茶道”便源于径山“茶宴”。据日本学者研究，“茶道”源于“茶礼”，“茶礼”源于宋代的“禅苑清规”。南宋淳祐元年（1241），日僧圆尔辨圆从径山带回“禅苑清规”一卷，圆尔后依此为蓝本，制订“东福寺清规”。南浦绍明由宋归国时，把茶台子、茶道具一式带到崇福寺。

在日本，饮茶的最早记录在唐元和十年（815）闰七月二十八日的《空海奉献表》里。表中有空海（774—835）日常生活的写照：“观练余暇，时学印度之文，茶汤坐来，乍阅振旦之书。”这是日本史料中关于饮茶的最早记载。唐贞元二十一年（805），曾前往天台山求法的日僧最澄（767—822）从中国带去茶籽，种在日吉神社旁，成为日本最早的茶园。至今还树立着“日吉茶园之碑”，并生长着茶树。他不仅

径山茶宴图

带回了茶籽，而且还带回去了天台山的制茶技术，更带回去了天台山僧侣饮茶的习俗文化。三百多年后，日本荣西禅师来到中国，遍访江南名刹，后移居天童山景德寺。其时，江南各地都有茶园，饮茶之风盛行。荣西在钻研佛经之余，也埋头于茶的研究，历时 19 年。为化缘助修景德寺，他一度回日本，两年后又再次来中国。荣西在中国居住共 24 年之久，于南宋绍熙三年（1192）七月返回日本。南宋乾道四年（1168），荣西第一次回国时，将中国茶籽带回日本，在肥前（今佐贺县）背振山种植，所制岩上茶闻名日本。他还将茶种赠给明惠上人，在宇治植茶。后来宇治茶被称为日本“真正的茶”，十分珍贵。南宋绍熙二年（1191），荣西第二次回国时，又将茶种播在长崎县平户岛富春园。从养生、延寿和修禅出发，荣西倡导饮茶，并于绍熙三年

（1192）用汉字写成《吃茶养生记》，这是日本最早有关茶事的著作。荣西在书中介绍了茶的功能、种类，茶具以及采茶、制茶、点茶的方法，奠定了日本茶道的基础。

18世纪日本江户时代中期国学大师山冈俊明（1726—1780）在其编辑的《类聚名物考》第四卷中记载，茶宴始于南浦绍明。南宋开庆元年（1259），南浦绍明前往中国求法，到径山寺拜谒虚堂，归国后尽心传临济宗之法。这一史料清楚地点明了日本茶道源于我国径山茶宴，成为径山茶宴是日本茶道之源的铁证。

尽管当今日本茶道与南宋时期的径山茶宴在形式上存在相当大的区别，但日本茶道中茶室的典雅布置、行茶的庄重礼仪以及以茶论道、注重德性等方面，依然具有径山茶宴韵味。因此，可以说径山“茶宴”是日本“茶道”之源，南浦绍明在径山茶文化东传日本方面，作出了突出贡献。

阅读链接：

陈小法、江静：《径山文化与中日交流》，上海辞书出版社，2009年版。

[日]铃木大拙著，陶刚译：《禅与日本文化》，生活·读书·新知三联书店，1989年版。

王晓秋、[日]大庭修主编：《中日文化交流史大系·历史卷》，浙江人民出版社，1996年版。

一山一宁与中日交流

自隋、唐以来，有一大批僧人，扬帆蹈海，历尽艰辛东渡日本，如唐朝的道旋、鉴真，宋元的道隆、普宁、正念、祖元等。他们大多是受日本僧人或之前寓居日本的中国僧人的邀请，去日本讲经说法。唯独元初赴日的一山一宁，是受元朝皇帝派遣，作为元朝的使者而赴日。因此，一山一宁的东渡在中日文化交流史中具有举足轻重的地位。

一山一宁（1247—1317），号一山，台州临海人。他幼年出家，先在天台山鸿福寺师事无等慧融，学临济宗大慧法系禅法。三年后去四明太白山（今浙江宁波阿育王寺一带）从普光寺僧处谦学《法华经》等，后辗转于四明应真律寺、杭州集庆院等处求律学法。南宋咸淳年间，到四明天童寺依简翁敬学禅要。其间，与晦机、云屋两僧一起，奉诏删修《百丈清规》，辑成一代典章《咸淳清规》。

元至元十六年（1279），一山一宁渡海来到舟山群岛，开法于昌国祖印寺。一山一宁在该寺担任住持达十年之久。至元二十六年（1289）移住普陀山观音寺，至元三十一年（1294），由愚溪如智举荐为住持，他清谨自持，为道俗所尊仰。大德二

年（1298），元政府打算再派名僧为使，赴日以通两国之好。第一次出使未果的愚溪如智，因已年事已高，遂力荐一宁担任使者。于是，元成宗派遣宣慰使阿达剌等五十余人至普陀寺，宣读宣慰使手书及僧录司官书，赐一宁金襕袈裟及“妙慈弘济大师”称号，担任“江浙释教总统”，捧国书前往日本。

一山一宁与西涧士昙及外甥石梁仁恭等一行五人，从庆元府（今宁波）搭乘日本商船东渡，在海上漂泊近三个月，终于六月上旬到达九州博多湾，后经京都转至关东。当时，日本镰仓幕府执政北条贞时认为其携带敌国使命，颇有间谍之嫌疑，于是将其软禁在僻远的伊豆修禅寺。事后，日本国内有识之士游说北条贞时，告之其为中国德高望重的修行之人。十二月，北条贞时将其迎入镰仓，请其主持关东最大的禅寺——建长寺，并亲自向他参禅，执弟子之礼。一山一宁住在建长寺三年，于大德六年（1302）十月迁往圆觉寺，两年后又返回建长寺，接着又移住净智寺。

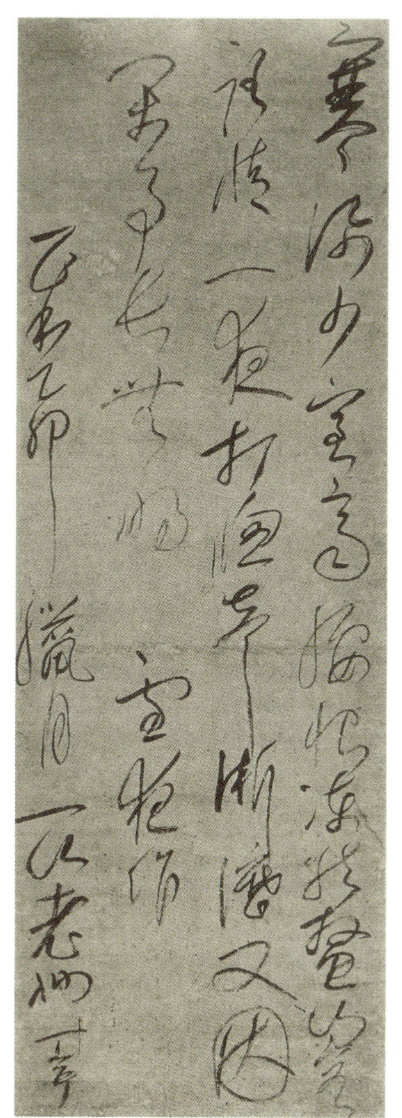

一山一宁草书《雪夜作》

一山一宁精通佛学，又工于书法，在日本政界和学界交游甚广。元皇庆元年（1312），因京都瑞龙山南禅寺住持规庵祖圆圆寂。后宇多天皇于是下诏关东，邀请一宁入京主持南禅寺。其间，

后宇多天皇曾多次亲临寺院问禅，并皈依于一山一宁。自此，一宁的禅法大行，朝廷官员、贵族及僧俗信徒等，纷纷前来参禅问道。后来，一山一宁以体弱老病屡次请辞，后宇多天皇仍极力挽留。最后，他不得已，一度潜赴越前（今日本福井县）。天皇得知其行踪，又派专使赶到越前，多加抚慰，并促其归山，一山一宁碍于盛情难却，在延祐二年（1315）重返京都，居南禅山慈济庵。延祐四年（1317）十月二十五日，一山一宁因病在慈济庵圆寂，遗书后宇多天皇，留下了“横行一世，佛祖钦气，箭既离弦，虚空落地”的偈语，泊然而化。

一山一宁去世后，后宇多天皇赐谥“一山国师妙慈弘济大师”之号，简称“一山国师”。又令前权大纳言源有房撰文致祭，敕令建塔庙，御赐《法雨》匾，亲题其像赞“宋地万人杰，本翰一国师”，以示怀念之情。徒僧嵩山居中辑有《一山国师语录》二卷传世，弟子虎关师练著有《一山国师妙慈弘济大师行状》。延祐六年（1319），东光寺僧月山友桂赍牌位入元，纳于育王山。他留居日本近二十年，为日本佛教界造就了一大批颇有影响的人才。一宁在日所传禅学法系，为古代日本禅宗二十四个流派之一，号“一山派”。

一山一宁博学多才，不仅精于禅学，而且儒道百家、稗官小说、乡谈、俚语、诗文、书法、墨画，无所不精。他在给弟子传法之间，往往直接宣讲朱子之学。由于一山一宁对朱子之学的直接讲解，理清了日本宋学传抄中的谬误。因而，从其学者众多，为日本培养了一大批宋学人才。中国宋学传入日本后，

逐渐融为“意涉佛教、祠似禅家”的日本新文化。这种新文化源于“五山文学”，即五山禅院中的僧侣，通过学习研究中国宋学后而创作的作品，它的形式模仿汉文，内容广泛丰富。在五山文学界，日本宋学名僧虎关师练是一山一宁的继承者；虎关师练的弟子性海灵见是“五山文学”界的巨匠；一山一宁的弟子雪村友梅是“五山文学”界的活跃人物，他以诗见长，善于书法；一山一宁的再传弟子大本良中也是“五山文学”中的著名诗僧。

一山一宁圆寂后，日本高僧月山友桂专程护送一山大师灵位返回中国，安放在宁波阿育王寺。民国十四年（1925），我国太虚法师、道阶法师、王一亭居士等二十二人，于日本参加东亚佛教大会之时，为一山一宁建立了纪念碑，永志其在中日文化交流史上做出的巨大贡献。

阅读链接：

李寅生：《论宋元时期的中日文化交流及相互影响》，巴蜀书社，2007年版。

王晓秋、[日]大庭修主编：《中日文化交流史大系·历史卷》，浙江人民出版社，1996年版。

楼筱环、张家成：《元代普陀山高僧一山一宁》，宗教文化出版社，2009年版。

中国人撰写的首部吴哥窟历史

元贞二年（1296），元成宗遣使真腊，前往诏谕。浙江温州永嘉人周达观由于懂得柬语，遂奉命充任随员，担职翻译。2月20日，使团由温州港乘海船出发，经福州、泉州、广州、琼州等地，过海口外洋和七洲洋、交趾洋，在3月15日抵达占城。再循占城海岸南下，约过半月到达真腊边境的真蒲一带。又向西南航行，从湄公河的入口处，溯河北上，途经金边、查南。后因为河流水浅，被迫在查南换上小舟，过丰湖村、佛村，横穿洞里萨湖，到达对岸的干磅。上岸再陆行50余里，在7月间到达真腊的国都吴哥。由于要等到第二年西南季风时节和大湖涨水才能回航，所以周达观随使团在吴哥逗留了大约1年时间。大德元年（1297）六月使团起程回国，于8月12日返回宁波。

公元10至13世纪是古代真腊文明的顶峰时期，史称“吴哥时代”。周达观随元朝使团在真腊逗留1年多时间，对真腊社会各个方面诸如政治经济、风土人情、物产贸易以及飞禽走兽等进行了详细调查。在调查中，他还遇见寓居真腊长达35年的温州同乡薛氏。他回国后便着手撰写《真腊风土记》，详细记载当地都城王室与风土人情、行程及所取途径，极具地理学价值。

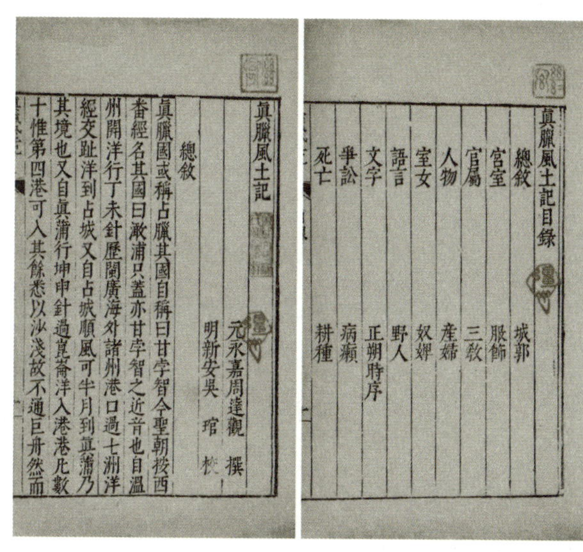

真臘風土記目錄

總敘 城郭

宮室 服飾

官屬 三教

人物 產婦

室女 奴婢

語言 野人

文字 正朔時序

爭訟 病癩

死亡 耕種

真臘風土記

元永嘉周達觀 撰

明新安吳 琯 校

總敘

真臘國或稱占臘其國自稱曰甘孛智今聖朝按西番經名其國曰澉浦只蓋亦甘孛智之近音也自溫州開洋行丁未針歷閩廣海外諸州港口過七洲洋經交趾洋到占城又自占城順風可半月到真蒲乃其境也又自真蒲行坤申針過崑崙洋入港港凡數十惟第四港可入其餘悉以沙淺故不通巨舟然而

《真腊风土记》书影

《真腊风土记》全书约8500字。共记有城郭、宫室、服饰、官属、三教、人物、产妇、室女、奴婢、语言、野人、文字、正朔时序、争讼、病癞、死亡、耕种、山川、出产、贸易、欲得唐货、草木、飞鸟、走兽、蔬菜、鱼龙、酝酿、盐醋酱面、蚕桑、器用、车轿、舟楫、属郡、村落、取胆、异事、澡浴、流寓、军马、国主出入等四十个条目，对当地的语言、风俗及贸易记载非常详备。此书对两地的经济文化交流，有相当的影响及参考价值。

另外，书中还记载了彼此通商交往关系，比如《总序》中记载了从宁波至占城的路线，对所经港口、水路、城市、里程均详尽记载。这对加强中外交通往来联系，扩大时人的地理知识起到很大的作用，也是现代学者研究元代我国同真腊交通的重要参考资料，更是柬埔寨历史上唯一详述中古辉煌时期的历史文献。难能可贵的是，书中还记载了当时居住在真腊的海外华人的状况，当时他们被称为“唐人”。书中所载资料，为研究元代移居真腊华侨的情况提供了详实的数据。

阅读链接：

（元）周达观著，夏鼐校注：《真腊风土记校注》，中华书局，2000 年版。

何修仁：《周达观〈真腊风土记〉研究：十三世纪末中国华人的域外访察与文化交流》，《古典文献研究辑刊》，花木兰文化出版社，2010 年版。

柬埔寨之上古史只限于传说，依赖中国史书的记载而流传于世。自东汉以来，中国国力渐向南拓展。三国东吴朱应、康泰前往扶南、林邑宣扬国威，及后著《扶南异物志》和《扶南记》等，是有关真腊的最早记载，但也已经散失不敷。此外，由于当地气候湿暖，文物易于腐朽，加上战乱频仍，国土变迁不定。除出土碑文外，文字记录甚少，文物亦易于散失。周达观所著《真腊风土记》详细记录了当地风俗、山川形势、人民生活。因此，此书对了解柬埔寨古代历史颇具参考价值，也是中国和柬埔寨两国交流的历史见证。《真腊风土记》书成之后，便不胫而走，广为流传，自元以后，历代皆有抄本和刊本，总计不下十数种。《四库全书总目提要》评介说“《元史》不立真腊传，得此而本末详具”。

特别是在柬埔寨的吴哥古迹被原始森林淹没数百年，于 19 世纪重新被发现后，《真腊风土记》更是引起了全世界的重视，研究者不乏其人。有人据此对照研究现存的吴哥古建筑群，有人从柬埔寨史、中柬关系史、华侨史、古代柬埔寨语考释等角度撰文进行专题研究。《真腊风土记》相继被译成多种文字。1819 年法国汉学家雷姆沙曾将其译成法文，再版三次。1902 年伯希和又有新的法文译本问世，并作了笺注。1971 年柬埔寨作家李添丁用柬文将《真腊风土记》翻译出来，在金边出版，1972 年和 1973 年又相继重印，三次共发行两万册，并在译者序言里给该书予高度评价，认为这本书是研究柬埔寨历史的宝贵资料。迄今为止，有关柬埔寨的任何历史书籍和教科书，在资料详备上都没有超过周达观的《真腊风土记》。

马可·波罗眼中的杭州

在杭州西湖滨的圣塘路口，矗立着一尊马可·波罗的塑像，青铜铸造，高2.2米，纪念七百年前就访问过杭州的这位伟大的意大利旅行家。马可·波罗与杭州结下了千古历史情缘，他在闻名于世的《马可·波罗游记》中，把杭州誉为“天堂之城”，称赞杭州是“世界上最宏大壮丽的城市”。几个世纪以来，马可·波罗这部描绘东方这块遥远、神奇地域的游记，在西方引起极大反响，成为西方人认识和了解中国的主要依据之一，引发了西方人对中国这个神秘国度的无限向往。

在《马可·波罗游记》里，马可·波罗用大量篇幅详尽记述了杭州的繁盛和风土人情，对杭州赞美备至。在书中所列举的数十个中国城市中，杭州的篇幅最多，内容最丰富多彩、生动有趣。著名的英国汉学大师慕勒就曾指出，关于杭州的内容是全书最有趣、最重要的部分之一。在中世纪西方人的眼里，马可·波罗笔下的杭州，就是人间的天堂。可以说，《马可·波罗游记》为杭州与欧洲架起了一座重要的文化交往桥梁。

马可·波罗在中国期间，曾多次来到杭州，惊叹杭州是“世界上最美丽华贵的天城”。书中写道，杭州“这座城市的庄严和秀丽，堪为世界其他城市之冠。这里名胜古迹非常之多，使人们想象自己仿佛生活在天堂”（马可·波罗《马可·波罗行纪》）。

马可·波罗对杭州的商贸繁盛情况描述得详细真实。元初杭州商业繁盛，号称

"钱塘富庶称第一","邑屋繁华,货殖填委"(马可·波罗《马可·波罗行纪》)。据马可·波罗记载,杭州城中有十大露天市场,其形方正,每边长各为半里。这些市场沿线,有一条宽达40步的大街,亘贯全城南北,街上有许多平坦的桥梁横卧,以利往来。这些市场周围长达2里,每隔4里即有一处。在亘贯全城两端的大街两侧高楼耸立,庭院幽深,民居稠密,鳞次栉比。居民在店坊里劳作经营,不论何时,他们都上下奔波,里外忙碌。每当集市的日子,所有市场里都是人头攒动,熙熙攘攘。商人们纷纷坐车搭船前来交易,所有商品都被销售一空。这里所描述的,其实就是当年杭州的厢坊和御街的繁华情景。

作为一个旅行家,马可·波罗对杭州的西湖风景也难以忘怀。他详细描写了西湖的美丽风光。杭州城内有一个美丽、开阔的湖泊,方圆几乎有30里,环湖周围建有许多美丽高大的宫殿,还有许多精美的楼房。这些建筑里里外外都装潢得奇妙异常,不可思议。湖中央有两座小岛,每个岛上都有精美宫殿,宏伟典雅,富丽气派,装饰得精妙绝伦,就像皇帝的宫殿一样。宫殿里房间厅堂和回廊过道之多,简直令人难以置信。湖中有无数大小游船,供寻胜探幽之需。这些湖船底阔而平,行驶平稳。如果谁想邀请亲友共度良辰,就可坐这些船舫。船上桌椅俱备,装饰考究,而且备有举行随意小酌的各色器物。船上有平顶,船夫站在上面,用篙撑湖底而行。船顶内壁的颜色和图案,千姿百态,五彩纷呈。船内两侧有可随意开关的窗户,游客坐在里面,可一边用餐,一边随意浏览,饱赏沿途万物美景。沿湖的一边是城区，游人站在湖中船上远远地眺望，可见这个城市宏伟壮丽，秀美无比，有许多宫殿、庙宇、庵堂、园苑夹杂其间，树影婆娑，掩映水际。像这样的游船，载着寻欢作乐的游客，在湖中随时随刻都可以见到。马可·波罗真实地描述了当时“山外青山楼外楼，西湖歌舞几时休。暖风熏得游人醉，直把杭州作汴州”的奢靡景象。

杭州佛教兴旺，寺庙众多。马可·波罗也着重提到当时杭州的佛寺。他说杭州城内佛寺处处可见，居民崇信佛教，寺院香火旺盛。环湖地方还有许多佛教的寺院庵堂，数量之多，堪称天下之最，大批僧尼在里面修持。杭州早在吴越国时，百姓们就笃信佛教，建寺造塔印经无数，号为“东南佛国”。北宋时杭州已有寺院360多所。

虽然，被后世誉为中世纪西方四大旅行家之首的马可·波罗对杭州的描述，由于语言障碍、传抄脱漏等原因，有不少失实之处，其中也有不少夸大之词。因为书中多次用到百万之词来形容数量之多，甚至有人称他为“百万先生”。但这并不能否定游记的真实性，更不能以此怀疑他没有到过杭州。正是他的游记，第一次把天堂杭州介绍给了西方，这在杭州走向世界的国际化过程中，具有不可磨灭的贡献。

阅读链接：

[意]马可·波罗：《马可·波罗行纪》，中华书局，2004年版。

党宝海：《马可·波罗眼中的中国》，中华书局，2010年版。

鲍志成：《马可·波罗与天城杭州》，香港新风出版社，2000年版。

崔溥：东方的马可·波罗

距今520年前，一位名叫崔溥的朝鲜官员，因遭遇暴风，漂流到中国台州。后辗转到宁波、杭州，沿京杭大运河北上北京，再从东北转道回国，行走了大半个中国。崔溥在中国逗留了135天，行程8000余里，见闻广博。回国后用汉文以日记体记述了这段经历，书名《漂海录》。这份被称为“摹写中原之巨笔”的报告全文约5.4万字，涉及明朝弘治初年政治、军事、经济、文化、交通以及市井风情等方面的情况，成为后世研究中韩友谊及中国明朝海防、政制、司法、运河、城市、地志、民俗的重要历史文献，崔溥也因此被誉为“东方的马可·波罗”。

崔溥（1454—1504）是朝鲜国全罗道罗州人。24岁中进士，历任校书馆著作、博士，成均馆典籍，司宪府监察，弘文馆副修撰、修撰等职，官及五品。明成化二十三年（1487）九月，在34岁那年，他被委任为推刷敬差官，派往济州。第二年闰正月初二日，崔溥从任所渡海返家奔父丧，不幸遭遇暴风雨袭击，偕同船42人在大海中漂流14昼夜，最后在中国浙江沿海登陆。至于具体的登陆地点，浙江三门、宁海、临海等县市的外事及地方志研究人员，根据文中描述进行了多次实地踏勘，经过中韩双方的

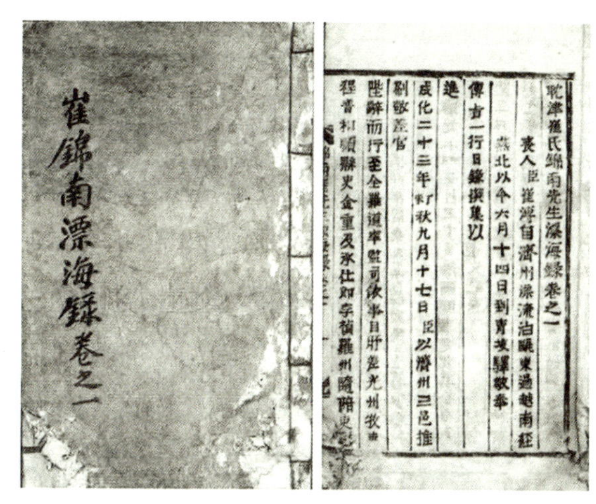

崔錦南漂海録 卷之一

耽津崔氏錦南先生漂海録卷之一

表人臣崔溥自濟州漂流泊顧東過越南經
燕北以今六月十四日到青坡驛敬奉
傳旨一行日録撰集以
進
成化二十三年丁未秋九月十七日臣以濟州三邑推
刷敬差官
陛辭而行至全羅道率監司從事目冊至光州牧
程哥和順縣吏金重及丞仕知李楨羅州隨陪吏

《漂海录》书影

共同考证和认定，最终确认崔溥的“登陆点”就在浙江省三门县沿赤乡的牛头洋。

崔溥登陆之后，因有倭寇嫌疑，被送至海门卫桃渚所。经过基层海防单位海门卫千户、把总松门等初步审问后，被差送到府（绍兴）、司（杭州）。崔溥在《漂海录》中详尽地记载了这段路程。他们一行先来到奉化江边，船行至宁波，遥望四明山，接着过慈溪县。沿姚江而走，经过新清桥、进士乡，到宋石将军庙。经过西坝和西玙乡之新堰两处“济挽官船”的堰坝。再经过新桥、开禧桥、姚平处士墓，到达慈溪县。第二日过五灵庙、驿前铺、姚江驿、江桥，至余姚县。又沿上虞江，过上虞县。穿桥过铺，至曹娥驿。后又循鉴水而上，到绍兴府里，进衙复审后，又溯鉴水而西，过柯桥铺、钱清驿，夜过萧山县。最后，渡钱塘江，到达杭州。到了杭州之后，崔溥不禁赞叹到“接屋连廊，连衽成帷，市积金银，人拥锦绣，蛮樯海舶，栉立街衢，酒帘歌楼，咫尺相望，四时有不谢之花，八节有常绿之景，真所谓别作天地也”（崔溥《漂海录》）。

随后，崔溥一行沿京杭大运河北上。他在《漂海录》中留下了对运河经济文化

交流和运河沿岸城镇面貌的系统而又完整的描述，这些描述为崔溥《漂海录》以前乃至以后相当长时期的同类记载所不备，因而弥足珍贵，颇具价值。他清晰形象地展示了明中期特别是15世纪后期运河沿岸的市井风情，在综合性、系统性和整体性上，崔溥的《漂海录》不但时代最早，而且在明代的同类记载中也是唯一的。

在随后的500年时间里，《漂海录》先后被翻译成英、日等多国文字，并在东南亚地区乃至世界产生了巨大影响。相比马可·波罗的游记，崔溥用汉字写成的《漂海录》更加丰富而出色地介绍了当时的中国社会。北京大学葛振家教授把他与西方来华游历者进行比较而论，认为立身行事无不依从儒家思想的崔溥，对中国历史文化不仅饱学而且精通，这是马可·波罗等人所难望其项背的。

如今，崔溥与《漂海录》已成为传递中韩友谊的媒介和桥梁。不仅崔溥的后裔来三门湾寻找祖迹，崔溥的故乡也分别与浙江省和台州市缔结了友好关系。

阅读链接：

[朝鲜]崔溥：《漂海录》，社会科学文献出版社，1992年版。

葛振家：《崔溥〈漂海录〉评注》，线装书局，2002年版。

宁波与海上丝绸之路

一望无际的沙漠，一队队驼队，夕阳的余晖下，背负着鲜艳的丝绸，一幅古代丝绸之路的繁盛场景呈现在我们的脑海中；波涛汹涌的大海，浩浩荡荡的船队，旭日东升的光环下，满载着丝绸和精美的瓷器，一幅古代海上丝绸陶瓷之路的繁荣景象又展现在我们的眼前。

自从汉代张骞通西域之后，丝绸之路便成为古代中国与西方所有来往通道的统称。从中国通向东南亚和更远的西方，最方便的交通方式就是航海，因此除了经河西走廊通向西域的陆上通道之外，很早就已经有一条经海路到达西方的路线。在陆上丝绸之路之前，在秦代已有人航海向西运送货物。自汉朝开始，中国船舶就到达马来半岛。唐代以降，中西来往和贸易就更加密切了。这条古老的海上航线也越发重要起来，在隋唐时运送到西方的主要大宗货物是丝绸，所以大家都把这条连接东西方的海道叫做“海上丝绸之路”。这条航线也运输瓷器、糖、五金等出口货物，运过来的则是香料、药材、宝石等进口货物。到了宋元时期，瓷器的出口渐渐成为主要货物，因此，人们也把它叫做“海上瓷器之路”。海上丝绸之路是古代中国与外国交通贸易和文化交往的海上通道。宁波是海上丝绸之路的重要起点之一。

展开中国地图，我们不难发现宁波所具有的优越地理位置，它居于中国海岸的中间，长江就在宁波向北不远处，而且通过浙东运河与京杭大运河相通。宁波四乡纵横交错的水道也提供了舟楫之利。在以水路运输为主的古代，这些为宁波港提供

阅读链接：

李庆新：《海上丝绸之路》，五洲传播出版社，2006 年版。

李英魁主编：《宁波与海上丝绸之路》，科学出版社，2006 年版。

林士民、沈建国：《万里丝路：宁波与海上丝绸之路》，宁波出版社，2002 年版。

了广阔的腹地，这样优越的条件必然带来宁波港口的繁荣。宁波海上丝绸之路拥有漫长和辉煌的历史。唐朝时，明州（宁波）就跻身于中国四大名港之列。宋元时期，明州（庆元）港为我国三大国际贸易港之一。北宋淳化二年（991）在宁波开设市舶司，宁波成为中国通往日本、高丽的特定港。明代，宁波港是中日勘合贸易的唯一港口。清代以来，设在宁波的浙海关就是当时全国四大海关之一。可见，宁波在我国对外贸易和交流的海上丝绸之路中具有举足轻重的地位。

宁波的陆地和水下考古工作取得的巨大成就，也为宁波是海上丝绸之路的始发港之一的地位提供了有力的佐证。这些文化遗存涵盖了政治外交、经济贸易、港口交通、宗教文化等领域。自 1998 年启动水下考古工作以来，在象山海域，发现了一艘清代木质商贸运输沉船，也是浙东海域首次发现的第一艘具有较高价值的水下古沉船。象山清代木制商船的发现，只是揭开了宁波水下丰富宝藏的冰山一角。此后，宁波水下考古队还陆续发现了和义

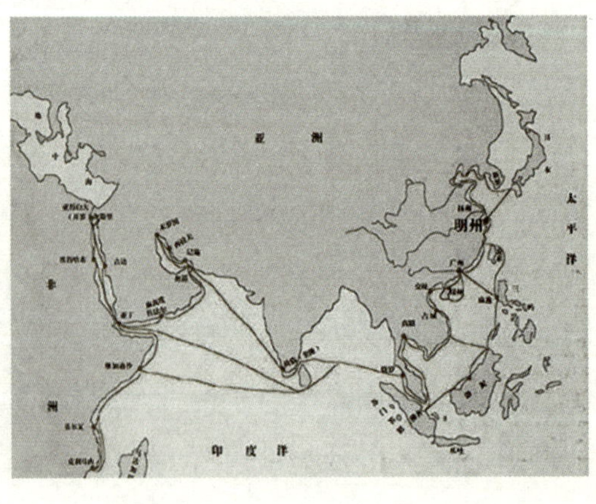

宁波海上丝绸之路示意图

路唐代龙舟、海运码头北宋沉船、和义路南宋沉船、象山涂茨明代沉船等 4 艘古沉船。沉船的发现之外，还有许多其他例证。比如，古代宁波对外交往政治中心的鼓楼是宁波建城的重要标志；永丰库遗址出土的为数甚众的外销瓷，为明清高度繁荣的外贸盛况提供佐证；庆安会馆被誉为我国八大天后宫之一，同时也是七大会馆之一，是我国航海和对外贸易史上宫馆合一的重要案例。

唐朝驶往日本的宁波船

除了对外贸易，在海上丝绸之路中，宁波的重要作用还体现在宗教和文化的交流上。宁波著名的天一阁藏书、刻书广泛流传于世界，成为著名“海上书籍之路”的重要传播地；上林湖越窑青瓷在 9 世纪依托明州港的优势，经海路远销亚非各国，成为我国最早输往海外的大宗贸易品，宁波港作为“海上陶瓷之路”的起点当之无愧；阿育王寺、天童禅寺等佛教建筑也是“海上佛教之路”的重要载体。唐宋时期，大量日僧由宁波登陆，来华求法，天童禅寺被日本曹洞宗奉为祖庭，在日本影响极大。

海上丝绸之路的发展与宁波港的繁荣是一个相互促进的历史过程。一方面，宁波港贸易和文化交流的繁盛，加速了中外文化在海上丝绸之路上的流动，促进了文化的会通和交融；另一方面，正如联合国教科文组织驻北京办事处文化专员于连·格莱纳指出的那样，开通于 2000 多年前的海上丝绸之路绵延 15000 余公里，穿过红海和印度洋，连接西欧的地中海、中国东部和南部沿海城市以及日本，从那时起，宁波逐渐发展成为一个重要的贸易口岸。

日本柔道之祖陈元赟

陈元赟（1587—1671）是中国明清之际杰出学者。他幼年好学，通诗文、书法、绘画、建筑、制陶及医术。27 岁时入河南嵩山少林寺，习武术和制陶术，并负责管理寺内陶器、药材，对医药、针灸、气功、食疗都颇有研究。明万历四十七年（1619），陈元赟东渡日本，在日本广泛传播中国文化，颇受日本人士欢迎和钦佩，被日本学术界誉为“介绍中国文化之功劳者”，为中日文化交流做出卓越贡献。陈元赟崇尚民族气节，在异乡不忘祖国，多次题款自署“大明武林”人，并以故乡余杭芝山、既白山取号。

陈元赟在日流寓五十二年，先后寄居长崎、江户、名古屋等地，与各阶层、各行业人士广泛交往。由于陈元赟在少林寺习过武术，所以在武术上进行创新，于明天启六年（1626）前后在国昌寺创编了柔道，传授给武士福野正胜、三浦义辰、矶贝次郎，以后三人各成一派，使柔道之术传遍日本。日本起倒流和古武道研究会在东京立碑：“拳法之有传也，自投化明人陈元赟而起。”确立了陈元赟是日本拳法“开山鼻祖”的地位。实际上，在陈元赟东渡前，日本也有自己的拳法，但还未形成

完备的武术之道，陈元赟在糅合中日拳法基础上创编而成后来的柔道。在其后的数百年间，日本拳术界又经过代代相传，发展提高，形成了普及于当今世界体坛的柔道。柔道具有坚毅、进取、奋勇等美德，经数百年之锤炼，已成为其民族的一种精神。日本现今有享誉世界的柔道之术，寻根溯源，陈元赟是其鼻祖。

在文学上，陈元赟将中国公安派文学主张和创作在日本传播，对日本文学革新起积极作用。他是第一个在日本传播明代袁宏道诗文的人，他赴日本时，带去了袁宏道的《袁中郎集》。在日本，首奉袁中郎诗文的人是诗僧元政。在元政以前，日本学界不知有袁宏道其人。元政得以阅读和认识袁中郎的诗文，就是通过陈元赟介绍的。元政致陈元赟书中表露了他对公安派文学之倾慕以及对陈元赟向他介绍公安派文学的感谢之情。经陈元赟介绍给元政后，公安派文学主张和创作在日本文坛广泛传播，一时摹仿成风，推动了日本文学革新。

陈元赟还对日本茶道的进步起到推动作用。他主持、传授烧窑制陶技艺，陶法精致，独具风格，尤以茶器为上品，世人称“元赟烧”。清顺治十六年（1659），他在尾张第二代藩主德川光友的府邸，主持烧窑制陶，并向日本陶工传授制陶技术。陶工们又转相授受，“元赟烧”技术，遂得流传甚广。至今，名古屋被誉为日本的制陶名城，其中即凝聚了“元赟烧”的一份功劳。“元赟烧”主要烧制的是茶壶、茶杯，也有花瓶、佛座、灯笼、皿钵、碗盏、酒器等。特别是茶器，至今为日人视为上品而加珍藏。茶道讲究选茶、蓄水、烹茶、择器、行茶、品味等茶艺，“元赟烧”陶茶器进入日本茶道，丰富了日本人民的精神生活。

陈元赟在日本生活了半个多世纪，把毕生精力和才智都献给了日本人民。他创编和传授柔道，传播公安派文学，传授制陶和其他技艺，培养了一大批人才，为中日文化交流做出了巨大贡献。日本人民历来怀着崇敬的心情纪念他。1922年，日本各界在名古屋曾举办“陈元赟二百五十年追远会并遗品展览会”，京都宇治黄檗山

曾刊印《陈元赟研究》。有人赞曰：弘文东洋，史碑至今传颂，扶桑奉为先哲，昌国富民，泽及百世，功垂历史不泯，实学是赖（衷尔钜《陈元赟的实学在日本的传播和影响》）。

智言慧思

美好的人生是为爱所激励，为知识所引导的人生。

——［英］罗素《我的信仰》

不要害怕思考，因为思考总能让人有所补益。

——［英］罗素《罗素自传》

阅读链接：

陈元赟著，衷尔钜辑注：《陈元赟集》，辽宁人民出版社，1994年版。

李贤英编著：《柔道：以柔克刚的日本国技》，北京体育大学出版社，1994年版。

林正秋：《陈元赟》，载《浙江历史文化研究》，中国文史出版社，2006年版。

朱舜水：续圣学于东瀛

朱之瑜（1600—1682），号舜水，是明清之际著名的学者和教育家，和黄宗羲、王夫之、顾炎武、颜元一起被称为明末清初中国五大学者。清兵入关后，流亡到日本，作为明朝遗民，定居日本，长期在长崎、江户（今日本东京）授徒讲学，传播儒家思想，深受日本朝野人士推崇。他一生推重实学，提倡学以致用，认为学问之道，贵在实行，其思想在日本传播甚广，影响深远。日本学者给予他很高的评价，认为儒学以经世治民为要道，应摆脱空理虚论。后来日本明治维新受到这种实学思想的影响，均为朱舜水的重要功绩。

日本绘制的朱舜水像

清顺治十七年（1660），朱舜水反清复明的希望破灭，又不愿仕清，想到鲁仲连不帝秦之鉴，便蹈海渡日，告别故土，以保全节之志。但是，当时日本施行锁国政策，“三四十年不留一唐人”。朱舜水未能获准登岸，困守舟中。此时，日本学者安东守约经已在日本定居的陈明德介绍，以手书向朱舜水问学，执弟子礼。在来往信中，朱舜水悲喜交集，心态复杂，他悲的是国破家亡，中国学术不明，师道废坏；他喜的是在日本还有这样的学者愿意学习儒学，感叹“岂孔颜之独在中华，而尧舜之不绝于异域”。信中，朱舜水也表达了他有意将圣贤践履之学传于这位

异国弟子的心情。在日本，安东守约等人也为他在日定居的事情上下奔走。最后，日本政府打破40年来的幕府国禁，批准他在长崎租屋定居下来。从此，朱舜水结束了长达十多年的海上漂泊生涯。

清康熙四年（1665），朱舜水在长崎躬耕之际，日本国副将军水户侯德川光国非常重视教育，想要振兴日本的学校。德川光国听到朱舜水的名声，便派遣儒臣小宅生顺到长崎礼聘朱氏为国师，要他到江户（今日本东京）去讲学。朱舜水一开始竭力谦让，但是安东守约等人劝他说，德川光国非常推崇儒学，而且礼贤下士，不应该辜负他的一番好意。朱舜水于是接受了德川光国的邀请，在第二年六月前往江户讲学。德川光国亲执弟子礼，竭诚尽敬。他认为朱舜水年高德重，不敢直接称名称字，请他取一名号以称呼。朱舜水就以故乡“舜水”为号，意为“舜水者敝邑之水名也”，以此表达了对故国故土的眷念之情。“舜水先生”之称也始于此时。在德川光国的影响下，日本学者、显官达贵纷纷诣门求教，或执弟子礼，或听其讲学。从此，朱舜水往来于江户、水户两地，公开讲学，盛况空前。

清康熙九年（1670），日本开始建造学宫，朱舜水亲自绘画图纸，度量尺寸，还亲临施工现场指导，事后撰《学宫图说》，把中国学宫建造之法介绍到日本。接着，他又制造古祭器簋、笾、豆、登等，率学生习释奠礼，改定仪注，详明礼节。康熙十一年（1672），德川光国设置彰考馆，由朱舜水的门生安积觉担任主编，延聘朱舜水作为编修指导，开始编纂《大日本史》，

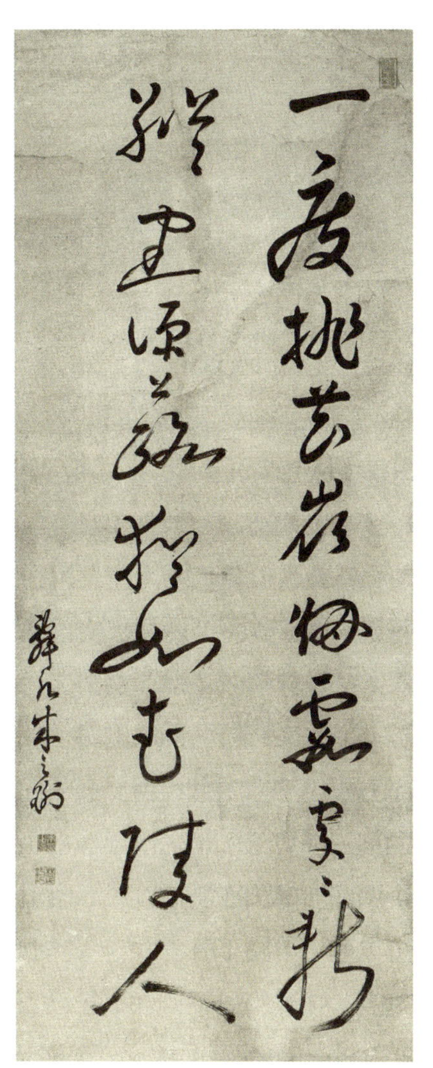

朱舜水书法

其影响直至二百年后的“明治维新”。德川光国对朱舜水敬爱有加，在他就任藩主之际，朱舜水也随同前往水户，朱舜水与同为德川光国编撰《大日本史》的安积澹泊、木下道顺、山鹿素行结为好友，并对水户学的思想产生很大影响。

朱舜水博通经史，学术上采众家所长，最喜《资治通鉴》，亦长于《春秋》；在道德上，他主张忠君爱国，推崇苏武、文天祥的伟大人格。正是这种不尚虚华的学风、扎实严谨的学问和刚直崇高的人格，促使他的学术在日本发扬光大。当时，日本学者都以师事朱舜水为荣，比拟为“七十子之事孔子”。他的学生遍布日本，著名的有历史学家、《大日本史》的作者安东守约，日本儒学古学派的奠基人、江户时代著名哲学家伊藤仁斋，德川家康的孙子、儒学“水户学派”的创始人德川光国，江户时代著名经学家山鹿素行、木下顺斋等等。朱舜水一生著述不多，而且几乎全在日本所撰，有《安南供役纪事》《阳久述略》《释奠仪注》等等。朱舜水逝世后，德川光国派人整理了他的遗稿，在清康熙五十四年（1715）刊行了《舜水先生文集》28 卷。

朱舜水的思想在日本影响深远，梁启超在评论朱舜水时，认为中国儒学化为日本道德基础，

阅读链接：

张立文、[日]町田三郎主编：《中日文化交流的伟大使者：朱舜水研究》，人民出版社，1998 年版。

徐兴庆：《朱舜水与东亚文化传播的世界》，台湾大学出版中心，2008 年版。

钱明：《胜国宾师——朱舜水传》，浙江人民出版社，2008 年版。

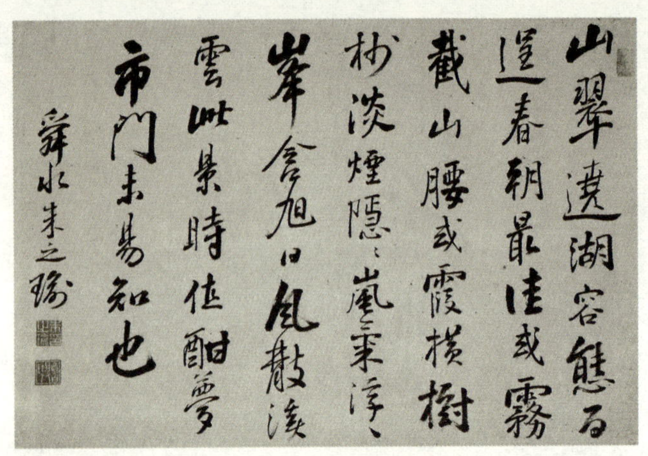

朱舜水书法

始于朱舜水，给予了很高的评价。东京大学农学院内至今立有“朱舜水先生终焉之地”（朱舜水先生临终之地）的石碑，以纪念他的功绩。1982 年，日本朱舜水先生纪念会、日中文化交流协会为纪念朱舜水逝世 300 周年，在朱舜水故乡余姚的龙泉山建造了“朱舜水先生纪念碑”，见证了中日文化交流史上重要的一页。

浙江华侨走天下

浙江是一个华侨大省，华人华侨遍布世界五大洲170个国家和地区。在浙江，移居海外自古有之，伴随着海外交通和贸易，海外移民尤为众多，是全国海外华侨最多的省份之一，温州、青田等地都是著名的侨乡。

浙江省地处长江三角洲，又濒临东海，具有连结沟通内陆和外海的良好功能，自古以来浙江沿海一带海外交通和贸易就相当繁盛。据文献记载，早在唐朝浙江人移民海外和侨居海外已呈现绵延性、后续性和久居性的趋势。最初的浙江华侨是在唐朝旅居日本和朝鲜半岛的移民中产生的。唐玄宗天宝十三年（754）台州开元寺僧思托随鉴真东渡日本，并定居不归。唐代宗宝应元年（762）越州（绍兴）浦阳折冲都尉沈惟岳受命护送日本遣唐使高元度返日，“留而不归”，改国籍，改姓“青海”，是有记载的最早日籍华人之一。《浙江华侨志·大事记》就曾记载：北宋咸平元年（998），温州人周伫在高丽当上礼部尚书；北宋宝元元年（1038），明州陈亮、台州陈惟积等147人从明州起航去高丽经商；宝元二年（1039），台州徐赞等71人从海门（今椒江）出航到高丽经商，长期滞留。

浙江商人是移民海外的一支劲旅。唐时浙江有名的大商人张支信、李德邻、李延寿、李处人等人纷纷加入对日贸易行列，多次往返于明州、温州、台州和日本之间，也在日本长期居留贸易。到了宋代，浙江对外贸易进一步繁荣，浙江华侨进一步走出国门，远通高丽与东南亚地区，打破了以往几乎单一流向日本的局面。

元、明、清时期，由于受到政局剧变、政权更替和战争等因素的影响，海外华侨发展受到严重阻碍。清代，一支新生力量异军突起，那就是青田华侨。据 1935 年英文版《中国年鉴》记载，“在十七、十八世纪之交，就有少数国人循陆路经西伯利亚前往欧洲经商，初期前往者以浙江青田籍人为多，贩卖青田石制品”。这是浙江人前往欧洲之肇始。道光、同治年间，青田人进入欧洲的情况日益增多，于是浙南旅欧华侨群体开始形成。

到了近代，浙江出国的大部分是自由移民，如外贸商人、出国小本经商的农民、手工业者，逐渐形成了近代浙江海外华侨的雏形。此时的浙江海外华侨按照地理区域主要划分为南、北两种类型。南方以青田人为主体，温州及其周边地区的贫苦农民和手工业者开始远赴南洋、东南亚、欧洲各国谋生，以做苦力、卖小商品、卖石雕积累少量资金，或独资或合股开设小餐馆、小皮革作坊、小百货商店等，主要从事俗称“三把刀”（缝纫、理发、餐饮）的生意。在他们的艰难创业中，遇上第二次世界大战，海外经济遭到严重破坏。第二次世界大战结束后，浙江海外华侨乘各国医治战争创伤之机，以微小的资金创办经济事业，为以后浙江海外华侨经济发展奠定了基础。北方则以宁波帮与湖州南浔丝商为主体，在原有海外贸易的基础上，出国后仍继续经营国际贸易。宁波帮的强劲崛起带动了海外浙商的发展，有的企业直接扩展到海外，设立分支机构和办公司，南浔丝商张静江到法国，宁波人张遵三、吴

锦堂等人到日本经营，都是其中的佼佼者。

浙江海外华侨自始至终都心系故土，积极参与国家和浙江的经济建设。天下华侨，反哺家乡，情牵故土，造福桑梓。至今，浙江海外华侨一如既往地踊跃投身于浙江的现代化建设当中。2011 年，海内外浙商齐聚杭州，共赴首届世界浙商大会。在大会上，海外华侨商人再次担当起历史重任——建立起世界与浙江的桥梁，建立起浙江人经济与浙江经济的纽带，建立起产业回归、智力回归、资源回归、财富回归、爱心回归的通道，构筑和谐劳动关系，为家乡的繁荣进步续写新的光荣和梦想。

智言慧思

公则生明，廉则生威。

——（明）朱舜水《伯养说》

满盈者，不损何为？慎之！慎之！

——（明）朱舜水感慨孔子“持盈”说

阅读链接：

周望森：《浙江华侨史》，中国华侨出版社，2010 年版。

徐鹤森：《民国浙江华侨史》，中国社会科学出版社，2009 年版。

吴晶主编：《侨行天下——青田华侨文化研究》，大众文艺出版社，2006 年版。

陈琪：近代中国博览事业第一人

陈琪像

在近代中国博览会事业兴起过程中，陈琪作出了开拓性的贡献。从考察西方的博览会，到积极倡导博览会事业，到筹办南洋劝业会，再到组织参加巴拿马太平洋万国博览会，近代中国博览会事业迈出的每一步，都留下了陈琪的印迹。他最早对世界博览会进行了实地考察。而且，无论是在国内博览会的举办上，还是世界博览会的赴赛上，他都提出了最为系统的主张方案，并加以实施。他还策划和主办了中国第一次全国性博览会——南洋劝业会；筹备并主持了近代中国最成功的海外博览会——巴拿马太平洋万国博览会。他在推进博览会事业、促进近代中国经济发展和社会进步的同时，积极开展国民外交，推动中国走向世界，融入世界。

清光绪三十年（1904），美国为纪念圣路易斯购地100周年，举办万国博览会，这是继费城（1876）、芝加哥（1893）之后

在美国举办的第三次世界性博览会，规模空前。美国邀请清政府参加，湖南巡抚赵尔巽委派陈琪前往美国，负责陈列湖南湘绣等赛品，并考察实业。陈琪游历英、法、俄、德、意大利、葡萄牙、瑞士、土耳其、塞浦路斯等国，考察风土人情、工商农矿和政教。通过这次考察，陈琪深刻地体会到了实业对国家振兴的重要性，更看到了劝业和博览会对实业的促进作用。在博览会上，他看到大量关于教育、制造、工艺、美术、电气、矿务、机器、转运、农学、虞泽各院的陈列品，不禁感叹道：我留居美国数月，每日参观博览会，遍览世界五洲各国的展品，真是目不暇接，精彩纷呈。针对中国实业疲弱的现状，他大声疾呼，要以工业立国。他认为，由农业国而发展到工业国的国家最为优胜，而美国正是我们中国发展工业的榜样。

清光绪三十一年(1905)十二月,陈琪作为参赞,随戴鸿慈、端方等大臣前往日本、美国、德国、俄国、意大利考察。回国后，端方听取陈琪的建议，上奏清廷，请求在南京举办南洋劝业会。陈琪等人经过商讨研究，送上博览会方案《公园办事处会详稿》，提出办会宗旨，建议赛会的本旨以振兴实业、开通民智为要著；并认为初办劝业会功在激励商情，不可急功近利。经过陈琪的多方推动和苦心经营，清宣统二年（1910）六月五日，南洋第一次劝业会在南京举办，陈琪担任坐办。劝业会占地700亩，共设农业、医药、教育、工艺、机械等9个馆，附设一个劝业场。全部参会赛品约有100万件，实际参赛10万余件。本次博览会是中国第一次全国规模的博览会，它的举办推动了实业界的交流与合作，宣扬了“实业救国”的思想。

民国元年（1912），美国又宣布将于1915年在美国旧金山举行巴拿马太平洋万国博览会，并向各国发出邀请。民国二年（1913）五月二十四日，袁世凯任命陈琪为赴美赛会监督兼筹备巴拿马赛会事务局局长。陈琪成为中国参加巴拿马赛会的主要筹备者。在他的主持下，中国各地积极组织参展，促进各地学习国外发展经济的先进经验。全国19个省共选出赴美赛品10万多种，设立9个陈列馆展出。在巴拿

马博览会上，中国共获奖1211枚，居参赛各国之首，成为近代中国参加的最成功的一次博览会。

民国六年（1917）陈琪移居上海。民国七年（1918）十月，陈琪出任浙江省第一副议长，民国十年（1921）七月任满，陈琪没有参加新一届的选举，赋闲在上海。民国十三年（1924），四川省长邀请陈琪入川。民国十四年（1925）五月五日，陈琪病逝于东归路上，英年早逝，归葬上海周家桥寓宅畔兰圃，年仅48岁。回顾自己的一生，陈琪曾自我总结说，弱冠之时，就游学他邦，研察东西洋政治实业、文化、武事以及古今得失之林，奉命筹备全国商品参赛国际博览会，总共二十年间，环游欧美二次，奉使美洲三次，归省父老不过四五次。陈琪为中国近代博览会事业可谓尽心尽力，鞠躬尽瘁，不愧为中国近代博览会之第一人。

阅读链接：

谢辉、林芳：《陈琪与近代中国博览会事业》，国家图书馆出版社，2009年版。

马敏主编：《博览会与近代中国》，华中师范大学出版社，2010年版。

林芳：《中国近代博览会之第一人：陈琪传》，中国社会科学出版社，2009年版。

卫匡国：第一个用外文介绍中国史地

卫匡国像

卫匡国，字济泰，本名马尔蒂诺·马尔蒂尼（Martino Martini），1614年生于意大利北部城市特伦托（Trente）。他是中国明清交替之际来华的耶稣会会士，欧洲早期著名汉学家、地理学家、历史学家和神学家。他在中国历史学和地理学研究方面取得了卓越的成绩，是继马可·波罗和利玛窦之后，对中国和意大利两国之间友好关系和科学文化交流做出杰出贡献的一位重要历史人物。

明崇祯十三年（1640），卫匡国偕同21名耶稣会士渡海东航，8年后从印度来到中国。主要在浙江杭州、绍兴、金华、宁波活动，又游历了中国内地的众多省份，在南京、北京、山西、福建、江西、广东等地都留下了足迹，对中国山川地理、历史掌故烂熟于胸。在游历的过程中，他还广交江南名士、达官显贵，努力学习汉语，阅读中华典籍舆志，对中国历史文化也极富造诣。这些经历和知识，为他日后的汉学研究奠定了坚实的基础。

清顺治七年（1650），在“礼仪之争”中，卫匡国被委任为中国耶稣会传教团的代表，奔赴罗马教廷为中国礼仪作辩护。顺治八年（1651）三月五日，卫匡国离开中国，途经德、法、英、比、挪威等国家，并将自己对中国地理、文化的认识传

阅读链接：

张西平、[意]马西尼、[意]斯卡尔德志尼主编：《把中国介绍给世界：卫匡国研究》，华东师范大学出版社，2012年版。

[意]布雷桑编著，姚建根译：《西方人眼里的杭州：从马可·波罗到卫匡国》，学林出版社，2010年版。

播到欧洲。顺治十一年（1654）底，卫匡国在罗马参加了关于中国的礼仪之争，和多明我派展开激烈辩论，最后以他的见解大获全胜，罗马教廷事后颁布敕令，允许中国教徒的敬天、祭祖、尊孔等礼仪，只要无碍于天主教的传播均可照旧进行。西方传教士在中国传教的障碍得以排除，天主教在中国也逐渐开始本土化的过程。

卫匡国在罗马完成教务后，顺治十四年（1657）再次赴华，曾觐见清顺治帝，返杭州传教。顺治十六年（1659），在浙江巡抚佘国器的多方协助下，卫匡国在杭州中山北路上重新建了一所新的天主教堂，新教堂于顺治十八年（1661）竣工，建筑宏伟壮丽，为当时中国西式教堂之首。同年5月，卫匡国病逝于杭州，享年47岁，安葬于杭州西湖区留下老东岳大方井天主教司铎公墓之中。

卫匡国从1643年到1653年，对中国的历史、地理进行了深入调查研究，写出了三部名著。《中国历史七卷》，又称《中国历史概要》《中国上古史》，内容从盘古开天地到西汉哀帝元寿二年（前1年），全书分10卷，卷末附编年表。这是西方学者写的第一部系统向欧洲介绍中国的历史著作。取材丰富，分析比较科学，富有神学色彩，但有独到见解。《鞑靼战纪》是卫匡国以亲身经历，加上其他学者、传教士和官员等提供的大量清军入关和下江南战事的纪录，撰述而成的明清战争史。《中国新地图集》是卫匡国在实地精密测量的基础上，依据明朝《广舆记》等有关中国方舆志的文献和图书资料，综合明代利玛窦、

艾儒略等耶稣会士长期观测研究的成果，绘制出大量手稿，最后于顺治十一年（1654）完成的一部地图集。正是因为这部地图集，后世欧洲汉学家称卫匡国是西方“研究中国地理之父”。

为使欧洲各国人士能迅速掌握汉语中文，卫匡国对中国的文字学和汉语语法下过一番苦功，撰写了《中国文法》一书，这是欧洲第一部关于中国语法的著作。为了建立睦邻友好的人际关系，他撰写了《逑友篇》，对中意两国人民相互学习、相互了解曾起过很大作用。顺治八年（1651）卫匡国返回欧洲时，携同中国学生郑玛诺赴欧洲留学，开辟了中西文化交流的新途径。

卫匡国 《鞑靼战纪》（1655 年荷兰出版）

卫匡国的历史性贡献在于，17 世纪中后期将近半个世纪的时间里，他在维护和推动中西文化交流方面起了关键性的作用。卫匡国在欧洲用拉丁文出版的有关中国的著作，即《中国上古史》《中国新图志》《论鞑靼之战》，是自 1615 年利玛窦的著作《基督教远征中国史》问世之后，及 17 世纪晚期有关中国的较多作品出版以前，欧洲读者所可能见到的关于中国的最新、最全面的报导和评论。这使他成为欧洲早期汉学的奠基人之一，同时也是欧洲汉学研究中心从意大利转移到法国之前的最后一位著名的意大利学者。为了纪念这位将毕生精力和智慧奉献给中西文化交流的意大利人，1985 年杭州市政府重新修缮了他所安眠的墓地，定为浙江省省级文物保护单位。

殷铎泽：来自西西里岛的孔子知音

殷铎泽（Prosper Intorcetta，1625—1696），字觉斯，意大利西西里岛人。清顺治十六年（1659），他与卫匡国一起来到中国，两人同为杭州天主教早期传教士。在中西文化交流史上，这位西西里人在“东学西渐”中产生过重大影响。清康熙三十五年（1696），他病逝于杭州，安葬在大方井耶稣会士公墓，与卫匡国一起同眠于这片松樟环绕的中国土地上。

殷铎泽最早将孔子和儒家学说介绍到西方，因此被誉为“来自西西里的孔子知音”。早在明清之际，来华的天主教耶稣会士就开始把四书五经等儒家经典翻译成西方语言，介绍到西方。清康熙元年（1662），殷铎泽和葡萄牙耶稣会士郭纳爵两人在江西建昌府刻印出版了一本用拉丁文写的书，书名叫做《中国的智慧》，书中有2页介绍孔子的生平传记，还有14页《大学》的译文和

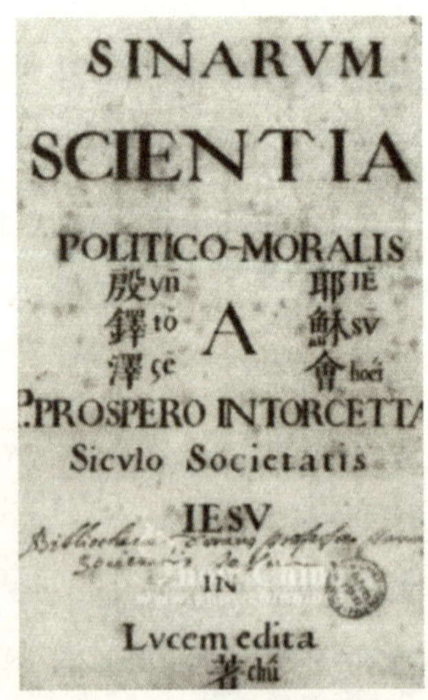
SINARVM
SCIENTIA
POLITICO-MORALIS
殷 yn 耶 IE
鐸 tŏ A 穌 sv
澤 ςe 會 hoéi
P. PROSPERO INTORCETTA
Sicvlo Societatis
IESV
IN
Lvcem edita
著 chú

殷铎泽《中庸》译本书影

《论语》的部分译文，这是《四书》第一次被正式译成拉丁文，并刊刻印行。

后来，殷铎泽又独力翻译了《中庸》，称之为《中国政治道德学》，分别于清康熙六年（1667）和八年（1669）在广州和印度果阿刊刻印行。清康熙十一年（1672），此书又在巴黎重新刻印，书中还包括殷铎泽写的一篇短序、54 页的《中庸》拉丁译文，书末附有用法文和拉丁文撰写的《孔子传》。这本书可以说是当时欧洲宗教界和知识界的鼎力之作，也是最早向欧洲知识界详细介绍孔子生平及其学说的著作。

《论语》的最早译本，也出于殷铎泽和郭纳爵两人之手。殷铎泽返回欧洲时，还带回去了一些中国文献的译文。回到欧洲之后仍不辞辛苦地寻找出版社，希望能将更多的中国儒家经典文献介绍给欧洲。清康熙十一年（1672），殷铎泽在巴黎以法文出版了《中国政治道德学》，书名改为《中国之科学》。其中《中庸》的译文和孔子传记比早年的广州版和果阿版有了很大进步。

殷铎泽之后，孔子学说在欧洲开始引起知识界的普遍兴趣，耶稣会士柏应理、殷铎泽、鲁日满、恩理格等四人随之合作，编著了《中国哲学家孔子》一书，该书于 1687 年在巴黎出版拉丁文译本。中文标题为《西文四书直解》。书中有中国经籍导论、孔子传记和《大学》《中庸》《论语》的拉丁译文，但缺少《孟子》，故只能认为是“三书直解”。这是 17 世纪欧洲人对孔子形象及其著述介绍得最为详备的书籍。此书编辑的本义是为中国传教中出现的礼仪问题辩护，故把中国描写为完美无缺的文明先进，是值得赞美和模仿的理想国家，它的出版使欧洲学者开始注意中国，从而使孔子学说在欧洲如日中天，受到广泛的注意。莱布尼茨看到此书后，在给友人的信中大赞这部著作，认为这一年巴黎发行的孔子著述，可称为“中国哲学之王者”。

1688 年至 1689 年，法国出版了《中国哲学家孔子》的两个法文节译本《孔子的道德》和《孔子与中国道德》；1691 年，英国出版英文节译本《孔子的道德》，英

法译本的出版为扩大阅读面提供了前提，使更多的欧洲人了解中国文化。如此一来，在欧洲，孔子被尊为天下先师、道德与政治哲学上最博大的学者和预言家，从此在欧洲的知识界掀起了一股“中国热”。

为了纪念这位来自西西里岛的孔子知音，在 2010 年上海世界博览会上，意大利馆就首度展出了被誉为“孔子的第一名欧洲译者”的殷铎泽的《中庸》限量版手稿，以此见证数百年来中国与意大利的文化交流和友好交往。

阅读链接：

江文汉：《明清间在华的天主教耶稣会士》，知识出版社，1987 年版。

[美]邓恩著，余三乐、石蓉译：《从利玛窦到汤若望：晚明的耶稣会传教士》，上海古籍出版社，2003 年版。

周天：《跋涉：明清之际耶稣会的在华传教》，上海书店出版社，2009 年版。

李之藻：明朝天主教三大柱石之一

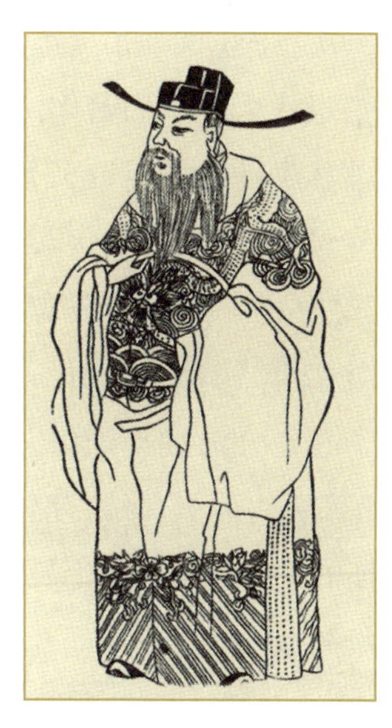
李之藻像

明万历二十九年（1601），意大利耶稣会传教士利玛窦来到北京。因其既精通西洋科学又熟悉中国儒学，时任工部员外郎的李之藻开始与他交往，并逐渐发展成知己。其后，李之藻协同利玛窦，专心一致翻译西洋先进科学书籍，译介西方学术思想和科学技术，为明清之际西方科学技术和思想在中国的传播做出了杰出的贡献。由于李之藻主张“东海西海，心同理同”的中西文化会通思想，与徐光启、杨廷筠一起被誉为“明朝天主教三大柱石”。

李之藻所学涉猎甚广，加上聪明敏悟，所以天文、地理、军事、水利、音乐、数学、理化、哲学、宗教，无不研究。他的翻译工作异常勤奋，据徐宗泽所著的《中国天主教传教史概论》介绍，自从与西方传教士交往，前后共二十多年，李之藻的主要工作是编译书籍。不论何时何处，就算是在轿中，或是在宴会，也不停地看阅、写作。迨至年老，在一目已坏、一目又昏的情况下，他还面书披阅。他和传教士见面会谈时，所问的第一个问题就是：现在有什么新书可以翻译？从 1583 年至 1640 年，近 60 年间，他总共翻译西方书籍近五十种，不可不谓成果斐然。

在天文历法方面，李之藻鉴于明代历法乖谬，屡不应验，差错奇多，就和徐光启等学者积极参与了明廷的历法修订工作。当时朝廷权贵和多数士大夫对西方科学不了解，总认为祖宗之法不可任意修改，李之藻采用说道理、摆事实的办法，竭力向朝廷推荐西洋先进天文历法。他成功地修编了《新法算书》100卷，还与利玛窦合译了西方天文学著作《经天该》，和徐光启、罗雅谷合译了《日躔表》1卷。此外，李之藻还撰写了《浑盖通宪图》2卷，这是中国第一部介绍西方近代天文学的著作。

在数学方面，李之藻最有影响的翻译书籍是《圆容较义》和《同文算指》。《圆容较义》为几何学书，专论“圆之内接外接”，书中还设置大量习题，供学生练习。《同文算指》是由利玛窦口授、李之藻笔录整理而成，于明万历四十二年（1614）刊行，这是最早译成中文的西洋算术书。全书十卷，分前编与通编，附以别编。该书最大的优点是融合了中西算法的优点，综合而成。书中算法既继承了德国数学家克拉维斯的《实用算术概论》，又继承了我国明代大数学家程大位《算法统宗》的先进合理部分，体现了李之藻在翻译中，融合中西的变通和灵活性。

在宗教、哲学类译著中，有著名的《名理探》和《寰有诠》。《名理探》是讲西方逻辑学的书，底本原为葡萄牙的大学课本，主要诠释哲学家亚里士多德的哲学思想。明天启七年（1627），李之藻与葡萄牙传教士傅讯际合作翻译《寰有诠》6卷，主要讲述亚里士多德的宇宙理论。译成之后，李之藻自费付梓，供士大夫与太学生们阅读。

李之藻为了推广西方先进科学，除了积极译著外，还尽其家产从事西学译著的刊刻工作。就在去世的前一年即崇祯二年（1629），他还编刻了我国第一部西学译著丛书《天学初函》。该丛书收集了明末西学译著文献20种、52卷，宗教、科学各10种。其中《职方外纪》属地理学译著；《交友论》收录西方友谊格言百条；《西学凡》是当时欧洲诸大学文、理、医、法、教、道等六科的课程纲要。

智言慧思

但患不读书，不患读书无所用。

——（明）朱舜水《送林道荣之东武序》

阅读链接：

赵晖：《耶儒柱石——李之藻、杨廷筠传》，浙江人民出版社，2007年版。

方豪：《李之藻研究》，台湾商务印书馆，1966年版。

张承友等：《明末清初中外科技交流研究》，学苑出版社，1999年版。

近代宁波外滩与西风东渐

1840年鸦片战争爆发，清政府腐败无能，被逼签订城下之盟——《南京条约》。条约规定“五口通商”，中国开放上海、宁波、广州、厦门、福州五处口岸。1843年12月19日，英国驻宁波领事率兵舰驶进了宁波，宁波正式开埠，这是一个历史性的转折点。从此，沉寂了多年的港口宁波再次掀起了对外贸易和文化交流的波澜。英国人来到宁波，开始在三江口的北岸租赁民房，设立领事署，这一地区也成为中国历史上的第一个外滩。

西方文化向浙江乃至中国传播的过程中，宁波起到了“窗口”与“桥梁”的作用。1854年宁波出版了第一份近代报刊《中外新报》，这是外国传教士在中国出版的首批中文报刊之一，比上海第一家中文报刊《六合丛谈》还要早3年，也是浙江省新式报纸之肇端。此后，《宁波日报》《甬报》等近代报刊相继出现。这些教会创办的报刊，除了“文字布道”的主旨外，还刊载一些介绍“西学”和“新学”的文章，虽然主观上有文化侵略的企图，但是客观上它们毕竟“开风气之先”，为长期处于闭关自守状态的宁波人打开了一扇认识世界的窗户，让人们看到了世界之大、西方文化之奇。

传教士也是宁波近代印刷出版业的引进者。1845 年 9 月，美国长老会传教士将原设澳门的印刷所迁至宁波，定名为“华花圣经书房”，所用印刷机器都来自美国。1860 年，书房迁往上海，并改名美华书馆，后发展成为外国传教士在中国所办规模最大、设备最齐全的机械化的印刷出版机构。在宁波的 15 年间，“华花圣经书房”共出版了 100 余种西方书籍，其中宗教类占 81%，科学文化等占 19%。

外国传教士在创办近代教育上也取得了很大成功，宁波是他们在浙江的一个办学中心。1844 年，英国基督教长老会东方女子教育会的女传教士爱尔德赛从南洋来到宁波传教，自费创办一所女子学校。这是浙江第一所教会学校，也是中国历史上第一所女子学校。1845 年，美国长老会在江北槐树路开办了浙江境内最早的男子教会学校——崇信义塾，此为著名的之江大学的前身。据《宁波教育志》载，到 1912 年，西方国家在宁波已经开办了 18 所新式学校。这些按西方模式创办起来的新式学校，对宁波传统的教育体制产生了巨大冲击，促进了宁波教育的近代化。近代中国第一个女留学生金雅妹，闻名上海的袁履登、杨坊、周宗良、方液仙等宁波帮重要人物，都曾就读于宁波教会学校。

西方传教士还积极在宁波从事医疗事业。早在 1843 年，美国传教士玛高温就在宁

宁波外滩老照片

阅读链接：

苏利冕主编：《近代宁波城市变迁与发展》，宁波出版社，2010 年版。

陈宏雄主编：《潮涌城北：近代宁波外滩研究》，宁波出版社，2008 年版。

乐承耀：《宁波近代史纲》，宁波出版社，1999 年版。

波城内开设诊所，并在月湖书院内办医学班传授西方医学，后来诊所发展成为大美浸会医院，又改名为华美医院。随后美国传教士麦嘉缔、英国圣公会相继在江北岸开设惠爱医局、天生医院。从此，西方的医术与药物在宁波地区传播开来，在内地许多地方人们唯恐避之不及的西医，得到了许多宁波人的接纳。

近代宁波市政与社会公益事业也随之兴起。宁波开埠后，外国人在居留地先后设立船埠、洋行、学校，还修建道路、医院、房屋以及体育设施等公共设施。从此，宁波开始有了最早的城市市政体系。特别是 1898 年江北工程局设立后，江北市政建设有了前所未有的变化。西方市政管理措施的引入，使市政管理日益趋于专门化、法制化。宽敞的马路、整洁的街面、繁荣的商铺以及电灯、洋房、教堂，西方文明在这里得到了集中展示。这与宁波旧城区的脏乱差形成了鲜明的对比，促使宁波人转而模仿、学习，从而推动了宁波城市建设的近代化。

宁波开埠还促进了近代宁波人思想观念的弃旧趋新，从而形成一种开放、务实的理念和社会环境，对近代宁波社会与宁波人产生了深远影响。近代以来，大批宁波人就是通过这个窗口观察、了解西方文化和外面的世界。以江北外滩为中心扩散的舶来物，也在不知不觉中改变着宁波人的日常生活与思想观念。当时，西方人士还把三权分立政治理念引入“居留地”，如行政、司法的分离等等，由此带来的民主、自由、平等观念，强烈地冲击了宁波人的传统观念。

由此可见，外滩是近代宁波得以“领风气之先”的重要因素之一。

教会学校与近代浙江教育

鸦片战争后，宁波成为中国最早开放的通商口岸之一，各国传教士云集此地。他们在开设礼拜堂的同时也开办了一些学堂，一方面灌输基督教教义，另一方面也推动了近代西方思想和科学在中国的传播。清道光二十四年（1844），英国基督教长老会东方女子教育会传教士阿尔德赛（Miss Aldersey）到宁波传教，首创女塾。这是浙江第一所洋学堂，也是中国第一所女子学校。第二年，美国北长老会传教士、医生麦嘉缔（D.B.Mccartee）在宁波开设男生寄宿学校，名为崇信义塾。这是浙江最早的男子洋学堂。美国浸礼会、英国圣公会、英国循道会也陆续在宁波开设男女学塾。他们以宁波为基地，逐渐在杭州、温州及其他地区建立学校。清同治四年（1865），美国教会在慈溪开设圣约翰小学；清同治六年（1867），美国南长老会在杭州创办贞才女学；清同治十三年（1874），美国教会在温州创设崇德学堂；清光绪十三年（1887），美国长老会在嘉兴设学；清光绪二十三年（1897），英国圣公会在临海开办敬爱学堂，次年在杭州创设蕙兰学堂；此外还在绍兴、湖州、诸暨等地设学，基本上覆盖浙江各地。

教会学校的发展，也经历了一个从初级到较高级的过程，如宁波的崇信义塾逐渐发展成之江大学，甬江女子中学由三所女塾合并而成。从类型上看，教会学校除普通教育外，也兼办职业教育、社会教育，数量上发展十分迅速。据民国四年（1915）浙江省教育会统计，当时浙江省 75 个县中，35 个县有外国人设立的学校 148 所，

学生6328人，外籍教员113人，中国教员360人。到民国十二年（1923），浙江75个县中42个县有教会学校219所，大部分集中在杭嘉湖及宁绍一带，边远山区如江山、常山、龙泉、云和等地也办起了教会学校。

当时西方教育已相当发达，教会学校把西方模式移植到中国，建立了自己的一整套系统学制：从育婴堂、幼稚园、初小、高小、初中、高中、大学到研究生教育；有普通教育、特殊教育、职业教育、师范教育、函授教育和女子教育。各级各类学校都初步规定了学校性质、入学条件、修业年限以及彼此的关系。于是教会学校顺理成章地成为一个形象鲜明的教具展现在人们面前，供教育者全方位地观摩、参考，成了可循之章。这不但为浙江兴办各类学校提供了借鉴的模式，而且丰富了浙江近现代的教育体制。

教会学校的课本对新式学堂来说更是提供了实用范例，公立学校早期使用的许多教科书都是传教士编写的，如登州文会馆的狄考文就编写了《代数备旨》《形学备旨》《要理问答》《心算初学》《毛算数学》《理化实验》《电学全书》《微积习题》等教科书。1877年，在华基督教传教士会议成立了学校教科书委员会，决定编辑两套学校教科书，一套供初等学校使用，一套供高等学校使用，内容有数学、天文、测量、地质、化学、动植物、历史、地理、语文、音乐等，并且强调用中国的例子和图解，以便于中国学生理解和掌握。到1890年，该委员会审定出版了84种课本、50多幅地图和图表，卖出了3万多册。

六和塔上俯瞰之江大学校园
（甘博摄）

这些教科书，成了中国近代新教育的第一批启蒙课本。

教会学校是浙江近代教育的重要组成部分。据统计，到 1949 年杭州解放，全省教会私立中学还有 24 所，学生 5968 人，班级 172 个，教职员 462 人；接受外国津贴之小学 74 所，学生 15766 人，班级 362 个，教职员 5216 人，有关的国家包括美国、英国、法国、加拿大、意大利、爱尔兰、瑞士、匈牙利和德国。从上述资料可以看出，教会学校弥补了当时教育的不足，尤其是弥补了中、高等教育的不足，培养了一大批适应社会需要的专业人才，为普及教育事业作出了一定贡献。教会学校资金雄厚、设备精良，而且入学标准较高，淘汰率更高，又注重自然科学和数学，发挥学生潜力，学以致用，比较适合社会进步的需要。另外，学生们英语普遍较好，对于从事外事工作、了解西方先进科学技术、扩大国际贸易都具有积极意义。

教会学校还为当时浙江教育的近代化进程提供了大部分新式教师。随着 1901

阅读链接：

余起声主编：《浙江省教育志》，浙江大学出版社，2004年版。

[美]杰西·格·卢茨著，曾钜生译：《中国教会大学史》，浙江教育出版社，1987年版。

陈景磐：《中国近代教育史》，人民教育出版社，1979年版。

年清政府《学堂章程》的颁布和1905年科举制度的废除，全国掀起了兴办新式学堂的高潮。这使近代教育建构过程中一直存在的师资缺乏问题更显突出，尤其是缺乏懂西学的教师，有些学校只好聘用外籍教师，这在很大程度上阻碍了教育近代化的进程。在这种情况下，教会学校的毕业生至少知识结构上符合新式教育的需要，成为新式教师的来源之一。在国立大学、私立大学以及中学里从事英语、农科、医学、体育、音乐等科教学的，绝大部分是教会大学毕业生。之江大学的毕业生在这方面毫不逊色，不少毕业生直接投身教育事业，充实了浙江师资队伍，在普及教育、培养下一代及提高人民素质诸方面做出了独特的贡献。

教会学校对浙江近代教育发展的影响是深远的，远远超过它在当时所发挥的示范作用、普及作用和启蒙作用，有些影响至今犹存。正如章开沅先生在《展望未来中国教会大学档案之研究方向及项目建议》中所说的："教会大学在中国大陆已经绝迹四十余年，但它的校园、建筑、图书以及其他各种教学、研究设施，仍继续用于高等教育，它的教师和毕业生仍然在许多大学或其他部门为中国现代化而努力工作。其中一部分已经成为若干领域（如农业、医学等）的领导骨干，他们不仅运用在母校所获得的知识与技能为社会服务，而且还或多或少继承着教会大学传统校风中的优良部分。"

广济医院与近代浙江医学

1840 年鸦片战争后，清政府被迫五口通商，开放西方传教士的传教权，大批传教士相继踏上中国领土，深入到全国各地传播福音，发展教会势力。在早期的传教方式中，医疗和教育是在华传教事业的两大重要支柱。自美国传教士伯驾在广州开办第一所教会医院后，教会医院就在中国的土地上迅速发展起来。英国圣公会在浙江的传教活动也与医疗活动密切相关。圣公会在中国共设有医院 39 所，其中浙江就有 7 所，仅次于福建。浙江的教会医院肇始于宁波。1854 年，传教士高夫（F. E. Gough）偕妻子来到宁波，设立了一间戒烟所，逐步展开照料吸食鸦片病人的医疗工作，由此开始了圣公会在宁波的医疗事业。

1937 年的广济医院

1864 年之后，在经历了《北京条约》和太平天国事件之后，杭州的局势渐趋稳定，圣公会在杭州的传教事业也渐次开展起来。1864 年 11 月，慕稼谷（George Evans Moule）从宁波转到杭州，在马市街附近租房子，作为布道和传教士的居所，圣公会正式在杭州开教。1869 年，圣公会在布道所附近的横大方伯租了三间房子，仿造宁波戒烟所，开设杭州戒烟所，设有病床 16 张，由麦多（Meadows）医师主持，专治戒烟病人，兼传基督福音。1871 年 12 月，甘尔德夫妇（Dr. and Mrs. Galt）来到杭州主持戒烟所的工作，以“广行济世”之意，改名为“广济医院”。这是杭州最早的教会医院，因为是英国人开设和主事，杭州人一般也称为“大英医院”。

经过甘尔德医生的数年努力，广济医院成绩斐然，平均每个月都有约 20 名鸦片病人入院接受免费治疗。此外，每年还有 4000 多个患其他疫病的门诊病人得到治疗。不幸的是，1879 年甘尔德夫人积劳成疾，不得不辞职回国，在归国途中不治身亡。甘尔德离开之后，广济医院交由其助手苗塞夫（Cephar Miao）管理。1881 年，圣公会派遣 25 岁的传教医师梅藤更（David Duncan Main）前往杭州负责广济医院工作，广济医院迎来了新的发展机遇。

梅藤更到杭州后，发现原来医院的三间房子已不敷使用，便募集资金，购置土地，扩大医院。由于得到威廉姆斯基金会的捐助，广济新医院很快便于 1884 年 5 月落成，杭州的医疗事业获得了极大的进展。在医院方面，1887 年男麻风病院成立；

梅藤更医生

1892 年新建女医院和妇女疗养院；1899 年，在宝石山上购地 30 余亩建立西湖肺痨病院；1914 年广济在松木场建立分院，分男女两部；1901 年，广济建立产科病房，还开设了皮肤科等专科。

在医校方面，梅藤更以治疗人员缺乏为由建议创建医校培养中国学生。1883 年，梅藤更创立医校，这是浙江第一所医校。当时校址就在医院内，有课室和实验室，聘请希考基（S. Hickin）医生担任教务工作。1885 年招收第一期学生，其中就有以后赫赫有名的刘铭之、张葆庆等人，他们于 1889 年毕业。1890 年到 1905 年，先后招收了第二期到第五期学生，医校添设了生理、化学、病理实验室等教学设备。1906 年，梅藤更将医校从医院独立出来，以横大方伯医院院舍为校舍，正式定名为广济学堂，聘请中外医学人士担任教员。辛亥革命后，改称为广济医学专门学校，梅藤更担任校长，早年毕业的学生朱伯龙担任教务长。同时又创办广济药学堂，后改名为广济药学专门学校，以英国人莫尔根（H. B. Morgen）为主任，后又增设广济产科学堂，梅藤更夫人担任主任。1924 年新校舍落成，共三层，拥有图书馆、化学室、生理解剖室、化学病理室等，还安装了当时杭州还没有的自来水等设施，形

成一所规模齐全、设施完备的医科学校。

1926 年，梅藤更退休回国。圣公会相继派遣谭信（Hubert Gordon Thompson）和苏达立（Stephen D. Sturton）担任院长。在抗日战争中，广济医院受当时浙江省国民政府主席朱家骅的委托，先后收治从上海前线和笕桥空战中负伤的士兵。1937 年 8 月 15 日，著名抗日勇士高志航负伤后就在广济医院疗伤。1942 年，广济医院被日寇占据，院内职员和护士均被驱赶，英籍传教士和职员被关押在上海海防路集中营。抗日战争结束后，苏达立又返回广济医院工作，直到 1951 年返回英国，广济医院从此结束了教会医院的功能。1952 年，圣公会将广济医院移交给浙江医学院，作为教学医院，自此更名为“浙江医学院附属第二医院”。

广济医院自创至今，已逾 140 年，回顾这所百年名院的历史，可谓浙江近代医学发展史的一个缩影，见证了浙江近代医学的方方面面。如今浙医二院依然秉承“广行济世”的百年宗旨，践行关爱百姓、服务社会的崇高理念，为着大家的健康事业努力奋斗。

阅读链接：

王建安、张苏展主编：《百年名院，百年品质：从广济医院到浙医二院》，中国美术学院出版社，2009 年版。

宋涛主编：《民国杭州历史遗存》，杭州出版社，2011 年版。

百年杭州基督教青年会

基督教青年会的英文名称为“Young Men’s Christian Association”（简称“YMCA”），是一个具有基督教性质的社会服务团体，也是一个国际性的组织。基督教青年会运动起源于英国，后来逐渐发展成为一个世界性的运动。1844年6月6日，英国人乔治·威廉（George Williams）在伦敦创立第一个青年会，不久就传遍欧美等地。1855年8月22日在巴黎召开第一次青年会世界大会，决定正式成立“基督教青年会世界协会”（The World Alliance of YMCAs），并在瑞士日内瓦设立永久会址。基督教青年会传到中国已有100多年历史。1885年，中国第一个学生基督教青年会在福州英华书院成立，这是最早从美国传入中国的青年会。随后，通州潞河书院也成立学生基督教青年会。第二年，杭州育英书院（即后来的之江大学）基督教青年会也宣告成立。1895年，天津市基督教青年会成立，这是中国第一个城市基督教青年会，标志着基督教青年会开始从学校走向了社会。

杭州基督教青年会

杭州基督教青年会成立于1914年。建会初期，全国基督教青年会协会委派北美协会干事鲍乃德先生为杭州基督教青年会首任总干事，还成立了董事部、干事部及有关服务机构。刚开始，杭州基督教青年会只是租用场地为临时会所。1919年新的会所落成，就位于现在杭州市上城区青年路27号。这栋建筑至今仍保存完整，保留了当时的建筑风格，由主楼和钟楼组成。主楼为一座三层西式洋房，外墙用清水砖筑成，使用基督教传统的券窗。第一和第二层设计为券柱式拱廊，简洁大方。现存的主楼加高为四层，建筑整体结构变动不大，基本上还保存着原有的西式外观。钟楼建于1919年，楼下为大门，入口处为半圆拱券门，楼内安放一座报时的大钟，重达1200千克，成为当时杭州城的标准报时钟，楼顶还附设了蓄水池。杭州基督教青年会旧址曾被誉为“西湖之冠”，是杭州地区较早的优秀近代西式建筑，在1997年被宣布为浙江省文物保护单位。它见证了近代中西文化的交流和杭州社会的近代化变迁，具有很高的历史文化价值。

杭州基督教青年会创立之始，就在会所内设立了接待室、图书室、课室、游戏室、演讲厅、食堂、浴室、球场和宿舍等服务设施，以开展各项活动。在近代教育事业中，杭州基督教青年会开办义务小学、英文夜校、补习学校、平民学校，进行平民教育。聘请国外教育家、实业家，举办中西教育、丝绸业机织技术和铁道知识等讲座，宣扬近代西方科学技术。同时，还举办绘画培训班、舞蹈培训班、游艺会、音乐欣赏会等，提

高人们对西方艺术的兴趣。同时，还成立哲学、政论和社会科学研究的学术团体和志愿团体。1919 年，会员就达到 2000 余人，多数来自杭州社会各界知名人士。

在以上诸多活动中，杭州基督教青年会对浙江体育事业上做出的贡献尤其值得关注，成立之初就成立了体育部，以介绍与推动杭州的现代竞技体育为己任。1919 年，在新落成的会所中建造了一块标准的篮球场。1922 年，在青年路以西、迎紫路以南、国货街以北的地界上建成一座健身房和公共健身运动场。这是杭州市第一座室内运动场，场内可进行篮球、排球、网球等体育运动。1924 年，建成了三处标准的网球场、一处武术训练场，设有专职管理人员和业务指导员来开展体育活动，组织球赛、武术赛、棋类赛、举重、健美等体育竞赛活动。同时，还举办体育讲座，办体校，训练裁判员、教练员和运动员；还开展市民体育活动，组织运动会，为促进杭州市体育运动的发展起到很大的作用。

到了 21 世纪，历经百年的杭州基督教青年会，仍然以“服务社会，造福人群”为宗旨，以“非以役人，乃役于人”为会训，以培养会员德、智、体、群均衡发展、健全完善人格和崇高精神为目的，根据不同时代特点，面向社会，服务于社区群众和社会各界人士。在开展文化、教育、体育和娱乐等方面活动以及社会特殊需求工作的同时，积极开展对外友好交流，推动各国人民之间的相互了解和友谊。

阅读链接：

赵晓阳：《基督教青年会在中国：本土和现代的探索》，社会科学文献出版社，2008 年版。

宋涛：《民国杭州历史遗存》，杭州出版社，2011 年版。

杭州凤凰寺：中国伊斯兰教四大名寺之一

位于杭州“南宋御街”（中山路）上的凤凰寺，是一座历史悠久的清真寺，与扬州的仙鹤寺、泉州的清净寺和广州的怀圣寺并称我国伊斯兰教四大古寺。这座清真寺的建筑群的布局和形制形似凤凰展翅，故称为“凤凰寺”。

根据1670年《重修真教寺碑文》记载，杭州凤凰寺最早创建于唐朝，到宋朝时毁于大火。到1281年，元朝著名的伊斯兰教长老阿老丁在原址重建。明朝中期再次扩建重修，最终形成了凤凰寺的建筑规模，在当时可谓巍巍壮观、焕然鼎盛。1646年，清政府再次重建，凤凰寺成为当时中国规模最大的清真寺之一和杭州伊斯兰教的礼拜中心。到了民国时期，1929年因为扩建马路，拆除了宏伟的寺门、门顶和加建的五层木制塔式望月楼，严重破坏了凤凰寺的整体形象。虽然后又经过多次重修，仍无法恢复初始的状如凤凰展翅的建筑格局，从此失去了凤凰的完整形象，确实为一大憾事。1953年杭州市人民政府再次整修了大殿，保持元代原貌，并重建了具有巴基斯坦现代风格的前殿。古老的清真寺再次焕发青春，成为杭州伊斯兰教节庆活动的主要场所。2001年6月被定为全国重点文物保护单位，保留了这座中国和阿拉伯世界友好往来的历史见证。

现存寺内主要建筑物为门厅、礼堂、大殿。大殿是全寺的主体建筑，最初为元代所建，后毁于大火，新中国成立后重修大殿，仍保留了元代建筑的面貌。这个大殿用砖砌成，四壁上端转角处砌菱角牙子叠涩收缩，上覆半球形拱顶，不用梁架，又称为“无梁殿”。大殿被拱券门分隔成3大间，每间都有一个半球形穹顶，每个穹顶上建成三座中国式的攒尖顶，中间一间则为八角重檐，南北两间为六角单檐，筒瓦板垅，翼角起翘，看上去甚是壮观。大殿内保存着以阿拉伯文书写的阿老丁墓碑，殿中间的木制“经函”，雕刻阿拉伯文，工艺精致。殿后墙保留了青砂石制成的“经香台”，两侧雕着竹节望柱，束腰处雕刻了花草，被誉为中国现存伊斯兰艺术的珍品。凤凰寺的北墙内还建有碑廊，存有阿拉伯文、波斯文碑石24块，多数为移存过来的阿拉伯人的墓碑；还保存了明永乐、弘治敕谕碑和清顺治、康熙年间重修寺碑记等文物。凤凰寺的建筑具有伊斯兰教与中国建筑风格相结合的特点，是中国和阿拉伯文化交流融合的产物。

杭州与阿拉伯国家来往交流的历史悠久，很早就和阿拉伯世界开展商业和文化上的友好交往。除了这座历史建筑凤凰寺之外，杭州还在多处发现阿拉伯人的遗迹。南山路清波门一带，发现的三座阿拉伯古墓，根据墓碑阿拉伯碑文，专家研究认定是阿拉伯先哲卜哈提亚氏和他的两个随从的墓葬。而且，凤凰寺的重建人之一元代回回大师阿老丁的曾孙丁鹤年，晚年也留居杭州，以诗文称于后世，死后葬于杭州。凤凰古寺与众多的阿拉伯遗迹相得益彰，在岁月沧桑的历史长河中，见证了中阿文化交流。

阅读链接：

刘致平：《中国伊斯兰教建筑》，中国建筑工业出版社，2011年版。

邱玉兰：《中国古建筑大系：伊斯兰教建筑：穆斯林礼拜清真寺》，中国建筑工业出版社，1993年版。

鲍志成：《凤凰寺话古》，《文化交流》，2009年第5期。

马时雍主编：《杭州的寺院教堂》，杭州出版社，2004年版。

天水堂与司徒雷登

在杭州市下城区耶稣堂弄2号，坐落着一座历史悠久的教堂，这就是杭州基督教会天水堂。这条短短、窄窄的耶稣堂弄，宋代时名“兴福寺巷”，后因在这里建造了基督教教堂，清代始改名“耶稣堂弄”。

耶稣堂弄的天水堂是杭州市最早的教堂之一，自创建至今已经有140多年历史。清末，随着《天津条约》和《北京条约》的签订，本在浙江通商口岸宁波和沿海地区活动的西方传教士，也逐渐深入到了杭州。1867年，美国南长老会派遣传教士应思理牧师来杭州开创传教总站。1868年，美国南长老会海外委员会又派遣传教士胡思登、郝理美到杭州开展传教布道工作。于是，这两位传教士就开始在吴山租借房屋建立堂点，进行传教。

当时，这个传教点位于吴山的山坡上，居高临下，正对着杭州一位官员的府邸。这位官员的儿子不幸染上顽疾，难以治愈。每当这位官员的儿子发病的时候，看风水的先生就把病因归咎于一股邪气，说是外国人在山上的房子犯的冲。于是，杭州府衙就千方百计地要求搬迁这座传教点，而且还主动配合批准拨给天汉洲桥畔（现在耶稣堂弄所在地）荒地十亩作为他们

的活动场地。很快，胡思登、郝理美两位传教士就在这块地上，搭建了两间平房，建立了一座新的教堂。新教堂落成之日，杭州官员还特地赠送了“胡郝礼拜堂”木匾一块，表示祝贺。胡郝礼拜堂是杭州最早的基督教礼拜堂，也是基督教天水堂的前身。1874 年，美国南长老会又增拨了建房经费，在胡郝礼拜堂原址上拆去平房，重新建造教堂，正式命名为“基督教天水堂”，并在教堂后面新建了传教士住宅楼二幢、男女书屋及宿舍等一大片建筑群。

1874 年，美国南长老会会传教士司徒尔与玛丽霍顿新婚燕尔，刚度完蜜月就一同来到了杭州，在耶稣堂弄安家落户。此时，胡思登、郝理美两位传教士已经离开杭州。1875 年，司徒尔被委任为天水堂牧师，全面负责天水堂教会的工作。司徒尔又陆续开办了仁慈堂、医局、圣经学校、育婴堂等教会服务机构。玛丽霍顿后来还成为杭州女青年会的创始人之一。司徒尔在杭州传教 46 年，直到 1913 年 1 月在杭

天水堂

司徒雷登像

州病逝，享年 73 岁，安葬于杭州九里松基督教公墓。1920 年，美国南长老会传教士贝恩德及当时在杭州的教友们，因追念司徒尔牧师，特地在众安桥建造“湖山堂”。

1876 年 6 月 24 日，在中美外交史上赫赫有名的司徒雷登就出生在耶稣堂弄的天水堂传教士宿舍。他是司徒尔牧师的长子，在杭州度过了童年和少年。1887 年，11 岁的司徒雷登随父母回美国探亲，并留在美国读完中学和大学。1899 年，司徒雷登进入神学院深造，正式加入“学生海外志愿传教运动”组织。1904 年，司徒雷登回到了阔别 17 年的杭州，后来就在众安桥边的湖山堂担任牧师，还在当时著名的弘道女中和冯氏女中等教会学校任教。1913 年，他到南京金陵神学院教书，后又到北京筹建燕京大学，并担任校长。1946 年，周恩来向马歇尔推荐司徒雷登担任美国驻华大使。在担任大使期间，他曾经访问过杭州，当时的杭州市市长周象贤热情地接待过他，并授予他杭

州市“荣誉市民”称号。新中国成立后，司徒雷登解职回国。1962 年 9 月 4 日，司徒雷登因病在美国华盛顿医院病逝，享年 86 岁，他的愿望是把遗骨安葬在他的第二故乡中国。

46 年后的 2008 年 11 月 17 日，司徒雷登骨灰由美国首位华裔将军傅履仁和夫人一同带回杭州，美驻华大使雷德、驻沪总领事康碧翠、杭州市副市长董桂莉等参加安葬仪式，将他安葬在杭州半山安贤园文星苑。司徒雷登这位中美文化的大使终于魂归杭州，了却遗愿。2009 年，天水堂修缮工作完成，百年老教堂再次焕发青春，成为杭州中西文化交流的一个活生生的见证。

智言慧思

希望是坚韧的拐杖，忍耐是旅行袋。携带它们，人可以走完世界，登上永恒之旅。

——［英］罗素《罗素自传》

作为一个人，对父母要尊敬，对子女要慈爱，对穷亲戚要慷慨，对一切人要有礼貌。

——［英］罗素《论人性和政治》

阅读链接：

沈建中等：《司徒雷登与西湖》，杭州出版社，2007 年版。

马时雍主编：《杭州的寺院教堂》，杭州出版社，2004 年版。

华洋义赈会与浙江赈灾

清末民初，内忧外患，天灾频发，被史学界称为中国四大灾害群发期之一。面对如此严重的自然灾害，并且随着中国传统社会向近代转型，中国的荒政也开始进入到近代化时期。清光绪三年（1877）和四年（1878）暴发了严重的灾荒，在干支纪年法中分别是丁丑年和戊寅年，因此这次灾荒在史上也被称为“丁戊奇荒”。在这场救灾活动中，一支以基督教新教传教士为主体的救灾力量在灾区越来越活跃。当时，参与募捐放赈的西方人士包括传教士、商人、政府官员和平民，大都分散在上海、烟台、天津等中国各通商口岸，甚至远赴欧美等海外各地。在传教士李提摩太等人的倡导和推动之下，他们很快地联合起来，形成以上海赈济委员会为领导机构的救灾网络。后来在华洋各方的推动下，于1921年成立了全国范围内的华洋义赈会，统筹全国的募捐和救灾活动。

清末民初，浙江灾荒频发，从灾害的种类来看，包括水灾、旱灾、风灾、疫灾、虫灾、雪灾、雹灾等多种灾害，尤以水灾、旱灾、风灾、虫灾、疫灾为重。各类灾害很多时候连带发生，常常台风之后带来水灾，旱灾之后继以虫灾，水旱灾害之后继

以疫灾，灾荒发生的频率极高，几乎无年不灾。据统计，1912 至 1948 年的 37 年间，有 27 年发生了自然灾害。灾荒发生的地域范围十分广，严重的灾荒常常遍及全省大部分县市。1912 至 1948 年间，浙江受灾县数达 709，平均每年约有 19.2 县次。面对灾荒，华洋义赈会积极参与到救灾当中。

1934 年，浙江暴发甲戌旱灾，华洋义赈会对此次救灾很是尽力。他们利用自身与外界联系方便的优势，在向国内募捐的同时，更积极向国际募捐，取得一定收获。1934 年 12 月 1 日《申报》刊登《华洋义赈会敬谢各大善士捐助各灾赈款》一文，列举了一月来该会的收赈情况，其中包括“美国驻美中华总会馆助各省旱灾美金 1 千元，合洋 2869.44 元；越南南沂中华总商会汇来旅越华侨缩食救济兵灾慈善会捐助各省旱灾洋 1000 元……美国 Mr.Hugh.W.Jr 捐助美金 25 元，合洋 73.25 元；加拿大云高华阜华侨基督教会交来中华基督教徒废除不平等条约后援会拨助洋 25 元；……以上共计赈款洋 11299.35 元”。

华洋义赈会还随时在各灾区设立支会或分所，并随救灾工作结束而结束。在江浙地区设有上海华洋义赈分会，浙商朱葆三任干事长（后称会长），王一亭、宋汉章、傅筱庵等浙商在其中也具有重要地位和影响，所以与浙江关系密切，曾在浙江多次设立分支机构，在灾赈中发挥了重要作用。壬戌水灾发生后，上海华洋义赈会对浙江救灾工作高度重视，并积极参与救灾工作。

为赈济浙灾，上海华洋义赈会立即在浙江建立健全了组织系统，完善救灾途径。9 月上中旬，杭州、宁波两地华洋义赈会先后设立。杭州华洋义赈会由钱塘道尹张庶询、华洋义赈会总干事明思德为会长，辖杭州、湖州、金华、严州 4 个支会，担任杭州、嘉兴、湖州、金华、衢州、严州各属灾赈。宁波华洋义赈会以会稽道尹黄涵之、浙海关税务司甘福履为会长，下属宁绍台和温处 2 个支会，分别承担宁波、绍兴、台州、温州、处州（今丽水）各地的灾赈之职。杭州、宁波华洋义赈会成立后，

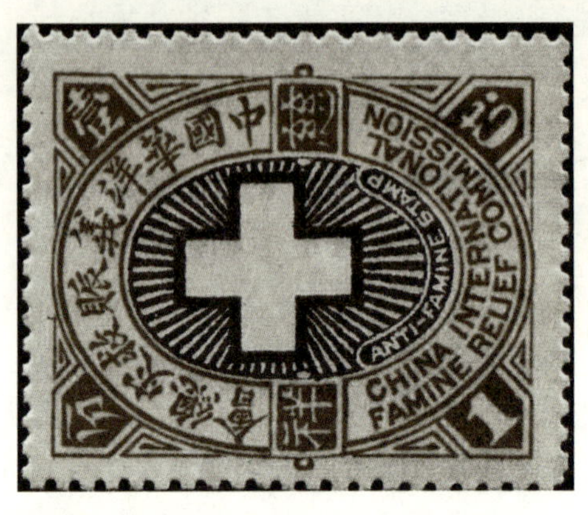

华洋义赈会会徽

积极推进下属支会的成立。如宁波华洋义赈会决定派员赴受灾最重各县组织支会，筹办放赈。到 11 月底，宁属镇海、奉化、慈溪、定海、象山等县成立 8 个支会。

为提高救灾效率，浙江壬戌水灾筹赈会成立后，一再强调要与华洋义赈会统筹协调救灾，随时与华洋义赈会接洽，所有各县冬赈春赈，或分任办理，或通力合作，就灾区情形商定，以求实济。后两会协商决定于受灾各县合设义赈协会。义赈协会一般由杭州两会派人至各县，会同中西人士 8 至 16 人组成，设中西会长、中西干事、中西会计各 2 人；在杭州、湖州、金华、严州各属，由杭州两会各派总视察 1 人，切实查察办赈情形报告杭州两会；会计保管各种账目必须遵照杭州两会规则，动用款项须受杭州两会及总视察的监督，各种支款需中西两会计同时签字；执行干事由杭州两会指派充任，有直接指挥一切事务之权；各项报告凡属于杭州两会范围内各种事情以及工程调查、

放赈等事，均须直接报告杭州两会。

清末民初是浙江乃至整个中国从传统社会向近代社会急剧转型的时期。在这个从传统全面走向现代的历史进程中，华洋义赈会带来的西方先进的防灾、救灾理念和方法在浙江的救灾赈济中发挥了重要作用。

智言慧思

读书是一种探险，如探新大陆，如征新土壤。
——［美］杜威《读书的艺术》

科学的伟大进步，来源于崭新与大胆的想象力。
——［美］杜威《论科学与社会》

阅读链接：
蔡勤禹：《传教士在近代中国的救灾思想与实践——以华洋义赈会为例》，《学术研究》，2009年第4期。
龙国存：《试论民国时期浙江的灾荒》，《文史博览（理论）》，2009年第4期。
贾彦敏：《民国浙江灾荒救济研究（1912—1937年）》，浙江大学硕士学位论文，未刊。

泰戈尔与其唯一的中国学生

泰戈尔（1861—1941）是在中国享有盛誉的印度诗人与作家。1913年，泰戈尔在荣膺诺贝尔文学奖之后很快就为中国人所知晓。与此同时，中国学者与作家也开始研究和翻译泰戈尔的作品，受到中国人的欢迎。随着中国人对泰戈尔了解的日益增多，泰戈尔于1924年应邀前来中国访问。这次访问是中印关系史上的重大事件，标志着两国长期中断的文化交流开始恢复，因而具有极大的历史意义。因此，泰戈尔也被时人称为前往中国的印度文化使者。

1924年4月，应梁启超、蔡元培之邀，泰戈尔第一次访华。泰戈尔一行于1924年3月21日离开加尔各答，4月12日在上海黄浦江畔的码头登岸。泰戈尔抵达上海时，受到了隆重欢迎。接着，诗人便开始了在中国为期58天的访问，期间游览了杭州、南京、济南、北京、太原和汉口等一批或风光秀丽或历史悠久的城市。

泰戈尔在杭州期间，林徽因和徐志摩一起为泰戈尔担任翻译，陪他游览杭州。西湖秀丽的湖光水色让他流连忘返，泰戈尔赞叹说，真想在湖边买个小屋住上几天。4月15日，泰戈尔

到杭州灵隐寺演讲，随行的有京剧艺术家梅兰芳。泰戈尔对梅兰芳深情地诉说，觉得自己的生命已经和中国联系在一起了。当时，有人描绘林徽因人艳如花，和老诗人挟臂而行，再加上长袍白面、郊荒岛瘦的徐志摩，犹如一幅苍松竹梅的三友图，一时传为美谈。

在杭州，泰戈尔还会见了被称为“中国最后一位古典诗人”的陈三立先生。两位不同国籍的老诗人在西湖之畔的净慈寺中会面，通过徐志摩的翻译，各诉仰慕之情，并互赠诗作。泰戈尔以印度诗坛代表的身份，赠给陈三立一部自己的诗集，并希望陈三立也同样以中国诗坛代表的身份，回赠他一部诗集。陈三立接受赠书后，表达了谢意，并谦逊地称赞泰戈尔是世界闻名的大诗人，印度诗坛的代表，自己不敢以中国诗人代表自居。后来，两人比肩合影，成为中印文化交流史上的一段佳话。

提到泰戈尔与杭州的渊源，还要提到另外一个人，就是他的唯一一个中国学生——魏风江。1913 年，泰戈尔凭诗集《吉檀迦利》获得诺贝尔文学奖，他拿出 1 万英镑奖金作为基金，在罗曼·罗兰、罗素、萧伯纳、爱因斯坦等国际知名人士的支持下，于 1921 年在圣蒂尼克坦（意为和平村）创办了一所“国际大学”。1933 年，

泰戈尔访华与众人合影

蔡元培组织成立了“中印学会”并任会长，响应泰戈尔发展印中文化交流的号召，推荐魏风江前往印度，到国际大学攻读印度历史文学，魏风江就此成了国际大学中第一个中国学生。到了国际大学以后，魏风江见到了泰戈尔。泰戈尔把他比喻为第一只从中国飞来的幼燕，欢迎他在圣蒂尼克坦同大家一起生活和学习。此后，魏风江开始在泰戈尔身边学习印度历史、文学，还结识了后来的印度总理尼赫鲁等国际友人。后来，他又去了印度圣雄甘地创办的“真理学院”学习，那里有织布工坊、小型肥皂厂、印刷所和住宅，实现着甘地农村改革的理想。直到抗日战争爆发后，魏风江才辞别恩师回国。1939 年春，他回到家乡萧山，在当时内撤金华的国民党省政府主席黄绍竑手下，任外事秘书。其后，又辗转在浙江和上海的大中学校里任教。

1987 年和 1997 年，魏风江两次应邀访问印度，受到极高的礼遇。第一次访问印度归来，他在位于花园北村的杭州家里专门腾出一个房间，设立了“诗人泰戈尔纪念堂”。泰戈尔与魏风江先生毕生致力于中印两国的文化交流事业，为此作出了杰出贡献，受到了中印两国政府和人民的盛赞。

阅读链接：

[印] 泰戈尔著，孙宜学编：《不欢而散的文化聚会：泰戈尔来华讲演及论争》，安徽教育出版社，2007 年版。

孙宜学：《诗人的精神：泰戈尔在中国》，江西高校出版社，2009 年版。

候传文：《泰戈尔传》，河北人民出版社，1999 年版。

王正廷：中国奥运之父

王正廷像

被誉为“中国奥运之父”的王正廷，是浙江宁波奉化金溪乡税务场村人，民国时期著名的外交家和社会活动家。1910 年，他获得耶鲁大学博士学位，后历任南京临时政府参议院副议长，北洋政府工商部次长、外交总长、代理内阁总理和驻美大使等职。1922 年，王正廷被选为国际奥委会委员，后成为终身委员，是中国第一位国际奥委会委员。1936 年和 1948 年，他作为中国体育代表团总领队，率团先后参加第 11 届和第 14 届奥运会，为中国奥林匹克运动的开展作出了巨大贡献。

从 20 世纪初开始，王正廷就积极投身于当时基督教青年会的体育传播活动。1912 年 7 月，王正廷担任基督教青年会全国协会首任中国籍总干事。他利用职务之便，积极支持在中国开展现代体育。1911 年，国际奥委会菲律宾籍委员瓦加斯来华考察体育，与王正廷相识，随后两人一起联络基督教青年会亚洲各国体育干事，发起组织远东体育协会，每两年一次，轮流在东亚各国城市举办远东运动会。王正廷参加了自 1913 年开始的历届远东运动会的组织筹备工作，曾担任第 2、5、8 届远东运动会会长。远东运动会被后人视为“亚运会”的前身，王正廷也自然成为了现代亚运会的创始者之一。

1915年，第2届远东运动会在上海召开。这是中国首次举办的大型国际运动会，受到社会各界的瞩目。但是，正忙于做皇帝梦的袁世凯和北洋政府无暇顾及，筹备运动会的重任就落在了会长王正廷的肩上。由于得不到政府的支持，面临体育场馆破旧和资金匮乏的困境。王正廷并没有退缩，他四处筹资，对运动会召开的各项事务都做了认真安排和布置。在王正廷的努力和社会各界的大力支持下，本届运动会如期举办。在这次运动会上，中国运动员取得锦标第一的好成绩，使国民为之振奋，更引起了全社会对体育事业的关注。

1920年，王正廷发起的远东运动会和远东体协被国际奥委会正式承认，成为世界上第一个与国际奥委会发生联系的区域性国际体育组织。鉴于王正廷在推动中国体育事业上的重大成就，1922年，经前国际奥委会主席古柏坦推荐，在巴黎召开的国际奥委会第二十届年会上，王正廷被推举为中国第一位国际奥委会委员。同时，国际奥委会还接纳“中华业余运动联合会”（即中国奥委会的前身）为其成员组织，并由王正廷担任主席。从此，中国便与国际奥委会正式建立起联系，参与到国际奥委会的大家庭中。

成立于1922年4月的中华业余运动联合会是由基督教青年会发起成立的，其成员三分之一为外籍传教士及教师，并主持实际工作。尽管张伯苓、王正廷先后出任会长，但是在中国人看来，这个联合会被外国人把持，有失国家尊严。在此背景下，王正廷、张伯苓等中华业余运动联合会领导人决定于1924年8

月在上海成立中华全国体育协进会，推举张伯苓为名誉会长，王正廷为主席。董事会成员 15 人全部为中国人。1933、1935 年中华全国体育协进会先后召开第二、三次代表大会，王正廷均连任会长。中华全国体育协进会对现代体育运动在中国的开展，起到了承上启下的作用。

王正廷在其体育生涯中，还十分重视把现代体育引入学校教育。早在 1916 年，他回乡省亲，出资创办了宁波奉化务本小学。在务本小学里，王正廷就尝试实行最新教育法。所谓最新教育法之一，就是在务本小学开设体育操练一课，这在当时的小学教育中实为罕见。1921 年王正廷担任中国大学校长后，由于他对体育教育的倡导，使该校体育活动迅速开展起来，还培养出许多体育人才。为此该校不仅以体育闻名当时教育界，还于 1931 年组织篮球队去欧洲参加比赛。从 1932 年起，王正廷应邀担任国民政府教育部体育委员会委员，致力于学校体育的推广工作。

王正廷作为民国时期我国体育事业的重要倡导人之一，他那种为体育事业不计名利、义无反顾的执著，努力推动中国体育走向世界、走向现代化的远见卓识以及勇于开拓、奋发有为的创业精神，为后人所敬仰。正如台湾学者张腾蛟先生所言，为我国体育事业献身献力的人士实在不少，可是要论态度之积极、参与之热心以及成就之辉煌，恐怕要数正廷先生为第一人。

阅读链接：

完颜绍元：《王正廷传》，河北人民出版社，1999 年版。

毛庆根：《中国“奥运之父”——王正廷传》，浙江大学出版社，2012 年版。

张腾蛟：《坛坫健者：王正廷传》，近代中国出版社，1983 年版。

20世纪西方哲学双雄与浙江

美国著名的实用主义哲学家、教育家约翰·杜威和英国著名哲学家罗素，是在20世纪对中国现代政治、社会、教育、文化等领域影响最为广泛而深远的西方思想家。在中西方文化交流史上，在20世纪初这一中国历史上新旧力量冲突最为激烈、社会矛盾和斗争最为复杂的时期，他们相继来到中国，见证并影响了中华大地上发生的文化和社会转型，并与中国结下了不解之缘。

1919年春，杜威应他的中国学生胡适、蒋梦麟等人的邀请，在完成了对日本的学术访问后，前往中国。1919年4月27日，

杜威访华合影

他和夫人奇普曼坐船驶离日本熊本港，于 4 月 30 日下午抵达上海。杜威到沪的第三天，便在上海江苏省教育会会场作了题为“平民主义的教育”的讲演，当时的热闹场面在上海十分少见。之后，杜威夫妇在蒋梦麟和江苏省教育学会代表王杰的陪同下到杭州讲演。杜威在杭州演讲后，逗留数日才返回上海，此时五四运动已经在北京爆发了。杜威在中国总共待了两年零两个月的时间。在中国期间，先后考察访问了上海、北京、江苏、浙江、江西、福建、广东等 13 个省市。在胡适等人的安排下，杜威还到各地讲演，前后共有 200 场之多。杜威对中国的教育事业十分关心，他在历次讲演中提出了许多意见，与中国学者一起探索中国发展教育的正确道路。据《杜威在华教育讲演》一书收录，杜威在杭州共发表了三篇关于教育的演讲，分别是“造就发动的性质的教育”（在杭州第一师范学校的讲演）、“平民教育之真谛”（在浙江教育会的讲演）、“小学教育之新趋势”。其主要观点包括：第一，发展教育必须要有坚定信心；第二，根据国情需要学习外国经验；第三，教育学生发扬爱国正义精神；第四，教育学生必须做到情智互用；第五，应当努力创造贡献世界文明。

提到杜威，就不能不讲一讲与其同时期到访中国的英国大哲学家罗素。就在杜威来中国讲学一年之后的1920年，英国哲学家罗素也应梁启超的邀请来到中国讲学。在此后近一年的时间里，这两位号称 20 世纪哲学双雄的学者访问中国各地，宣传自己的思想。往往同一张报纸的同一版面上，两人的讲演录交错在一起，构成了当时中国文化界的亮丽风景。

罗素于 1920 年 10 月 12 日抵达上海。在上海期间，罗素去了一趟杭州，在西湖边住了三天，西湖美景深深吸引了罗素，他在自传中情不自禁地赞美道：“西湖美不胜收，那是一种富有古老文明的美，甚至超过意大利的美。”又说：“千百年来多少诗人和帝王来修饰她，把西湖妆点得愈加美丽。”19 日，罗素在杭州浙江第一师范学校作了题为“教育问题”的演讲，指出教育的作用除了提供实用知识以外，

阅读链接：

[美]约翰·杜威等著，单中惠编译：《杜威传》，安徽教育出版社，2009年版。

单中惠、王凤玉编：《杜威在华教育讲演》，教育科学出版社，2007年版。

[英]罗素著，陈启伟译：《罗素自传：第二卷（1914—1944）》，商务印书馆，2003年版。

袁刚编：《中国到自由之路——罗素在华讲演集》，北京大学出版社，2004年版。

罗素像

更重要的是教人做“合格的人”和“合格的公民”，从而实现“由下及上”的健康政治；教育的方针“既不是教人学会压制，又不教人学会服从，最重要的是教人学会自由，能学会自由后不复以压制施诸于他人”。罗素的自由主义教育观，对中国教育冲破旧传统的枷锁有启发作用。此后，罗素又到北京、上海等地讲学九个月。回英国后，他在各大媒体上发表的一系列关于中国的文章，被辑集出版《中国问题》一书。徐志摩赞扬罗素这本书是在中西文化交融的过程中新立的一块界石。

回顾历史，杜威和罗素的思想、学说确实深深影响过中国的教育界和学术界人士，而中国的社会变革和悠久的文化传统也深深地影响并感染了他们，古老中国的“新”与“旧”、传统与现代的交锋给他们带来了丰富而深刻的启示。

近代浙江留日学生之贡献

1894 年中日甲午战争，清政府惨败。痛定思痛，一些有识之士开始发现以日本为媒介摄取西方近代文明是中国求存图强的最佳捷径。一方面，日本明治维新后所取得的巨大成功可为中国提供许多直接可以借鉴的经验；另一方面，中日一衣带水，地理相近，来往方便，留学费用相对便宜，而且日文也比西洋语言好学，因此到日本留学，吸收经过日本引进消化了的西方文化，自然成了许多中国爱国有志青年的向往之路。于是，在 20 世纪初中国留学史上，出现了一场“留学日本热”。

中国最早从国内正式派往日本的官费留学生是杭州蚕学馆派出的嵇侃和汪有龄两人。1898 年 3 月 15 日，两人入东京蚕业学校竞进社学习蚕学。1898 年 8 月，改入东京西原蚕业讲习所学习一年。后来，两人又入东京高等蚕丝学校学习。1901 年夏天，毕业回国。罗振玉曾在《杭州蚕学馆成绩记》一文中，称赞嵇侃“坚苦笃实”，被“东邦人士推为中国留学生之冠”。

1898 年 4 月，浙江求是书院首次选派学生赴日。在杭州知府林启的帮助下，陈乐书、何燮侯、钱念慈、陆仲芳四人前往日本留学。此后，在官方的提倡下，留日学习蔚然成风，留日学生人数也逐年增多。史载留日学生 1901 年共有 280 名，1902 年 9 月为 614 名，1903 年 11 月是 1242 名，到 1904 年 11 月的统计数据就达到了 2557 名。短短 4 年间，留日学生人数增加超过近 10 倍，形成了规模空前的留日热潮。

浙江是最早向日本派出留学生的省份。清政府于1898年8月正式确定派遣学生留日的政策，而早在同年4月，浙江就派出了官费留日学生，为同年全国派生留日之首。而且，从清朝末开始，直至民国初年，浙江省留日学生的数量一直位于全国前列。

早期浙江留日学生的活动多以译书为主。1900年，留日学生的第一个翻译团体——译书汇编社成立，并开始大量翻译日本书籍。译书汇编社有主要成员14人，其中浙江留学生就有陆世芬、富士英、章宗祥、钱承志、吴振麟等五人，足见浙江籍学生在该社中起到骨干的作用。继译书汇编社之后，还成立了以编译出版中学教科书为主的教科书译辑社。该社的负责人也是浙江留日学生陆世芬。清末派遣留日学生的目的在于希望通过日本输入西方近代文明。他们利用所学的新知识，通过译书的方式，向国内输入西方文明，成为中西文化交流的桥梁。

同时，早期浙江留日学生还是中国社会近代化的重要推动力量。他们从日本学成归国后，在中国社会的各个领域传播科学和发扬新思想，起到思想启蒙的积极作用。留日归来的浙江人士，有不少人从事教育事业，对近代中国的科技教育事业曾有过一定的作用。慈溪人韩清泉，1902年8月由浙江大学堂派遣，官费赴日留学。1904年，他入金泽医学校学习医学。学成归国后任浙江高等学堂校医。1911年，他创设浙江医院并任院长，并于次年6月1日与人共同筹创浙江医学专门学校（浙江医科大学前身），为国人自办医学专科学校之首创。

还有，毕业于日本东京帝国大学的著名化学家虞和钦，是 20 世纪初我国介绍西方近代科学成绩卓著的一位学者。他参与创办中国人自办的第一个科学仪器馆，主编我国最早的综合性自然科学刊物之一——《科学世界》，创办了我国最早制造硫酸的企业——开成造酸公司，还最早向国内读者介绍了化学元素周期律，是我国第一位撰写中国地质文章的学者，又是为我国制定有机化合物系统名称的第一人，创造了多项中国之最。

《译书汇编》书影

浙江早期留日学生中不少还成为近代革命斗士，为革命赴汤蹈火。鉴湖女侠秋瑾为了革命慷慨赴死，极大地鼓舞了革命党人的士气。徐锡麟、陶成章、魏兰等人也为革命奔走呼号，联络会党和新军，为辛亥革命浙江光复立下了汗马功劳。孙中山先生曾多次说：没有留学生，就没有辛亥革命。还有著名的辛亥革命志士马宗汉、奉化城里第一个剪辫子的周淡游等人，都是留日学生。留日学生赵家蕃、赵家艺兄弟变卖家产支持孙中山革命活动，更是传为佳话。

清末民初的留日热潮，对近代浙江革命运动和政治、经济、军事、文化、思想、科学的发展，都产生了重要影响。

阅读链接：
吴汉全、王中平：《留学生与近代中国社会变迁》，吉林人民出版社，2012 年版。
吕顺长：《清末浙江与日本》，上海古籍出版社，2001 年版。
沈殿成主编：《中国人留学日本百年史》，辽宁教育出版社，1997 年版。

后　记

2011年9月1日，习近平同志在出席中央党校2011年秋季学期开学典礼时，发表了《领导干部要读点历史》的讲话，强调领导干部不管处在哪个层次和岗位，都应该读点历史，从中汲取有益于加强修养、做好工作的智慧和营养，不断提高认识能力和精神境界，不断提升领导工作水平。

为贯彻落实习近平同志讲话精神，服务省委、省政府中心工作，传承和弘扬浙江优秀历史文化，浙江省社科院发挥自身优势，及时启动了《浙江历史人文读本》（以下简称《读本》）课题研究和编写论证工作。2011年12月至2012年1月，我们走访了省委办公厅、省委组织部、省委宣传部、省委党校等相关单位及领导、专家，多次座谈论证，大家一致认为，启动《读本》课题研究非常必要，也很有意义，在贯彻落实习近平同志讲话精神、提供省级区域历史人文读本等方面，走在了全国前列。2012年2月，省社科院将此课题列为本院2012年重大课题，以本院历史所为主，组织院内骨干科研人员和浙江文化艺术研究院、杭州师范大学历史系等单位的专家学者，成立课题组，并正式开展研究和编写工作。2012年10月，本课题正式立项为浙江省哲学社会科学规划课题。

《读本》由八个分册组成，每个分册分为若干专题，每一专题由若干子目组成。在体例上，《读本》不是“纵不断线”的通史书写，也不是专一的史料考证或理论论述，而是重在根据有鲜明特色、有重大意义、有突出影响、有重要成就的“四有”原则选取和设立各个子目，撷取浙江历史文化中最灿烂夺目的片断、最精华的材质，尤其是能在中国历史文化中称得上“第一”或“第一流”的人、事与历史场景，经深入探究、浓缩淬炼、精心构思，书写成一个个清新简明、意蕴深长且兼具历史气息和时代特质的“浙江意象”，为广大读者揭示浙江历史上的璀璨人文。

省社科院党委自始至终高度重视本课题的实施，从人员组织、经费落实、书稿审阅、出版发行等各个方面、各个环节精心组织，严格把关，确保质量。院领导及时关注课题进展，全程参加课题研讨，解决面临的各种困难。院学术委员会详细评审了课题方案，各分册评审专家精心审阅了全部书稿，提出了大量真知灼见。课题组成员本着对历史、对社会高度负责的使命感和责任心，精诚合作，全力投入，反复打磨，精益求精，力求学术基础扎实规范、内容选择主题突出、文字表达生动可读，着力创作优秀历史文化当代传承的精品。

省委书记夏宝龙十分重视关心《读本》编撰工作，于百忙之中亲自为《读本》作序，充分体现了省委领导对贯彻落实习近平同志讲话精神、对优秀历史文化及其当代应用的重视以及对我院工作的指导、关怀和支持。

省委组织部、省委宣传部、省社科联、省出版联合集团、省文化厅、省委党校、省委党史研究室等部门和单位的相关领导、专家对《读本》编写给予大力支持。特别是省委宣传部高度重视本课题，要求我院以省级礼品书为目标，精心编写，重视质量，打造精品佳作。省委常委、省委宣传部部长葛慧君亲自担任《读本》编撰指导委员会主任，常务副部长胡坚亲自担任编辑委员会主任，副部长鲍洪俊给予《读本》出版以大力支持。省委组织部干教处，省委宣传部理论处、党教处，省文化厅非遗处负责人积极谋划，多方协调，给予我们极大帮助。

浙江古籍出版社的负责人和各位责任编辑、美术编辑，认真负责，精心编校，为《读本》的出版做了大量增光添色的工作。

在此，我们对以上单位、领导和专家，表示衷心的感谢和诚挚的敬意！

由于浙江历史悠久厚重，《读本》所涉内容面广量大，作者水平有限，编写时间较紧，书稿中难免存在一些不尽如人意之处，敬请各位读者批评指正！

课题组

2013 年 5 月

图书在版编目（CIP）数据

启智开物 / 郑绩，周静，俞强著．— 杭州：浙江古籍出版社，2013.5

（浙江历史人文读本）

ISBN 978-7-5540-0059-5

Ⅰ．①启… Ⅱ．①郑… ②周… ③俞… Ⅲ．①文化史—浙江省 Ⅳ．①K295.5

中国版本图书馆 CIP 数据核字（2013）第 103789 号

启智开物

郑绩　周静　俞强　著

出版发行　浙江古籍出版社

（杭州体育场路 347 号　电话：0571-85176986）

网　　址　www.zjguji.com

责任编辑　翁宇翔　马樱滨

责任校对　吴颖胤

封面设计　刘　欣

责任印务　贾　敏

照　　排　杭州立飞图文制作有限公司

印　　刷　浙江海虹彩色印务有限公司

开　　本　787 × 1092　1/16

印　　张　21.25

字　　数　290 千字

版　　次　2013 年 7 月第 1 版

印　　次．2013 年 7 月第 1 次印刷

书　　号　ISBN 978-7-5540-0059-5

定　　价　50.00 元